Collection dirigée par
Johan Faerber

Madame de Lafayette

La Princesse de Clèves (1678)

**Texte intégral
suivi d'un dossier Nouveau BAC**

Texte annoté par
Mathilde Bernard
Agrégée de lettres modernes

Avant-texte, parcours et dossier par
Isabelle Lasfargue-Galvez
Agrégée de grammaire

avec le parcours **« Individu, morale et société »**

sommaire

L'AVANT-TEXTE

POUR SITUER L'ŒUVRE DANS SON CONTEXTE

LE TEXTE

La Princesse de Clèves

Des clés pour vous guider

© Hatier Paris 2019 - ISBN 978-2-401-05937-5

LE PARCOURS LITTÉRAIRE

Individu, morale et société

LE DOSSIER

POUR APPROFONDIR SA LECTURE ET S'ENTRAINER POUR LE BAC

Fiches de lecture

Prolongements artistiques et culturels

Les représentations de la vie en société

Objectif BAC

Conception graphique de la maquette Studio Favre & Lhaïk ; pour la partie texte : c-album, Jean-Baptiste
Taisne et Rachel Pfleger • Mise en pages : Chesteroc Ltd • Iconographie : Hatier Illustrations • Suivi éditorial :
Luce Camus.

L'AUTEUR

Qui est l'auteur ?

MADAME DE LAFAYETTE (1634-1693)

➤ La femme du monde

• Marie-Madeleine Pioche de la Vergne, comtesse de Lafayette, naît dans une famille de petite noblesse, riche et cultivée. Nommée à seize ans demoiselle d'honneur de la reine Anne d'Autriche, elle fréquente la cour et les salons où elle rencontre les beaux esprits de l'époque, le moraliste La Rochefoucauld et l'écrivain Gilles Ménage qui deviendra son plus fidèle ami et son conseiller littéraire.

• En 1655 – elle a 21 ans –, elle épouse le comte François de Lafayette, âgé de 38 ans, désargenté mais de très haute noblesse, avec qui elle aura deux enfants. Son époux préférant la campagne, elle l'accompagne en Auvergne sans rompre avec ses amis parisiens à qui elle rend de fréquentes visites. En 1659, elle s'installe définitivement à Paris où elle ouvre un salon.

➤ L'écrivain

• Madame de Lafayette fréquente assez peu la cour, mais plutôt les salons précieux, lieux de sociabilité où des femmes de la grande aristocratie recevaient l'élite intellectuelle et sociale de leur temps pour parler littérature, mais aussi philosophie. Poussée par ses amis Ménage et Segrais, elle se met à écrire, des ouvrages historiques, mais surtout des romans. En août 1662, paraît, sans nom d'auteur, *La Princesse de Montpensier*; en 1670-1671, est publié *Zaïde*; puis, en 1678, son chef-d'œuvre, *La Princesse de Clèves*.

> **Hommes de lettres, amis de Mme de Lafayette**
>
> • La Rochefoucauld (1613-1680), grand moraliste et mémorialiste, célèbre pour ses *Maximes*
> • Gilles Ménage (1613-1692) : écrivain influent, grammairien et historien
> • Jean de Segrais (1624-1701) : écrivain, auteur notamment de nouvelles

• La mort de son grand ami La Rochefoucauld en 1680, puis celle de son mari en 1683 la conduisent à abandonner son existence mondaine et à se réfugier dans la solitude. Elle meurt en 1693.

1678 — *La Princesse de Clèves*
ou l'invention du roman d'analyse

◗ Le choix de l'anonymat

• Madame de Lafayette entre en littérature avec la publication de *La Princesse de Montpensier* en 1662, sans nom d'auteur. Cet anonymat est motivé par le souci de la comtesse de ne pas compromettre sa réputation, mais aussi par son désir d'entretenir le mystère.

• En mars 1678, elle fait paraître *La Princesse de Clèves*, toujours sans nom d'auteur. Mais les premiers lecteurs se doutent qu'elle en est l'auteur. Ce dont elle se défend dans une lettre datée du 13 avril 1678 ; « Un petit livre qui a couru il y a quinze ans et où il plut au public de me donner part, a fait qu'on m'en donne encore à *La Princesse de Clèves*. Mais je vous assure que je n'y en ai aucune et que Monsieur de La Rochefoucauld, à qui on l'a voulu donner aussi, y en a aussi peu que moi. » Le nom de l'auteur n'apparaîtra sur la page de titre qu'en 1780 !

◗ Un roman à la mode

Mme de Lafayette répond à toutes les attentes des lecteurs de son époque. Ceux qui apprécient les nouvelles historiques trouvent dans *La Princesse* une intrigue qui se situe à la cour d'Henri II. Ceux qui préfèrent les romans précieux et galants sont satisfaits par ce texte qui parle d'amour et de galanterie. Enfin, la mode est aux textes courts, et *La Princesse de Clèves* n'atteint pas les 200 pages.

◗ Un roman qui fait parler de lui

Le livre déborde le cercle habituel des salons mondains. Il devient un sujet de conversation. En avril 1678, la revue *Le Mercure galant* ouvre une enquête auprès de ses lecteurs sur la scène de l'aveu de Mme de Clèves à son mari, qui donne lieu à une véritable « querelle » littéraire ; « une femme ne doit jamais jamais se hasarder à donner des alarmes à son mari », écrit un lecteur scandalisé.

L'époque de Mme de Lafayette : le siècle de Louis XIV

1661 ; l'affirmation de la monarchie absolue

• Le règne personnel de Louis XIV commence en 1661, à la mort du cardinal Mazarin. Celui-ci gouvernait la France depuis 1643 comme Premier ministre, sous la régence d'Anne d'Autriche, veuve de Louis XIII et mère de Louis XIV qui ne pouvait régner avant sa majorité.

• Le jeune monarque installe un régime qui se fonde sur une **autorité royale forte** et sur un **exercice personnel du pouvoir**. Le roi ne délègue pas son pouvoir à un Premier ministre mais s'entoure de collaborateurs qu'il choisit et qui lui sont tout dévoués.

La cour de Louis XIV

• Louis XIV instaure également une **vie de cour** complètement dépendante de sa propre personne, à la fois **brillante et disciplinée**.

• Il fait construire à **Versailles**, sur une trentaine d'années (à partir de 1664), un **ensemble architectural grandiose** afin d'y loger, avec sa famille, ses maîtresses, ses ministres et ses courtisans les plus en vogue.

• Lieu de pouvoir, Versailles est également un **lieu de sociabilité et de divertissement**. C'est là que tout se passe. Être admis à Versailles, c'est participer à la vie mondaine, c'est-à-dire aux activités sociales les plus en vue, les plus enviées. C'est vivre dans le faste de la cour, assister aux nombreuses fêtes qui y sont données par le roi. Mais c'est également **se plier à des règles**, des codes et des enjeux de pouvoir et de rivalités parfois très cruels.

Que se passe-t-il à l'époque de Mme de Lafayette ?

1634	1643	1643-1661	1661
Naissance de Mme de Lafayette	Mort de Louis XIII	Régence d'Anne d'Autriche ; Mazarin dirige l'État	Mort de Mazarin. Louis XIV exerce seul le pouvoir

L'époque du roman : la cour des Valois

☞ La dynastie des Valois

• À partir de 1328, la dynastie des Valois va régner sur la France pendant plus de deux siècles. Les Valois sont issus d'une **branche cadette des Capétiens**, famille royale qui, en 987, avec Hugues Capet, succède aux rois Carolingiens, et dont sont issus tous les rois de France depuis la Révolution.

• **François Ier** (1494-1547) est le monarque le plus célèbre de la dynastie des Valois, et c'est son fils **Henri II (1519-1559)** qui règne au début du roman de Mme de Lafayette.

• La dynastie s'achèvera avec Henri III (troisième fils de Catherine de Médicis et Henri II) qui meurt sans héritier mâle en 1589, auquel succédera Henri IV, de la famille des Bourbons (autre branche de l'arbre des Capétiens).

☞ Une cour florissante, phare de la Renaissance française

• La cour des Valois, à partir de François Ier, est la plus puissante d'Europe. Influencée par le Renaissance italienne, elle développe un **art de vivre extrêmement somptueux et raffiné**, notamment par la construction de nombreux **châteaux** (Chenonceau, Amboise, Chambord).

Bal à la cour des Valois (1580)

• Assemblée de princes, de ducs, de comtes, mais aussi de peintres (comme **Léonard de Vinci**) et de musiciens, elle traverse la France de château en château, dans une «magnificence» qui est un modèle dans toute l'Europe.

• Les **femmes** y sont réputées comme étant les plus belles d'Europe, mais elles y ont surtout une **place inégalée**, par leur éducation culturelle et intellectuelle hors norme.

1668	1683	1685	1693
Début de la construction du château de Versailles	Mort de la reine Marie-Thérèse ; mariage secret de Louis XIV et de Mme de Maintenon	Révocation de l'édit de Nantes	MORT DE MME DE LAFAYETTE

LE CONTEXTE

Quel est le contexte littéraire ?

Le contexte esthétique : du baroque au classicisme

Le baroque

• Le milieu du XVIIᵉ siècle voit un **changement** dans les goûts littéraires et artistiques. On passe progressivement de l'esthétique baroque à l'esthétique classique.
• Du portugais *barroco*, qui qualifie une perle irrégulière, le baroque désigne une période qui va de la **fin du** XVIᵉ **siècle jusqu'au premier tiers du** XVIIᵉ **siècle (1598-1630)**. Touchant les arts littéraires et les arts plastiques, il se caractérise par le mouvement, le foisonnement et l'exubérance, signes d'une certaine inquiétude face à l'instabilité du monde.

Le classicisme

• Entre 1630 et 1660, en réaction à l'esprit baroque, se font jour un effort de modération et la volonté de déterminer des règles claires de fonctionnement dans la société et dans l'art.
• Au goût pour le foisonnement succède une esthétique de la simplicité et de la symétrie ; à la ligne courbe et torsadée, fait suite la ligne droite ; au sentiment qu'il n'y a pas de vérité fixe, mais seulement des faits relatifs, s'impose la recherche de vérités absolues, notamment sur la nature humaine.
• Au sens strict, le classicisme connaît son plus grand développement pendant la **première moitié du règne de Louis XIV, de 1661 à 1685**.

Le roman baroque et le roman précieux

• Durant la première moitié du XVIIᵉ siècle, le roman, tenu jusqu'alors pour un genre mineur, tente de **s'élever au niveau des genres nobles** hérités de l'Antiquité, la tragédie et l'épopée. Honoré d'Urfé (*L'Astrée*, 1607-1627) ou Mˡˡᵉ de Scudéry (*Clélie*, 1654-1660) célèbrent l'héroïsme amoureux d'amants parfaits mais toujours en butte à mille déconvenues. Ces longs ouvrages (5 000 pages pour *L'Astrée*) mettent en scène des **êtres d'un niveau social et moral élevé** ou encore des **bergers**, dans un cadre idéalisé – palais somptueux ou campagnes idylliques.

• Les romans d'Honoré d'Urfé sont plutôt qualifiés de « baroques » ; ils sont composés en pleine période baroque et en manifestent bien les traits. Ceux de Mlle de Scudéry sont appelés « précieux » en référence aux salons tenus par les précieuses. Leur succès fut immense.

Le roman comique ou réaliste

• Mais il existe aussi des romans comiques et réalistes présentant des **héros de moyenne ou basse condition**, à la morale souvent douteuse, ancrés dans la vie quotidienne ; l'*Histoire comique de Francion*, de Charles Sorel (1622) ; le *Roman comique*, de Scarron (1651) ; le *Roman bourgeois* de Furetière (1666).
• Ces œuvres prennent le **contre-pied**, parfois de façon parodique, **des conventions du roman baroque et précieux**, dont le public s'est peu à peu lassé en raison de ses invraisemblances et de sa forme interminable.

La nouvelle historique, un genre à la mode

• L'esthétique classique se caractérise par son goût de la brièveté et de la mesure. Elle préconise aussi d'imiter la nature. La nouvelle est un genre parfaitement adapté à cette double exigence ; **genre bref**, elle doit pouvoir être lue d'une seule traite ; **genre plus réaliste** que le roman héroïque, elle puise ses sujets dans l'histoire récente et cherche à peindre le cœur humain tel qu'il est ; **genre plus cohérent et plus sobre**, elle construit une intrigue linéaire et présente un nombre réduit de personnages, qui sont des hommes et des femmes ayant existé ou ayant pu exister de manière vraisemblable.

Planche extraite de l'édition illustrée de *L'Astrée* (1733)

Quel est le contexte philosophique et religieux ?

L'exaltation de l'homme dans la première moitié du XVIIe siècle

● Humanisme et héroïsme retrouvés

• Avec la fin des guerres de religion, l'arrivée au pouvoir d'Henri IV et la promulgation de l'édit de Nantes qui autorise la liberté de culte, les esprits retrouvent optimisme et confiance en l'homme. Cela se manifeste par l'exaltation des valeurs héroïques (courage, générosité, sens de l'honneur, énergie morale et physique, quête de la gloire), qui sont développées notamment dans le théâtre de Corneille. Ce regain d'optimisme se retrouve également dans la philosophie cartésienne.

● Le cartésianisme

• Descartes (1596-1650) est la principale figure du courant rationaliste. Selon lui, le monde est connaissable par la raison, qui permet à l'homme de ne se pas laisser abuser par la croyance ou de faux savoirs. Dans le traité des *Passions de l'âme* (1649), le philosophe développe l'idée forte que, grâce à un contrôle sévère des passions par la raison, l'homme est capable de transformer des désirs futiles et éphémères en joies véritables.

La dépréciation de l'homme dans la seconde moitié du XVIIe siècle

● Le bouleversement politique ; le roi contre les nobles

• La construction de la monarchie absolue, commencée avec Richelieu, va entrer en conflit avec la morale rationnelle et héroïque de la première moitié du siècle. Le nouvel ordre politique va peu à peu déposséder la noblesse de son pouvoir et, dans le même temps, bouleverser la foi en l'homme. Les héros vont devenir des sujets du roi.

◗ Le pessimisme moral

• On assiste alors à la « démolition du héros[1] » ; on ne croit plus en la générosité et au sens de l'honneur issus de la morale héroïque. L'homme est vu dans sa faiblesse et sa petitesse, tout juste bon à être un courtisan prêt à flatter le roi pour survivre, comme le montre La Fontaine dans ses *Fables*.

• Ce pessimisme va se cristalliser sur la doctrine de la grâce, qui oppose les jésuites et les jansénistes et constitue une nouvelle guerre de religion (même si elle ne se manifesta pas par les armes).

Jésuites contre jansénistes

◗ Les jésuites et la grâce suffisante

• Les jésuites sont membres de la **compagnie de Jésus**, ordre religieux fondé en 1534 par l'Espagnol Ignace de Loyola, pour œuvrer à la reconquête catholique de la chrétienté face à la montée du protestantisme. Toute-puissante, la congrégation fournit aux rois leurs confesseurs, dirige la conscience des membres de la haute société, forme dans ses collèges les futures élites.

• En matière de morale et de foi, les jésuites, imprégnés d'un humanisme confiant et du respect des valeurs héroïques, élaborent une théologie qui s'appuie sur le concept de « **grâce suffisante** » ; Dieu accorde sa grâce à tous les hommes qui, à travers leurs mérites et leurs actes, sont responsables de leur salut, quitte à trouver des arrangements avec la morale – la **casuistique**[2] permettant de minimiser systématiquement les fautes et d'excuser tout péché.

◗ Les jansénistes et la grâce efficace

• Le jansénisme est une doctrine issue de la pensée du Flamand Cornelius Jansen, dit Jansenius (1585-1638), auteur de l'*Augustinus* (1640) qui réaffirme avec force les idées de saint Augustin (354-430 apr. J.-C.). Le salut de l'homme, créature déchue depuis le péché originel, ne peut résulter que de la « **grâce efficace** », faveur gratuite que Dieu n'accorde qu'à ceux dont il sait qu'ils la mériteront (prédestination) et non de l'effort et des mérites humains. Que devenait alors le libre arbitre de l'homme si le choix dépendait de Dieu seul ?

---

1. Paul Bénichou, *Morales du Grand Siècle*, Gallimard, 1948.
2. Casuistique ; étude des cas de conscience, c'est-à-dire l'application des règles morales générales à des cas particuliers, qui ouvre la porte à une morale relâchée permettant de faire le mal en toute tranquillité.

Pourquoi vous allez AIMER CE ROMAN

▶ Parce que c'est un roman qui parle d'AMOUR et de LIBERTÉ

Il nous parle d'amour mais aussi de liberté, de la difficulté d'être soi. De plus, même si le cadre de *La Princesse de Clèves* ressemble à celui d'un conte de fées, la cour d'Henri II forme une microsociété, un monde clos où pèse le regard des autres. La société du XVIᵉ siècle dépeinte dans le roman tout comme celle du XVIIᵉ siècle qui y apparaît en filigrane soulèvent une question primordiale qui n'a rien perdu de son acuité ; l'individu peut-il se défaire du parcours prévu pour lui par la société, en particulier quand il s'agit d'une femme ?

▶ Parce que les personnages sont des INDIVIDUS qui nous ressemblent

Derrière ces « belles personnes » qui appartiennent à l'élite sociale de leur temps, se cachent des individus qui nous ressemblent par leur faiblesse et leur force. Comment une aussi jeune femme que Mme de Clèves peut-elle résister au plus bel homme de la cour et mettre en pratique les sages conseils de sa mère, appui précieux dont la mort vient de la priver ? Le duc de Nemours lui-même est surpris par l'amour et presque aussi bouleversé que la princesse. Quant à M. de Clèves, il incarne la figure d'un homme à la fois follement amoureux et follement jaloux. Ce triangle amoureux semble éternel.

▶ Parce que c'est un roman précurseur du ROMAN MODERNE

Mme de Lafayette ne transporte pas son lecteur dans des aventures extraordinaires et invraisemblables. Plus qu'à l'intrigue, simple et ramassée autour de la vie de son héroïne, c'est à l'analyse poussée des sentiments des personnages que s'intéresse Mme de Lafayette. Finesse d'analyse et dialogues sont des outils d'écriture qui donnent au roman sa fonction de sonder les cœurs et les âmes.

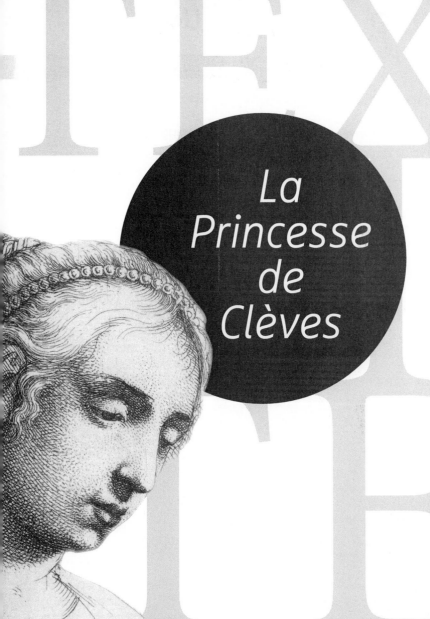

La
Princesse
de
Clèves

Tome premier

La magnificence[1] et la galanterie[2] n'ont jamais paru en
France avec tant d'éclat que dans les dernières années du règne
de Henri second[3]. Ce prince était galant, bien fait, et amoureux : quoique sa passion pour Diane de Poitiers[4], duchesse de
Valentinois, eût commencé il y avait plus de vingt ans, elle
n'en était pas moins violente, et il n'en donnait pas des témoignages moins éclatants.

Comme il réussissait admirablement dans tous les exercices
du corps, il en faisait une de ses plus grandes occupations.
C'était tous les jours des parties de chasse et de paume[5], des
ballets, des courses de bague[6], ou de semblables divertissements ; les couleurs et les chiffres[7] de Mme de Valentinois
paraissaient partout, et elle paraissait elle-même avec tous

---

1. **Magnificence** : luxe.

2. **Galanterie** : élégance des manières. Le terme, équivoque, annonce également
toutes les intrigues amoureuses de la cour de Henri II.

3. **Henri second** (1519-1559) : fils de François Ier et de Claude de France,
Henri II régna de 1547 à 1559.

4. **Diane de Poitiers** (1499-1566) : duchesse de Valentinois, maîtresse de
Henri II.

5. **Paume** : ancêtre du jeu de tennis.

6. **Courses de bague** : ces affrontements consistent à passer une lance à travers
des anneaux suspendus.

7. Les dames nobles ont des couleurs et des chiffres propres, qui sont comme leur
blason.

les ajustements[1] que pouvait avoir Mlle de la Marck[2], sa
15   petite-fille, qui était alors à marier.

La présence de la reine[3] autorisait la sienne. Cette princesse
était belle, quoiqu'elle eût passé la première jeunesse ; elle
aimait la grandeur, la magnificence, et les plaisirs. Le roi
l'avait épousée lorsqu'il était encore duc d'Orléans, et qu'il
20   avait pour aîné le dauphin[4], qui mourut à Tournon ; prince
que sa naissance et ses grandes qualités destinaient à remplir
dignement la place du roi François Ier[5], son père.

L'humeur ambitieuse de la reine lui faisait trouver une
grande douceur à régner : il semblait qu'elle souffrît sans peine
25   l'attachement du roi pour la duchesse de Valentinois, et elle
n'en témoignait aucune jalousie, mais elle avait une si profonde
dissimulation, qu'il était difficile de juger de ses sentiments,
et la politique l'obligeait d'approcher cette duchesse de sa
personne, afin d'en approcher aussi le roi. Ce prince aimait le
30   commerce[6] des femmes, même de celles dont il n'était pas
amoureux : il demeurait tous les jours chez la reine à l'heure du
cercle[7], où tout ce qu'il y avait de plus beau et de mieux fait de
l'un et de l'autre sexe ne manquait pas de se trouver.

Jamais cour n'a eu tant de belles personnes et d'hommes
35   admirablement bien faits, et il semblait que la nature eût pris

---

1. Ajustements : parures.
2. Mlle de la Marck : Antoinette de la Marck (1542-1591) épousa le duc d'Anville en 1558.
3. La reine : Catherine de Médicis (1519-1589), femme de Henri II.
4. Le dauphin : François, fils de François Ier et de Claude de France, qui mourut en 1536.
5. François Ier (1494-1547) : père de Henri II. François Ier régna de 1515 à 1547.
6. Commerce : présence.
7. Heure du cercle : heure de rendez-vous chez la reine.

plaisir à placer ce qu'elle donne de plus beau dans les plus grandes princesses et dans les plus grands princes. Mme Élisabeth de France[1], qui fut depuis reine d'Espagne, commençait à faire paraître un esprit surprenant et cette incomparable beauté qui
40 lui a été si funeste. Marie Stuart[2], reine d'Écosse, qui venait d'épouser M. le dauphin[3], et qu'on appelait la reine dauphine, était une personne parfaite pour l'esprit et pour le corps ; elle avait été élevée à la cour de France, elle en avait pris toute la politesse, et elle était née avec tant de dispositions[4] pour
45 toutes les belles choses, que, malgré sa grande jeunesse, elle les aimait et s'y connaissait mieux que personne. La reine, sa belle-mère, et Madame[5], sœur du roi, aimaient aussi les vers, la comédie et la musique. Le goût que le roi François Ier avait eu pour la poésie et pour les lettres régnait encore en France,
50 et le roi son fils, aimant les exercices du corps, tous les plaisirs étaient à la cour, mais ce qui rendait cette cour belle et majestueuse, était le nombre infini de princes et de grands seigneurs

---

1. **Élisabeth de France** (1545-1568) : fille de Henri II et de Catherine de Médicis, elle épousa Philippe II de Valois (1527-1598), roi d'Espagne depuis 1555, le 22 juin 1559.

2. **Marie Stuart** (1542-1587) : reine d'Écosse depuis la mort de son père Jacques V qui advint alors qu'elle avait sept jours, elle fut élevée en France – sa mère, Marie de Lorraine, était française – et se maria au dauphin François en 1558. À la mort de Henri II en 1559, alors que son mari accédait au trône, elle devenait reine de France. Mais la mort de François II une année plus tard précipita son retour en Écosse, qui eut lieu en 1561. Ses prétentions sur la Couronne d'Angleterre la menèrent à l'échafaud, en 1587 : elle fut officiellement condamnée pour avoir conspiré contre sa cousine, mais en réalité, elle fut éliminée parce que, par sa seule présence, elle constituait une menace pour Elisabeth I.

3. **M. le dauphin** : François, futur François II (1544-1560), régna de 1559 à 1560.

4. **Dispositions** : facultés.

5. **Madame** : c'est ainsi qu'on appelait la sœur du roi régnant. Il s'agit ici de Marguerite de France (1523-1574).

d'un mérite extraordinaire. Ceux que je vais nommer étaient, en des manières différentes, l'ornement et l'admiration de leur siècle.

Le roi de Navarre[1] attirait le respect de tout le monde par la grandeur de son rang et par celle qui paraissait en sa personne. Il excellait dans la guerre, et le duc de Guise[2] lui donnait une émulation qui l'avait porté plusieurs fois à quitter sa place de général pour aller combattre auprès de lui comme un simple soldat, dans les lieux les plus périlleux. Il est vrai aussi que ce duc avait donné des marques d'une valeur si admirable et avait eu de si heureux succès qu'il n'y avait point de grand capitaine qui ne dût le regarder avec envie. Sa valeur était soutenue de toutes les autres grandes qualités : il avait un esprit vaste et profond, une âme noble et élevée, et une égale capacité pour la guerre et pour les affaires. Le cardinal de Lorraine[3], son frère, était né avec une ambition démesurée, avec un esprit vif et une éloquence admirable, et il avait acquis une science profonde, dont il se servait pour se rendre considérable[4] en défendant la religion catholique qui commençait d'être attaquée. Le chevalier de Guise[5], que l'on appela depuis le grand prieur, était un prince aimé de tout le

---

1. **Le roi de Navarre** : Antoine de Bourbon-Navarre (1518-1562), père du futur Henri IV.

2. **Le duc de Guise** (1519-1563) : François Iᵉʳ de Lorraine appartenait à la famille des Guises, très opposée au protestantisme. Cette famille fut très liée aux princes de sang – Marie Stuart est elle-même une Guise – et tenta d'obtenir un pouvoir croissant tout au long du siècle, surtout après la mort de Henri II.

3. **Le cardinal de Lorraine** (1525-1574) : Charles de Lorraine est le frère du duc de Guise. Il devint cardinal en 1547.

4. **Se rendre considérable** : se rendre digne d'attention.

5. **Le chevalier de Guise** (1534-1563) : autre frère du duc de Guise, qui fut chevalier de Malte et grand prieur de France.

monde, bien fait, plein d'esprit, plein d'adresse, et d'une
75 valeur célèbre par toute l'Europe. Le prince de Condé[1], dans
un petit corps peu favorisé de la nature, avait une âme
grande et hautaine[2], et un esprit qui le rendait aimable aux
yeux même des plus belles femmes. Le duc de Nevers[3], dont
la vie était glorieuse par la guerre et par les grands emplois
80 qu'il avait eus, quoique dans un âge un peu avancé, faisait
les délices de la cour. Il avait trois fils parfaitement bien
faits : le second, qu'on appelait le prince de Clèves[4], était
digne de soutenir la gloire de son nom, il était brave et
magnifique, et il avait une prudence qui ne se trouve guère
85 avec la jeunesse. Le vidame de Chartres[5], descendu de cette
ancienne maison de Vendôme, dont les princes du sang[6]
n'ont point dédaigné de porter le nom, était également
distingué dans la guerre et dans la galanterie[7]. Il était beau,
de bonne mine, vaillant, hardi, libéral ; toutes ces bonnes
90 qualités étaient vives et éclatantes : enfin il était seul digne
d'être comparé au duc de Nemours[8], si quelqu'un lui eût

---

1. Le prince de Condé (1530-1569) : Louis de Bourbon, prince de Condé, était
le chef du parti protestant.

2. Hautaine : fière.

3. Le duc de Nevers (1516-1551) : François de Clèves devint duc de Nevers en 1539.

4. Le prince de Clèves : l'existence de ce prince est partiellement fictive. En
réalité, le deuxième fils (troisième enfant) du duc de Nevers, Jacques de Nevers,
vécut de 1544 à 1564. Il ne correspond pas au personnage du roman.

5. Le vidame de Chartres (1522-1560 ou 1562) : François de Vendôme, prince
de Chabanais était le représentant temporel de l'évêque.

6. Les princes du sang sont les membres de lignages descendant de saint Louis,
donc des princes potentiellement appelés à devenir roi de France.

7. Galanterie : élégance des manières.

8. Le duc de Nemours : Jacques de Savoie-Nemours (1531-1585) devint duc de
Nemours à la mort de son père, en 1533. Le personnage du roman ne lui correspond pas véritablement.

pu être comparable. Mais ce prince était un chef-d'œuvre de la nature, ce qu'il avait de moins admirable, c'était d'être l'homme du monde le mieux fait et le plus beau. Ce qui le mettait au-dessus des autres, était une valeur incomparable, et un agrément dans son esprit[1], dans son visage et dans ses actions que l'on n'a jamais vu qu'à lui seul ; il avait un enjouement qui plaisait également aux hommes et aux femmes, une adresse extraordinaire dans tous ses exercices, une manière de s'habiller qui était toujours suivie de tout le monde, sans pouvoir être imitée, et enfin un air dans toute sa personne qui faisait qu'on ne pouvait regarder que lui dans tous les lieux où il paraissait. Il n'y avait aucune dame dans la cour dont la gloire n'eût été flattée de le voir attaché à elle ; peu de celles à qui il s'était attaché se pouvaient vanter de lui avoir résisté, et même plusieurs à qui il n'avait point témoigné de passion n'avaient pas laissé[2] d'en avoir pour lui. Il avait tant de douceur et tant de disposition à la galanterie[3], qu'il ne pouvait refuser quelques soins à celles qui tâchaient de lui plaire : ainsi il avait plusieurs maîtresses, mais il était difficile de deviner celle qu'il aimait véritablement. Il allait souvent chez la reine dauphine[4] : la beauté de cette princesse, sa douceur, le soin qu'elle avait de plaire à tout le monde, et l'estime particulière qu'elle témoignait à ce prince avaient souvent donné lieu de croire qu'il levait les yeux jusqu'à elle. Messieurs de Guise, dont elle était nièce, avaient beaucoup

---

1. **Agrément dans son esprit** : vivacité de son esprit.

2. **N'avaient pas laissé** : n'avaient pas manqué

3. **Galanterie** : élégance des manières.

4. **La reine dauphine** : Marie Stuart.

Des clés
pour vous guider

Un incipit historique
du début à « le plus beau »,
p. 17-22, l. 1-94

Le roman débute par un paragraphe qui, à la manière d'un générique au cinéma ou d'une didascalie au théâtre, situe l'intrigue dans l'Histoire, à la cour du roi France Henri II.

(1) **Comment sont développés les deux premiers mots du récit, « magnificence » et « galanterie », dans la suite du texte ?**

> *pour vous aider* Repérez tous les procédés hyperboliques du texte. Est hyperbolique ce qui relève de l'exagération, de la démesure.

(2) **Comment la galerie de portraits qui apparaissent dans cet incipit est-elle organisée ?**

(3) **L'ambiance de cet incipit est-elle historique, idéalisée ou les deux ?**

(4) GRAMMAIRE • **« Le roi [...] son père » (lignes 18-22) : combien y a-t-il de propositions dans cette phrase ? De quelle nature sont-elles ?**

> *pour vous aider* Le conditionnel est le mode de l'hypothèse. Pour identifier les propositions d'une phrase, comptez les verbes conjugués à un mode personnel.

POUR ALLER *plus loin*

ÉCRIT DE RÉAPPROPRIATION • Écrivez un incipit qui situe l'action d'une intrigue à un moment historique de votre choix.

> *pour vous aider* Choisissez un épisode historique qui vous intéresse et documentez-vous sur le cadre historique de cet épisode.

augmenté leur crédit et leur considération par son mariage ; leur ambition les faisait aspirer à s'égaler aux princes du sang, et à partager le pouvoir du connétable de Montmorency[1]. Le roi se reposait sur lui de la plus grande partie du gouvernement des affaires et traitait le duc de Guise et le maréchal de Saint-André[2] comme ses favoris, mais ceux que la faveur ou les affaires approchaient de sa personne, ne s'y pouvaient maintenir qu'en se soumettant à la duchesse de Valentinois[3], et, quoiqu'elle n'eût plus de jeunesse ni de beauté, elle le gouvernait avec un empire[4] si absolu, que l'on peut dire qu'elle était maîtresse de sa personne et de l'État.

Le roi avait toujours aimé le connétable, et sitôt qu'il avait commencé à régner, il l'avait rappelé de l'exil où le roi François Ier l'avait envoyé. La cour était partagée entre messieurs de Guise et le connétable, qui était soutenu des princes du sang. L'un et l'autre partis avaient toujours songé à gagner la duchesse de Valentinois. Le duc d'Aumale[5], frère du duc de Guise, avait épousé une de ses filles ; le connétable aspirait à la même alliance. Il ne se contentait pas d'avoir marié son fils aîné avec Mme Diane[6], fille du roi et d'une dame de Piémont, qui se fit religieuse aussitôt qu'elle fut accouchée. Ce mariage avait eu beaucoup d'obstacles par

---

1. Le connétable de Montmorency (1493-1567) : le duc Anne de Montmorency devint connétable de France, soit commandant suprême des armées, en 1538.

2. Le maréchal de Saint-André (1512-1562) : chef catholique des guerres de Religion.

3. Duchesse de Valentinois : Diane de Poitiers.

4. Empire : pouvoir.

5. Duc d'Aumale (1526-1573) : Claude II d'Aumale devint duc en 1550.

6. Mme Diane (1538-1619) : Diane de France était la fille illégitime de Henri II et de Filippa Ducci. Elle fut légitimée en 1548.

140 les promesses que M. de Montmorency[1] avait faites à Mlle de
Piennes, une des filles d'honneur de la reine, et, bien que le
roi les eût surmontés avec une patience et une bonté extrêmes,
ce connétable ne se trouvait pas encore assez appuyé, s'il ne
s'assurait de Mme de Valentinois, et s'il ne la séparait de
145 messieurs de Guise, dont la grandeur commençait à donner
de l'inquiétude à cette duchesse. Elle avait retardé, autant
qu'elle avait pu, le mariage du dauphin avec la reine
d'Écosse[2] ; la beauté et l'esprit capable[3] et avancé de cette
jeune reine, et l'élévation que ce mariage donnait à messieurs
150 de Guise, lui étaient insupportables. Elle haïssait particulièrement le cardinal de Lorraine ; il lui avait parlé avec aigreur,
et même avec mépris. Elle voyait qu'il prenait des liaisons avec
la reine, de sorte que le connétable la trouva disposée à s'unir
avec lui, et à entrer dans son alliance par le mariage de Mlle de
155 la Marck, sa petite-fille, avec M. d'Anville[4], son second fils,
qui succéda depuis à sa charge sous le règne de Charles IX[5]. Le
connétable ne crut pas trouver d'obstacles dans l'esprit de
M. d'Anville pour un mariage, comme il en avait trouvé dans
l'esprit de M. de Montmorency, mais, quoique les raisons lui
160 en fussent cachées, les difficultés n'en furent guère moindres.
M. d'Anville était éperdument amoureux de la reine dauphine ;
et, quelque peu d'espérance qu'il eût dans cette passion, il ne

---

1. **M. de Montmorency** (1530-1579): fils du connétable, François de Montmorency dut épouser Diane de France, la fille illégitime de Henri II, alors qu'il s'était
marié secrètement avec Jeanne de Piennes en 1553. Il dut renoncer à cette dernière.
2. **La reine d'Écosse** : Marie Stuart.
3. **Capable** : plein de capacités.
4. **M. d'Anville** (1534-1614): second fils du connétable de Montmorency.
5. **Charles IX** (1550-1574): roi de France de 1560 à 1574. Il était le frère de
François II.

pouvait se résoudre à prendre un engagement qui partage-
rait ses soins. Le maréchal de Saint-André était le seul dans
la cour qui n'eût point pris de parti. Il était un des favoris,
et sa faveur ne tenait qu'à sa personne. Le roi l'avait aimé dès
le temps qu'il était dauphin, et depuis, il l'avait fait maréchal de France, dans un âge où l'on n'a pas encore accoutumé
de prétendre aux moindres dignités. Sa faveur lui donnait un
éclat qu'il soutenait par son mérite et par l'agrément[1] de sa
personne, par une grande délicatesse pour sa table et pour ses
meubles, et par la plus grande magnificence[2] qu'on eût jamais
vue en un particulier. La libéralité[3] du roi fournissait à cette
dépense, ce prince allait jusqu'à la prodigalité[4] pour ceux qu'il
aimait, il n'avait pas toutes les grandes qualités, mais il en
avait plusieurs, et surtout celle d'aimer la guerre et de l'entendre[5] ; aussi avait-il eu d'heureux succès, et, si on en excepte
la bataille de Saint-Quentin[6], son règne n'avait été qu'une
suite de victoires. Il avait gagné en personne la bataille de
Renty[7], le Piémont avait été conquis, les Anglais avaient été
chassés de France, et l'empereur Charles Quint[8] avait vu finir sa
bonne fortune devant la ville de Metz[1], qu'il avait assiégée inutilement avec toutes les forces de l'Empire et de l'Espagne.

1. **Agrément** : caractère agréable.
2. **Magnificence** : luxe.
3. **Libéralité** : générosité.
4. **Prodigalité** : dépenses excessives.
5. **Entendre** : comprendre.
6. **Bataille de Saint-Quentin** : 10 août 1557. La France y essuya une défaite contre les Espagnols.
7. **Bataille de Renty** : elle eut lieu le 13 août 1554. La France vainquit l'armée de l'empereur Charles Quint.
8 **Charles Quint** (1500-1558) : roi d'Espagne en 1516, il devint empereur en 1519. Il était le grand adversaire de François Ier.

Néanmoins, comme le malheur de Saint-Quentin avait diminué
185   l'espérance de nos conquêtes, et que depuis la fortune avait
semblé se partager entre les deux rois, ils se trouvèrent insensiblement disposés à la paix.

La duchesse douairière de Lorraine[2] avait commencé à
en faire des propositions dans le temps du mariage de M. le
190   dauphin ; il y avait toujours eu depuis quelque négociation
secrète. Enfin, Cercamp, dans le pays d'Artois, fut choisi pour
le lieu où l'on devait s'assembler. Le cardinal de Lorraine, le
connétable de Montmorency et le maréchal de Saint-André s'y
trouvèrent pour le roi ; le duc d'Albe[3] et le prince d'Orange[4],
195   pour Philippe II[5] ; et le duc et la duchesse de Lorraine furent
les médiateurs. Les principaux articles étaient le mariage de
Mme Élisabeth de France avec Don Carlos[6], infant d'Espagne,
et celui de Madame, sœur du roi[7], avec M. de Savoie[8].

---

1. Le 13 octobre 1552, l'armée française remporta à Metz une victoire contre
Charles Quint.

2. La duchesse douairière de Lorraine : Chrétienne de Danemark (1521-
1590), nièce de l'Empereur Charles Quint, fille et petite-fille des rois de Suède
et de Danemark.

3. Le duc d'Albe : Ferdinand Alvare de Tolède (1507-1582), 3e duc d'Albe,
occupa la fonction de régent des Pays-Bas espagnols de 1567 à 1573.

4. Le prince d'Orange (1533-1584) : Guillaume de Nassau, prince d'Orange,
dit Guillaume le Taciturne, proche de Charles Quint, fut le commandant de la
révolte contre Philippe II, aux Pays-Bas espagnols.

5. Philippe II (1527-1598) succéda à son père en tant que roi d'Espagne en 1555.

6. Don Carlos (1545-1568) : c'est à l'origine l'infant, le fils de Philippe II qui
devait épouser Élisabeth de France, fille de Henri II et de Catherine de Médicis.
Mais Philippe II changea d'avis et épousa lui-même la princesse.

7. Madame, sœur du roi : Marguerite de France.

8. M. de Savoie (1528-1580) : Emmanuel-Philibert fut duc de Savoie et prince
de Piémont à partir de 1553.

Le roi demeura cependant sur la frontière et il y reçut la
nouvelle de la mort de Marie, reine d'Angleterre[1]. Il envoya
le comte de Randan[2] à Élisabeth[3], pour la complimenter sur
son avènement à la couronne ; elle le reçut avec joie. Ses droits
étaient si mal établis[4] qu'il lui était avantageux de se voir
reconnue par le roi. Ce comte la trouva instruite des intérêts
de la cour de France, et du mérite de ceux qui la compo-
saient, mais surtout il la trouva si remplie de la réputation
du duc de Nemours[5], elle lui parla tant de fois de ce prince,
et avec tant d'empressement que, quand M. de Randan fut
revenu, et qu'il rendit compte au roi de son voyage, il lui
dit qu'il n'y avait rien que M. de Nemours ne pût prétendre
auprès de cette princesse, et qu'il ne doutait point qu'elle
ne fût capable de l'épouser. Le roi en parla à ce prince dès le
soir même ; il lui fit conter par M. de Randan toutes ses
conversations avec Élisabeth et lui conseilla de tenter cette
grande fortune. M. de Nemours crut d'abord que le roi ne
lui parlait pas sérieusement mais comme il vit le contraire :

« Au moins, Sire, lui dit-il, si je m'embarque dans une
entreprise chimérique par le conseil et pour le service de Votre
Majesté, je la supplie de me garder le secret jusqu'à ce que le

---

1. Marie, reine d'Angleterre : Marie Tudor (1516-1558), fille de Henri VIII
et de Catherine d'Aragon, femme de Philippe II.

2. Le comte de Randan : Charles de La Rochefoucauld (1523-1562), célèbre
guerrier.

3. Élisabeth (1533-1608) : fille de Henri VIII et d'Anne Boleyn, elle succéda à
sa sœur Marie Tudor en 1558.

4. Ses droits étaient si mal établis : la succession de la couronne d'Angleterre
donna lieu à de nombreux conflits.

5. Si remplie de la réputation du duc de Nemours : très intéressée dans la
personne fameuse du duc de Nemours.

220 succès me justifie vers le public, et de vouloir bien ne me pas faire paraître rempli d'une assez grande vanité pour prétendre qu'une reine, qui ne m'a jamais vu, me veuille épouser par amour. »

Le roi lui promit de ne parler qu'au connétable de ce 225 dessein, et il jugea même le secret nécessaire pour le succès. M. de Randan conseillait à M. de Nemours d'aller en Angleterre sur le simple prétexte de voyager, mais ce prince ne put s'y résoudre. Il envoya Lignerolles[1] qui était un jeune homme d'esprit, son favori, pour voir les sentiments de la 230 reine, et pour tâcher de commencer quelque liaison. En attendant l'événement de ce voyage, il alla voir le duc de Savoie, qui était alors à Bruxelles avec le roi d'Espagne. La mort de Marie d'Angleterre apporta de grands obstacles à la paix ; l'assemblée se rompit à la fin de novembre, et le roi revint à 235 Paris.

Il parut alors une beauté à la cour, qui attira les yeux de tout le monde, et l'on doit croire que c'était une beauté parfaite, puisqu'elle donna de l'admiration dans un lieu où l'on était si accoutumé à voir de belles personnes. Elle était de 240 la même maison que le vidame de Chartres, et une des plus grandes héritières de France. Son père était mort jeune, et l'avait laissée sous la conduite de Mme de Chartres[2], sa femme, dont le bien, la vertu et le mérite étaient extraordinaires. Après avoir perdu son mari, elle avait passé plusieurs 245 années sans revenir à la cour. Pendant cette absence, elle avait donné ses soins à l'éducation de sa fille, mais elle ne travailla

---

1. On sait peu de choses de Philibert de Lignerolles, qui mourut assassiné en 1571.

2. Mme de Chartres et sa fille sont des personnages fictifs.

29

pas seulement à cultiver son esprit et sa beauté, elle songea aussi à lui donner de la vertu et à la lui rendre aimable[1]. La plupart des mères s'imaginent qu'il suffit de ne parler jamais de galanterie[2] devant les jeunes personnes pour les en éloigner. Mme de Chartres avait une opinion opposée, elle faisait souvent à sa fille des peintures de l'amour, elle lui montrait ce qu'il a d'agréable pour la persuader plus aisément sur ce qu'elle lui en apprenait de dangereux, elle lui contait le peu de sincérité des hommes, leurs tromperies et leur infidélité, les malheurs domestiques[3] où plongent les engagements, et elle lui faisait voir, d'un autre côté, quelle tranquillité suivait la vie d'une honnête femme, et combien la vertu donnait d'éclat et d'élévation à une personne qui avait de la beauté et de la naissance, mais elle lui faisait voir aussi combien il était difficile de conserver cette vertu, que par une extrême défiance[4] de soi-même et par un grand soin de s'attacher à ce qui seul peut faire le bonheur d'une femme, qui est d'aimer son mari et d'en être aimée.

Cette héritière était alors un des grands partis qu'il y eût en France et quoiqu'elle fût dans une extrême jeunesse, l'on avait déjà proposé plusieurs mariages. Mme de Chartres, qui était extrêmement glorieuse, ne trouvait presque rien digne de sa fille. La voyant dans sa seizième année, elle voulut la mener à la cour. Lorsqu'elle arriva, le vidame alla au-devant d'elle ; il fut surpris de la grande beauté de Mlle de Chartres, et il en fut surpris avec raison. La blancheur de son teint et ses cheveux blonds lui donnaient un éclat que l'on n'a jamais vu

---

1. Aimable : propre à être aimée.
2. Galanterie : ici, relations amoureuses et libertinage.
3. Domestiques : conjugaux.
4. Défiance : méfiance.

qu'à elle ; tous ses traits étaient réguliers, et son visage et sa personne étaient pleins de grâce et de charmes.

275   Le lendemain qu'elle fut arrivée, elle alla pour assortir des pierreries chez un Italien qui en trafiquait[1] par tout le monde. Cet homme était venu de Florence avec la reine[2], et s'était tellement enrichi dans son trafic, que sa maison paraissait plutôt celle d'un grand seigneur que d'un marchand. Comme
280 elle y était, le prince de Clèves y arriva. Il fut tellement surpris de sa beauté qu'il ne put cacher sa surprise, et Mlle de Chartres ne put s'empêcher de rougir en voyant l'étonnement[3] qu'elle lui avait donné. Elle se remit néanmoins, sans témoigner d'autre attention aux actions de ce prince que celle que la
285 civilité lui devait donner pour un homme tel qu'il paraissait. M. de Clèves la regardait avec admiration, et il ne pouvait comprendre qui était cette belle personne qu'il ne connaissait point. Il voyait bien, par son air et par tout ce qui était à sa suite, qu'elle devait être d'une grande qualité[4]. Sa jeunesse lui
290 faisait croire que c'était une fille[5], mais, ne lui voyant point de mère, et l'Italien, qui ne la connaissait point, l'appelant madame, il ne savait que penser, et il la regardait toujours avec étonnement. Il s'aperçut que ses regards l'embarrassaient, contre l'ordinaire des jeunes personnes qui voient toujours avec
295 plaisir l'effet de leur beauté ; il lui parut même qu'il était cause qu'elle avait de l'impatience de s'en aller, et en effet elle

---

1. Trafiquait : faisait commerce.

2. Catherine de Médicis est florentine.

3. Étonnement : caractère de quelqu'un qui est comme frappé de foudre, stupéfaction.

4. Qualité : ici, origine sociale.

5. Fille : jeune fille, non mariée.

sortit assez promptement. M. de Clèves se consola de la perdre de vue dans l'espérance de savoir qui elle était, mais il fut bien surpris quand il sut qu'on ne la connaissait point. Il demeura
300   si touché de sa beauté et de l'air modeste qu'il avait remarqué dans ses actions, qu'on peut dire qu'il conçut pour elle, dès ce moment, une passion et une estime extraordinaires. Il alla le soir chez Madame, sœur du roi.

Cette princesse était dans une grande considération par le
305   crédit[1] qu'elle avait sur le roi son frère, et ce crédit était si grand, que le roi, en faisant la paix, consentait à rendre le Piémont pour lui faire épouser le duc de Savoie. Quoiqu'elle eût désiré toute sa vie de se marier, elle n'avait jamais voulu épouser qu'un souverain, et elle avait refusé pour cette raison
310   le roi de Navarre lorsqu'il était duc de Vendôme[2], et avait toujours souhaité M. de Savoie ; elle avait conservé de l'inclination pour lui depuis qu'elle l'avait vu à Nice à l'entrevue du roi François Ier et du pape Paul III[3]. Comme elle avait beaucoup d'esprit et un grand discernement pour les belles choses,
315   elle attirait tous les honnêtes gens, et il y avait de certaines heures où toute la cour était chez elle.

M. de Clèves y vint comme à l'ordinaire, il était si rempli de l'esprit et de la beauté de Mlle de Chartres qu'il ne pouvait parler d'autre chose. Il conta tout haut son aventure,
320   et ne pouvait se lasser de donner des louanges à cette personne qu'il avait vue, qu'il ne connaissait point. Madame lui dit

---

1. **Dans une grande considération par le crédit :** très considérée, en raison du crédit.

2. Antoine de Bourbon, duc de Vendôme, ne devint roi de Navarre que par son mariage avec Jeanne d'Albret (1548) qui elle-même devint reine de Navarre en 1555.

3. **Paul III :** Alexandre Farnèse (1468-1549) fut élu pape en 1534. L'entrevue avec François Ier eut lieu en juin 1538.

qu'il n'y avait point de personne comme celle qu'il dépeignait et que, s'il y en avait quelqu'une, elle serait connue de tout le monde. Mme de Dampierre[1], qui était sa dame d'honneur et amie de Mme de Chartres, entendant cette conversation, s'approcha de cette princesse, et lui dit tout bas que c'était sans doute Mlle de Chartres que M. de Clèves avait vue. Madame se retourna vers lui, et lui dit que, s'il voulait revenir chez elle le lendemain, elle lui ferait voir cette beauté dont il était si touché. Mlle de Chartres parut en effet le jour suivant ; elle fut reçue des reines avec tous les agréments[2] qu'on peut s'imaginer, et avec une telle admiration de tout le monde, qu'elle n'entendait autour d'elle que des louanges. Elle les recevait avec une modestie si noble, qu'il ne semblait pas qu'elle les entendît, ou du moins qu'elle en fût touchée. Elle alla ensuite chez Madame, sœur du roi. Cette princesse, après avoir loué sa beauté, lui conta l'étonnement qu'elle avait donné à M. de Clèves. Ce prince entra un moment après :

« Venez, lui dit-elle, voyez si je ne vous tiens pas ma parole et si, en vous montrant Mlle de Chartres, je ne vous fais pas voir cette beauté que vous cherchiez, remerciez-moi au moins de lui avoir appris l'admiration que vous aviez déjà pour elle. »

M. de Clèves sentit de la joie de voir que cette personne qu'il avait trouvée si aimable[3] était d'une qualité[4] proportionnée à sa beauté : il s'approcha d'elle, et il la supplia de se souvenir qu'il avait été le premier à l'admirer, et que, sans la

---

1. Mme de Dampierre : Jeanne de Vivonne (1525-1583) était mariée à Claude de Clermont, seigneur de Dampierre.

2. Agréments : égards.

3. Aimable : propre à être aimée.

4. Qualité : de rang élevé. Le prince de Clèves ne peut pas concevoir d'épouser une femme trop en-dessous de son rang.

connaître, il avait eu pour elle tous les sentiments de respect et d'estime qui lui étaient dus.

Le chevalier de Guise et lui, qui étaient amis, sortirent ensemble de chez Madame. Ils louèrent d'abord Mlle de Chartres sans se contraindre. Ils trouvèrent enfin qu'ils la louaient trop, et ils cessèrent l'un et l'autre de dire ce qu'ils en pensaient, mais ils furent contraints d'en parler les jours suivants partout où ils se rencontrèrent. Cette nouvelle beauté fut longtemps le sujet de toutes les conversations. La reine lui donna de grandes louanges et eut pour elle une considération extraordinaire ; la reine dauphine en fit une de ses favorites et pria Mme de Chartres de la mener souvent chez elle. Mmes, filles du roi[1], l'envoyaient chercher pour être de tous leurs divertissements. Enfin, elle était aimée et admirée de toute la cour, excepté de Mme de Valentinois. Ce n'est pas que cette beauté lui donnât de l'ombrage[2] ; une trop longue expérience lui avait appris qu'elle n'avait rien à craindre auprès du roi[3], mais elle avait tant de haine pour le vidame de Chartres, qu'elle avait souhaité d'attacher à elle par le mariage d'une de ses filles, et qui s'était attaché à la reine, qu'elle ne pouvait regarder favorablement une personne qui portait son nom et pour qui il faisait paraître une grande amitié.

Le prince de Clèves devint passionnément amoureux de Mlle de Chartres et souhaitait ardemment de l'épouser, mais il craignait que l'orgueil de Mme de Chartres ne fût blessé de

---

1. Il s'agit d'Élisabeth et de Claude de France. Marguerite de France, née en 1552, est trop jeune pour assister à ces réunions mondaines.

2. Lui donnât de l'ombrage : lui fît de l'ombre.

3. Même si Diane de Poitiers était bien plus âgée que Henri II, il l'aimait d'un amour passionné, incompris de tous.

donner sa fille à un homme qui n'était pas l'aîné[1] de sa maison.
Cependant cette maison était si grande, et le comte d'Eu[2], qui
en était l'aîné, venait d'épouser une personne si proche de la
375   maison royale que c'était plutôt la timidité que donne l'amour
que de véritables raisons, qui causaient les craintes de M. de
Clèves. Il avait un grand nombre de rivaux : le chevalier de
Guise lui paraissait le plus redoutable par sa naissance, par
son mérite, et par l'éclat que la faveur donnait à sa maison.
380   Ce prince était devenu amoureux de Mlle de Chartres le
premier jour qu'il l'avait vue : il s'était aperçu de la passion de
M. de Clèves, comme M. de Clèves s'était aperçu de la sienne.
Quoiqu'ils fussent amis, l'éloignement que donnent les mêmes
prétentions ne leur avait pas permis de s'expliquer ensemble,
385   et leur amitié s'était refroidie sans qu'ils eussent eu la force de
s'éclaircir. L'aventure qui était arrivée à M. de Clèves, d'avoir
vu le premier Mlle de Chartres, lui paraissait un heureux
présage, et semblait lui donner quelque avantage sur ses rivaux,
mais il prévoyait de grands obstacles par le duc de Nevers,
390   son père. Ce duc avait d'étroites liaisons avec la duchesse de
Valentinois, elle était ennemie du vidame, et cette raison était
suffisante pour empêcher le duc de Nevers de consentir que son
fils pensât à sa nièce.

Mme de Chartres, qui avait eu tant d'application pour
395   inspirer la vertu à sa fille, ne discontinua pas de prendre
les mêmes soins dans un lieu où ils étaient si nécessaires et où
il y avait tant d'exemples si dangereux. L'ambition et la galan-

---

1. Les honneurs vont en premier lieu à l'aîné de la famille.
2. Le comte d'Eu : François Ier de Clèves (1516-1561) devint comte d'Eu en
1521. Il épousa Marguerite de Bourbon-Vendôme, sœur d'Antoine de Bourbon,
en 1538.

terie[1] étaient l'âme de cette cour, et occupaient également les hommes et les femmes. Il y avait tant d'intérêts et tant de
400 cabales[2] différentes, et les dames y avaient tant de part que l'amour était toujours mêlé aux affaires et les affaires à l'amour. Personne n'était tranquille ni indifférent, on songeait à s'élever, à plaire, à servir ou à nuire, on ne connaissait ni l'ennui, ni l'oisiveté, et on était toujours occupé des plaisirs ou des intri-
405 gues. Les dames avaient des attachements particuliers pour la reine, pour la reine dauphine, pour la reine de Navarre, pour Madame, sœur du roi, ou pour la duchesse de Valentinois. Les inclinations, les raisons de bienséance[3] ou le rapport d'humeur faisaient ces différents attachements. Celles qui avaient passé la
410 première jeunesse et qui faisaient profession d'une vertu plus austère, étaient attachées à la reine. Celles qui étaient plus jeunes, et qui cherchaient la joie et la galanterie, faisaient leur cour à la reine dauphine. La reine de Navarre[4] avait ses favo-rites : elle était jeune, et elle avait du pouvoir sur le roi son mari ;
415 il était joint au connétable, et avait par là beaucoup de crédit. Madame, sœur du roi, conservait encore de la beauté, et attirait plusieurs dames auprès d'elle. La duchesse de Valentinois avait toutes celles qu'elle daignait regarder ; mais peu de femmes lui étaient agréables ; et, excepté quelques-unes qui avaient sa
420 familiarité et sa confiance, et dont l'humeur avait du rapport avec la sienne, elle n'en recevait chez elle que les jours où elle prenait plaisir à avoir une cour comme celle de la reine.

---

1. Galanterie : goût des affaires sentimentales.

2. Cabales : conspirations.

3. Raisons de bienséance : égards que l'on doit témoigner à telle ou telle per-sonne en raison de son rang. Les personnes de rang proche se regroupent.

4. La reine de Navarre : Jeanne d'Albret (1528-1572) devint reine de Navarre en 1555.

Toutes ces différentes cabales avaient de l'émulation[1] et de l'envie[2] les unes contre les autres ; les dames qui les compo-
425 saient avaient aussi de la jalousie entre elles, ou pour la faveur[3], ou pour les amants ; les intérêts de grandeur et d'élévation se trouvaient souvent joints à ces autres intérêts moins importants, mais qui n'étaient pas moins sensibles. Ainsi il y avait une sorte d'agitation sans désordre dans cette cour,
430 qui la rendait très agréable, mais aussi très dangereuse pour une jeune personne. Mme de Chartres voyait ce péril et ne songeait qu'aux moyens d'en garantir sa fille. Elle la pria, non pas comme sa mère, mais comme son amie, de lui faire confidence de toutes les galanteries qu'on lui dirait, et elle lui
435 promit de lui aider à se conduire dans des choses où l'on était souvent embarrassée quand on était jeune.

Le chevalier de Guise fit tellement paraître les sentiments et les desseins qu'il avait pour Mlle de Chartres qu'ils ne furent ignorés de personne. Il ne voyait néanmoins que de
440 l'impossibilité dans ce qu'il désirait : il savait bien qu'il n'était point un parti qui convînt à Mlle de Chartres, par le peu de bien qu'il avait pour soutenir son rang, et il savait bien aussi que ses frères n'approuveraient pas qu'il se mariât, par la crainte de l'abaissement que les mariages des cadets
445 apportent d'ordinaire dans les grandes maisons[4]. Le cardinal de Lorraine lui fit bientôt voir qu'il ne se trompait pas, il condamna l'attachement qu'il témoignait pour Mlle de Chartres avec une chaleur extraordinaire, mais il ne lui en dit

---

1. Comprendre : ces cabales s'entretenaient les unes les autres.

2. Envie : jalousie.

3. Pour la faveur : pour le traitement de faveur qu'elles avaient.

4. Les frères cadets étaient destinés à l'Église dans les grandes familles.

pas les véritables raisons. Ce cardinal avait une haine pour le
450 vidame, qui était secrète alors et qui éclata depuis. Il eut
plutôt consenti à voir son frère entrer dans toute autre alliance
que dans celle de ce vidame, et il déclara si publiquement
combien il en était éloigné que Mme de Chartres en fut sensiblement offensée. Elle prit de grands soins de faire voir que
455 le cardinal de Lorraine n'avait rien à craindre, et qu'elle ne
songeait pas à ce mariage. Le vidame prit la même conduite
et sentit encore plus que Mme de Chartres celle du cardinal
de Lorraine, parce qu'il en savait mieux la cause[1].

Le prince de Clèves n'avait pas donné des marques moins
460 publiques de sa passion qu'avait fait[2] le chevalier de Guise. Le
duc de Nevers apprit cet attachement avec chagrin ; il crut
néanmoins qu'il n'avait qu'à parler à son fils pour le faire
changer de conduite, mais il fut bien surpris de trouver en lui
le dessein formé d'épouser Mlle de Chartres. Il blâma ce
465 dessein, il s'emporta, et cacha si peu son emportement que le
sujet s'en répandit bientôt à la cour, et alla jusqu'à Mme de
Chartres. Elle n'avait pas mis en doute que M. de Nevers ne
regardât le mariage de sa fille comme un avantage pour son
fils ; elle fut bien étonnée que la maison de Clèves et celle de
470 Guise craignissent son alliance, au lieu de la souhaiter. Le
dépit qu'elle eut lui fit penser à trouver un parti pour sa fille,
qui la mît au-dessus de ceux qui se croyaient au-dessus d'elle.
Après avoir tout examiné, elle s'arrêta au prince dauphin, fils

---

1. Les vraies causes de la haine entre le cardinal et le vidame ne sont pas claires,
mais elles sont liées à des questions de rivalité qui rendent impossible un rap-
prochement entre les deux familles. Pour ne pas laisser paraître la raison de cette
incompatibilité ou pour surmonter une blessure d'orgueil, le vidame comme
Mlle de Chartres font semblant d'ignorer la possibilité du mariage.

2. Qu'avait fait : que n'avait fait.

du duc de Montpensier[1]. Il était lors à marier, et c'était ce
475 qu'il y avait de plus grand à la cour. Comme Mme de Chartres
avait beaucoup d'esprit, qu'elle était aidée du vidame qui
était dans une grande considération, et qu'en effet sa fille était
un parti considérable, elle agit avec tant d'adresse et tant de
succès, que M. de Montpensier parut souhaiter ce mariage, et
480 il semblait qu'il ne s'y pouvait trouver de difficultés.

Le vidame, qui savait l'attachement de M. d'Anville pour la
reine dauphine, crut néanmoins qu'il fallait employer le pouvoir
que cette princesse avait sur lui, pour l'engager à servir Mlle de
Chartres auprès du roi et auprès du prince de Montpensier, dont
485 il était ami intime. Il en parla à cette reine, et elle entra avec joie
dans une affaire où il s'agissait de l'élévation d'une personne
qu'elle aimait beaucoup, elle le témoigna au vidame, et l'assura
que, quoiqu'elle sût bien qu'elle ferait une chose désagréable au
cardinal de Lorraine, son oncle, elle passerait avec joie par-dessus
490 cette considération parce qu'elle avait sujet de se plaindre de lui
et qu'il prenait tous les jours les intérêts de la reine contre les
siens propres.

Les personnes galantes sont toujours bien aises qu'un
prétexte leur donne lieu de parler à ceux qui les aiment. Sitôt
495 que le vidame eut quitté Mme la dauphine, elle ordonna à
Chastelart[2], qui était favori de M. d'Anville, et qui savait la

---

1. Prince dauphin, fils du duc de Montpensier : François de Bourbon (1542-
1592) était détenteur du Dauphiné d'Auvergne, d'où son titre de « dauphin ».
Il est au cœur de l'intrigue de *La Princesse de Montpensier*. Louis de Bourbon, son
père (1513-1582), devint duc de Montpensier en 1538.
2. Chastelart : Pierre de Boscosel de Chastelart (1540-1562), gentilhomme
dauphinois, conçut une violente passion pour la reine dauphine. Il la suivit en
Écosse et fut condamné à être décapité lorsqu'il fut surpris pour la seconde fois
dans la chambre de cette reine.

passion qu'il avait pour elle, de lui aller dire de sa part de se trouver le soir chez la reine. Chastelart reçut cette commission avec beaucoup de joie et de respect. Ce gentilhomme était
500 d'une bonne maison de Dauphiné, mais son mérite et son esprit le mettaient au-dessus de sa naissance. Il était reçu et bien traité de tout ce qu'il y avait de grands seigneurs à la cour, et la faveur de la maison de Montmorency l'avait particulièrement attaché à M. d'Anville. Il était bien fait de sa personne,
505 adroit à toutes sortes d'exercices ; il chantait agréablement, il faisait des vers, et avait un esprit galant et passionné qui plut si fort à M. d'Anville, qu'il le fit confident de l'amour qu'il avait pour la reine dauphine. Cette confidence l'approchait de cette princesse, et ce fut en la voyant souvent qu'il prit le
510 commencement de cette malheureuse passion qui lui ôta la raison, et qui lui coûta enfin la vie.

M. d'Anville ne manqua pas d'être le soir chez la reine, il se trouva heureux que Mme la dauphine l'eût choisi pour travailler à une chose qu'elle désirait, et il lui promit d'obéir exactement
515 à ses ordres, mais Mme de Valentinois, ayant été avertie du dessein de ce mariage, l'avait traversé[1] avec tant de soin, et avait tellement prévenu le roi que, lorsque M. d'Anville lui en parla, il lui fit paraître qu'il ne l'approuvait pas, et lui ordonna même de le dire au prince de Montpensier. L'on peut juger ce que
520 sentit Mme de Chartres par la rupture d'une chose qu'elle avait tant désirée, dont le mauvais succès donnait un si grand avantage à ses ennemis et faisait un si grand tort à sa fille.

La reine dauphine témoigna à Mlle de Chartres, avec beaucoup d'amitié, le déplaisir qu'elle avait de lui avoir été inutile :

---

1. **L'avait traversé** : était allée en travers de, s'était opposée.

525 « Vous voyez, lui dit-elle, que j'ai un médiocre pouvoir ; je
suis si haïe de la reine et de la duchesse de Valentinois, qu'il
est difficile que, par elles ou par ceux qui sont dans leur dépen-
dance, elles ne traversent toujours toutes les choses que je
désire. Cependant, ajouta-t-elle, je n'ai jamais pensé qu'à leur
530 plaire ; aussi elles ne me haïssent qu'à cause de la reine ma
mère[1], qui leur a donné autrefois de l'inquiétude et de la
jalousie. Le roi en avait été amoureux avant qu'il le fût de Mme
de Valentinois, et dans les premières années de son mariage,
qu'il n'avait point encore d'enfants, quoiqu'il aimât cette
535 duchesse, il parut quasi résolu de se démarier pour épouser la
reine ma mère. Mme de Valentinois, qui craignait une femme
qu'il avait déjà aimée, et dont la beauté et l'esprit pouvaient
diminuer sa faveur, s'unit au connétable, qui ne souhaitait
pas aussi que le roi épousât une sœur de messieurs de Guise.
540 Ils mirent le feu roi dans leurs sentiments, et, quoiqu'il haït
mortellement la duchesse de Valentinois, comme il aimait la
reine, il travailla avec eux pour empêcher le roi de se démarier ;
mais, pour lui ôter absolument la pensée d'épouser la reine ma
mère, ils firent son mariage avec le roi d'Écosse[2], qui était veuf
545 de Mme Magdeleine, sœur du roi[3], et ils le firent parce qu'il était
le plus prêt à conclure, et manquèrent aux engagements qu'on
avait avec le roi d'Angleterre[4], qui la souhaitait ardemment.
Il s'en fallait peu même que ce manquement ne fît une rupture
entre les deux rois. Henri VIII ne pouvait se consoler de n'avoir

---

1. La reine ma mère : Marie de Guise (1515-1640).

2. Marie de Guise épousa Jaques V d'Écosse (1512-1542) en 1538.

3. Jacques V avait épousé en janvier 1537, en premières noces, Magdeleine de
France (1520-1537), la première fille de François Ier et Claude de France.

4. Le roi d'Angleterre, Henri VIII (1491-1547), régna à partir de 1509.

550 pas épousé la reine ma mère, et, quelque autre princesse française qu'on lui proposât, il disait toujours qu'elle ne remplace-
rait jamais celle qu'on lui avait ôtée. Il est vrai aussi que la
reine, ma mère, était une parfaite beauté, et que c'est une chose
remarquable, que, veuve d'un duc de Longueville[1], trois rois
555 aient souhaité de l'épouser : son malheur l'a donnée au moindre
et l'a mise dans un royaume où elle ne trouve que des peines.
On dit que je lui ressemble, je crains de lui ressembler aussi
par sa malheureuse destinée, et, quelque bonheur qui semble
se préparer pour moi, je ne saurais croire que j'en jouisse. »

560 Mlle de Chartres dit à la reine que ces tristes pressentiments étaient si mal fondés[2] qu'elle ne les conserverait pas
longtemps, et qu'elle ne devait point douter que son bonheur
ne répondît aux apparences.

Personne n'osait plus penser à Mlle de Chartres par la
565 crainte de déplaire au roi ou par la pensée de ne pas réussir
auprès d'une personne qui avait espéré un prince du sang.
M. de Clèves ne fut retenu par aucune de ces considérations.
La mort du duc de Nevers, son père, qui arriva alors, le mit
dans une entière liberté de suivre son inclination, et, sitôt que
570 le temps de la bienséance du deuil fut passé, il ne songea plus
qu'aux moyens d'épouser Mlle de Chartres. Il se trouvait
heureux d'en faire la proposition dans un temps où ce qui
s'était passé avait éloigné les autres partis, et où il était quasi
assuré qu'on ne la lui refuserait pas. Ce qui troublait sa joie
575 était la crainte de ne lui être pas agréable, et il eût préféré le

---

1. Duc de Longueville : Louis II d'Orléans-Longueville (1510-1536) eut un fils,
François III, avec Marie de Guise.

2. Ces pressentiments sont en réalité très bien fondés puisque Marie Stuart sera
décapitée en 1587.

bonheur de lui plaire à la certitude de l'épouser sans en être aimé.

Le chevalier de Guise lui avait donné quelque sorte de jalousie, mais comme elle était plutôt fondée sur le mérite de ce prince que sur aucune des actions de Mlle de Chartres, il songea seulement à tâcher de découvrir s'il était assez heureux pour qu'elle approuvât la pensée qu'il avait pour elle. Il ne la voyait que chez les reines ou aux assemblées. Il était difficile d'avoir une conversation particulière ; il en trouva pourtant les moyens et il lui parla de son dessein et de sa passion avec tout le respect imaginable ; il la pressa de lui faire connaître quels étaient les sentiments qu'elle avait pour lui, et il lui dit que ceux qu'il avait pour elle étaient d'une nature qui le rendrait éternellement malheureux si elle n'obéissait que par devoir aux volontés de Mme sa mère.

Comme Mlle de Chartres avait le cœur très noble et très bien fait, elle fut véritablement touchée de reconnaissance du procédé du prince de Clèves. Cette reconnaissance donna à ses réponses et à ses paroles un certain air de douceur qui suffisait pour donner de l'espérance à un homme aussi éperdument amoureux que l'était ce prince, de sorte qu'il se flatta d'une partie de ce qu'il souhaitait.

Elle rendit compte à sa mère de cette conversation, et Mme de Chartres lui dit qu'il y avait tant de grandeur et de bonnes qualités dans M. de Clèves et qu'il faisait paraître tant de sagesse pour son âge, que, si elle sentait son inclination portée à l'épouser, elle y consentirait avec joie. Mlle de Chartres répondit qu'elle lui remarquait les mêmes bonnes qualités, qu'elle l'épouserait même avec moins de répugnance qu'un autre, mais qu'elle n'avait aucune inclination particulière pour sa personne.

Dès le lendemain, ce prince fit parler à Mme de Chartres. Elle reçut la proposition qu'on lui faisait et elle ne craignit point de donner à sa fille un mari qu'elle ne pût aimer en lui donnant le prince de Clèves. Les articles furent conclus, on parla au roi, et ce mariage fut su de tout le monde.

M. de Clèves se trouvait heureux sans être néanmoins entièrement content : il voyait avec beaucoup de peine que les sentiments de Mlle de Chartres ne passaient pas ceux de l'estime et de la reconnaissance, et il ne pouvait se flatter qu'elle en cachât de plus obligeants, puisque l'état où ils étaient lui permettait de les faire paraître sans choquer son extrême modestie. Il ne se passait guère de jours qu'il ne lui en fît ses plaintes :

« Est-il possible, lui disait-il, que je puisse n'être pas heureux en vous épousant ? Cependant il est vrai que je ne le suis pas. Vous n'avez pour moi qu'une sorte de bonté qui ne peut me satisfaire ; vous n'avez ni impatience[1], ni inquiétude, ni chagrin ; vous n'êtes pas plus touchée de ma passion que vous le seriez d'un attachement qui ne serait fondé que sur les avantages de votre fortune, et non pas sur les charmes de votre personne.

— Il y a de l'injustice à vous plaindre, lui répondit-elle, je ne sais ce que vous pouvez souhaiter au-delà de ce que je fais, et il me semble que la bienséance ne permet pas que j'en fasse davantage.

— Il est vrai, lui répliqua-t-il, que vous me donnez de certaines apparences dont je serais content s'il y avait quelque chose au-delà, mais, au lieu que la bienséance vous retienne, c'est elle seule qui vous fait faire ce que vous faites. Je ne touche

---

1. Impatience : chagrin, inquiétude.

ni votre inclination ni votre cœur, et ma présence ne vous
635 donne ni de plaisir ni de trouble.

— Vous ne sauriez douter, reprit-elle, que je n'aie de la joie
de vous voir, et je rougis si souvent en vous voyant que vous
ne sauriez douter aussi que votre vue ne me donne du trouble.

— Je ne me trompe pas à votre rougeur, répondit-il, c'est
640 un sentiment de modestie, et non pas un mouvement de votre
cœur, et je n'en tire que l'avantage que j'en dois tirer. »

Mlle de Chartres ne savait que répondre, et ces distinctions
étaient au-dessus de ses connaissances. M. de Clèves ne voyait
que trop combien elle était éloignée d'avoir pour lui des senti-
645 ments qui le pouvaient satisfaire, puisqu'il lui paraissait même
qu'elle ne les entendait pas.

Le chevalier de Guise revint d'un voyage peu de jours
avant les noces. Il avait vu tant d'obstacles insurmontables
au dessein qu'il avait eu d'épouser Mlle de Chartres, qu'il
650 n'avait pu se flatter d'y réussir ; et néanmoins il fut sensiblement affligé de la voir devenir la femme d'un autre. Cette
douleur n'éteignit pas sa passion et il ne demeura pas moins
amoureux. Mlle de Chartres n'avait pas ignoré les sentiments
que ce prince avait eus pour elle. Il lui fit connaître, à son
655 retour, qu'elle était cause de l'extrême tristesse qui paraissait
sur son visage ; et il avait tant de mérite et tant d'agréments[1],
qu'il était difficile de le rendre malheureux sans en avoir
quelque pitié. Aussi ne se pouvait-elle défendre d'en avoir ;
mais cette pitié ne la conduisait pas à d'autres sentiments ;
660 elle contait à sa mère la peine que lui donnait l'affection[2] de
ce prince.

---

1. **Agréments** : charmes.
2. **Affection** : amour.

Mme de Chartres admirait la sincérité de sa fille, et elle l'admirait avec raison, car jamais personne n'en a eu une si grande et si naturelle, mais elle n'admirait pas moins que son cœur ne fût point touché, et d'autant plus, qu'elle voyait bien que le prince de Clèves ne l'avait pas touchée, non plus que les autres. Cela fut cause qu'elle prit de grands soins de l'attacher à son mari et de lui faire comprendre ce qu'elle devait à l'inclination qu'il avait eue pour elle avant que de la connaître, et à la passion qu'il lui avait témoignée en la préférant à tous les autres partis, dans un temps où personne n'osait plus penser à elle.

Ce mariage s'acheva : la cérémonie s'en fit au Louvre ; et le soir le roi et les reines vinrent souper chez Mme de Chartres avec toute la cour, où ils furent reçus avec une magnificence[1] admirable. Le chevalier de Guise n'osa se distinguer des autres, et ne pas assister à cette cérémonie ; mais il y fut si peu maître de sa tristesse, qu'il était aisé de la remarquer.

M. de Clèves ne trouva pas que Mlle de Chartres eût changé de sentiment en changeant de nom. La qualité de mari lui donna de plus grands privilèges, mais elle ne lui donna pas une autre place dans le cœur de sa femme. Cela fit aussi que, pour être son mari, il ne laissa pas d'être son amant[2], parce qu'il avait toujours quelque chose à souhaiter au-delà de sa possession ; et, quoiqu'elle vécût parfaitement bien avec lui, il n'était pas entièrement heureux. Il conservait pour elle une passion violente et inquiète qui troublait sa joie ; la jalousie n'avait

---

1. Magnificence : luxe.
2. Pour être son mari il ne laissa pas d'être son amant : il ne cessa pas de l'aimer une fois qu'il l'avait épousée.

point de part à ce trouble : jamais mari n'a été si loin d'en prendre, et jamais femme n'a été si loin d'en donner. Elle était néanmoins exposée au milieu de la cour ; elle allait tous les jours chez les reines et chez Madame[1]. Tout ce qu'il y avait d'hommes jeunes et galants la voyaient chez elle et chez le duc de Nevers, son beau-frère, dont la maison était ouverte à tout le monde, mais elle avait un air qui inspirait un si grand respect et qui paraissait si éloigné de la galanterie[2], que le maréchal de Saint-André, quoique audacieux et soutenu de la faveur du roi, était touché de sa beauté, sans oser le lui faire paraître que par des soins et des devoirs. Plusieurs autres étaient dans le même état, et Mme de Chartres joignait à la sagesse de sa fille une conduite si exacte pour toutes les bienséances, qu'elle achevait de la faire paraître une personne où l'on ne pouvait atteindre.

La duchesse de Lorraine[3], en travaillant à la paix, avait aussi travaillé pour le mariage du duc de Lorraine, son fils. Il avait été conclu avec Mme Claude de France, seconde fille du roi. Les noces en furent résolues pour le mois de février.

Cependant le duc de Nemours était demeuré à Bruxelles, entièrement rempli et occupé de ses desseins pour l'Angleterre[4]. Il en recevait ou y envoyait continuellement des courriers. Ses espérances augmentaient tous les jours, et enfin Lignerolles lui manda[5] qu'il était temps que sa présence vînt achever ce qui

---

1. Madame : la sœur du roi, Marguerite de Navarre.

2. Galanterie : jeu de séduction.

3. La duchesse de Lorraine : Chrétienne de Danemark, dont le fils Charles III (1543-1608) a épousé Claude de France en 1559, est la fille de Henri II.

4. Ses desseins pour l'Angleterre : ses projets de mariage avec Élisabeth I.

5. Manda : fit savoir.

était si bien commencé. Il reçut cette nouvelle avec toute la joie que peut avoir un jeune homme ambitieux, qui se voit porté au trône par sa seule réputation. Son esprit s'était insensiblement
715 accoutumé à la grandeur de cette fortune, et, au lieu qu'il l'avait rejetée d'abord comme une chose où il ne pouvait parvenir, les difficultés s'étaient effacées de son imagination et il ne voyait plus d'obstacles.

Il envoya en diligence à Paris donner tous les ordres néces-
720 saires pour faire un équipage[1] magnifique, afin de paraître en Angleterre avec un éclat proportionné au dessein qui l'y condui-sait, et il se hâta lui-même de venir à la cour pour assister au mariage de M. de Lorraine.

Il arriva la veille des fiançailles, et dès le même soir qu'il fut
725 arrivé, il alla rendre compte au roi de l'état de son dessein et recevoir ses ordres et ses conseils pour ce qui lui restait à faire. Il alla ensuite chez les reines. Mme de Clèves n'y était pas, de sorte qu'elle ne le vit point et ne sut pas même qu'il fût arrivé. Elle avait ouï parler de ce prince à tout le monde[2] comme de
730 ce qu'il y avait de mieux fait et de plus agréable à la cour ; et surtout Mme la dauphine le lui avait dépeint d'une sorte, et lui en avait parlé tant de fois, qu'elle lui avait donné de la curiosité, et même de l'impatience de le voir.

Elle passa tout le jour des fiançailles chez elle à se parer, pour
735 se trouver le soir au bal et au festin royal qui se faisaient au Louvre. Lorsqu'elle arriva, l'on admira sa beauté et sa parure. Le bal commença et, comme elle dansait avec M. de Guise, il se fit un assez grand bruit vers la porte de la salle, comme de

---

1. Équipage : ensemble des personnes l'accompagnant.

2. À tout le monde : par tout le monde.

quelqu'un qui entrait et à qui on faisait place. Mme de Clèves
740 acheva de danser et, pendant qu'elle cherchait des yeux quelqu'un
qu'elle avait dessein de prendre, le roi lui cria de prendre celui qui
arrivait. Elle se tourna, et vit un homme qu'elle crut d'abord ne
pouvoir être que M. de Nemours, qui passait par-dessus quelque
siège pour arriver où l'on dansait. Ce prince était fait d'une sorte
745 qu'il était difficile de n'être pas surprise de le voir, quand on ne
l'avait jamais vu, surtout ce soir-là, où le soin qu'il avait pris
de se parer augmentait encore l'air brillant qui était dans sa
personne, mais il était difficile aussi de voir Mme de Clèves
pour la première fois sans avoir un grand étonnement.

750   M. de Nemours fut tellement surpris de sa beauté, que,
lorsqu'il fut proche d'elle et qu'elle lui fit la révérence, il ne put
s'empêcher de donner des marques de son admiration. Quand
ils commencèrent à danser, il s'éleva dans la salle un murmure
de louanges. Le roi et les reines se souvinrent qu'ils ne s'étaient
755 jamais vus, et trouvèrent quelque chose de singulier de les voir
danser ensemble sans se connaître. Ils les appelèrent quand ils
eurent fini sans leur donner le loisir[1] de parler à personne et leur
demandèrent s'ils n'avaient pas bien envie de savoir qui ils
étaient et s'ils ne s'en doutaient point.

760   « Pour moi, Madame, dit M. de Nemours, je n'ai pas
d'incertitude, mais, comme Mme de Clèves n'a pas les mêmes
raisons pour deviner qui je suis que celles que j'ai pour la
reconnaître, je voudrais bien que Votre Majesté eût la bonté
de lui apprendre mon nom.

765   — Je crois, dit Mme la dauphine, qu'elle le sait aussi bien
que vous savez le sien.

---

1. Loisir : possibilité.

— Je vous assure, Madame, reprit Mme de Clèves, qui paraissait un peu embarrassée, que je ne devine pas si bien que vous pensez.

770 — Vous devinez fort bien, répondit Mme la dauphine, et il y a même quelque chose d'obligeant pour M. de Nemours à ne vouloir pas avouer que vous le connaissez sans l'avoir jamais vu. »

La reine les interrompit pour faire continuer le bal, M. de
775 Nemours prit la reine dauphine. Cette princesse était d'une parfaite beauté et avait paru telle aux yeux de M. de Nemours avant qu'il allât en Flandre, mais, de tout le soir, il ne put admirer que Mme de Clèves.

Le chevalier de Guise, qui l'adorait toujours, était à ses
780 pieds, et ce qui se venait de passer lui avait donné une douleur sensible. Il prit comme un présage que la fortune destinait M. de Nemours à être amoureux de Mme de Clèves, et, soit qu'en effet il eût paru quelque trouble sur son visage, ou que la jalousie fît voir au chevalier de Guise au delà de la vérité, il
785 crut qu'elle avait été touchée de la vue de ce prince, et il ne put s'empêcher de lui dire que M. de Nemours était bien heureux de commencer à être connu d'elle par une aventure qui avait quelque chose de galant et d'extraordinaire.

Mme de Clèves revint chez elle, l'esprit si rempli de tout
790 ce qui s'était passé au bal, que, quoiqu'il fût fort tard, elle alla dans la chambre de sa mère pour lui en rendre compte ; et elle lui loua M. de Nemours avec un certain air qui donna à Mme de Chartres la même pensée qu'avait eue le chevalier de Guise.

Des clés
pour vous guider

**Première rencontre
au bal du Louvre**
de « Il arriva »
à « Mme de Clèves », l. 724 à l. 778

La beauté de Mme de Clèves fait forte impression à la cour où elle est invitée aux fiançailles de la seconde fille du roi. Tout comme le duc de Nemours, réputé lui aussi pour sa grande beauté.

1 **Dans quelle mesure le deuxième paragraphe (l. 724-733) est-il raconté du point de vue de Mme de Clèves ?**

pour vous aider Posez-vous les questions suivantes :
Que voit et que ne voit pas Mme de Clèves ? Que voit le lecteur ?

2 **Quel rôle Mme de Lafayette donne-t-elle au roi et aux reines dans cette rencontre ?**

3 **Cette rencontre est-elle un véritable coup de foudre ?**

pour vous aider
Repérez les éléments qui préparent la rencontre.

4 GRAMMAIRE • **Quelle est la nature de la proposition qui commence par : « d'une sorte qu'il était difficile de n'être pas surprise de le voir » (l. 744-745) ?**

pour vous aider Remplacez cette proposition par une proposition indépendante, reliée par un connecteur logique à la phrase : « Le prince était extrêmement bien fait. »

POUR ALLER *plus loin*

PROLONGEMENTS ARTISTIQUES • Recherchez des tableaux ou des scènes de films ou de romans représentant des scènes de bal et dégagez-en les principales caractéristiques.

795   Le lendemain, la cérémonie des noces se fit. Mme de Clèves y vit le duc de Nemours avec une mine et une grâce si admirables qu'elle en fut encore plus surprise.

     Les jours suivants, elle le vit chez la reine dauphine, elle le vit jouer à la paume avec le roi, elle le vit courre[1] la bague, elle
800 l'entendit parler, mais elle le vit toujours surpasser de si loin tous les autres, et se rendre tellement maître de la conversation dans tous les lieux où il était, par l'air de sa personne et par l'agrément de son esprit[2], qu'il fit en peu de temps une grande impression dans son cœur.

805   Il est vrai aussi que, comme M. de Nemours sentait pour elle une inclination violente, qui lui donnait cette douceur et cet enjouement qu'inspirent les premiers désirs de plaire, il était encore plus aimable[3] qu'il n'avait accoutumé de l'être. De sorte que, se voyant souvent, et se voyant l'un et l'autre ce
810 qu'il y avait de plus parfait à la cour, il était difficile qu'ils ne se plussent infiniment.

     La duchesse de Valentinois était de toutes les parties de plaisir, et le roi avait pour elle la même vivacité et les mêmes soins que dans les commencements de sa passion. Mme de
815 Clèves, qui était dans cet âge où l'on ne croit pas qu'une femme puisse être aimée quand elle a passé vingt-cinq ans, regardait avec un extrême étonnement l'attachement que le roi avait pour cette duchesse, qui était grand-mère, et qui venait de marier sa petite-fille. Elle en parlait souvent à Mme de Chartres :

820   « Est-il possible, Madame, lui disait-elle, qu'il y ait si long-temps que le roi en soit amoureux ? Comment s'est-il pu attacher

---

1. Courre : courir.
2. Agrément de son esprit : vivacité de son esprit.
3. Aimable : propre à être aimée.

à une personne qui était beaucoup plus âgée que lui, qui avait été maîtresse de son père, et qui l'est encore de beaucoup d'autres, à ce que j'ai ouï dire ?

825 — Il est vrai, répondit-elle, que ce n'est ni le mérite, ni la fidélité de Mme de Valentinois qui a fait naître la passion du roi, ni qui l'a conservée, et c'est aussi en quoi il n'est pas excusable ; car si cette femme avait eu de la jeunesse et de la beauté jointes à sa naissance, qu'elle eût eu le mérite de n'avoir jamais

830 rien aimé, qu'elle eût aimé le roi avec une fidélité exacte, qu'elle l'eût aimé par rapport à sa seule personne, sans intérêt de grandeur, ni de fortune, et sans se servir de son pouvoir que pour des choses honnêtes ou agréables au roi même, il faut avouer qu'on aurait eu de la peine à s'empêcher de louer ce

835 prince du grand attachement qu'il a pour elle. Si je ne craignais, continua Mme de Chartres, que vous disiez de moi ce que l'on dit de toutes les femmes de mon âge, qu'elles aiment à conter les histoires de leur temps, je vous apprendrais le commencement de la passion du roi pour cette duchesse, et

840 plusieurs choses de la cour du feu roi qui ont même beaucoup de rapport avec celles qui se passent encore présentement.

— Bien loin de vous accuser, reprit Mme de Clèves, de redire les histoires passées, je me plains, Madame, que vous ne m'ayez pas instruite des présentes, et que vous ne

845 m'ayez point appris les divers intérêts et les diverses liaisons de la cour. Je les ignore si entièrement que je croyais, il y a peu de jours, que M. le connétable était fort bien avec la reine.

— Vous aviez une opinion bien opposée à la vérité, répondit

850 Mme de Chartres. La reine hait M. le connétable et, si elle a jamais quelque pouvoir, il ne s'en apercevra que trop. Elle sait

53

qu'il a dit plusieurs fois au roi que, de tous ses enfants, il n'y avait que les naturels qui lui ressemblassent.

855 — Je n'eusse jamais soupçonné cette haine, interrompit Mme de Clèves, après avoir vu le soin que la reine avait d'écrire à M. le connétable pendant sa prison, la joie qu'elle a témoignée à son retour, et comme elle l'appelle toujours mon compère, aussi bien que le roi.

860 — Si vous jugez sur les apparences en ce lieu-ci, répondit Mme de Chartres, vous serez souvent trompée : ce qui paraît n'est presque jamais la vérité.

Mais pour revenir à Mme de Valentinois, vous savez qu'elle s'appelle Diane de Poitiers ; sa maison est très illustre, elle vient des anciens ducs d'Aquitaine, son aïeule était fille naturelle de 865 Louis XI, et enfin il n'y a rien que de grand dans sa naissance. Saint-Vallier, son père, se trouva embarrassé dans l'affaire du connétable de Bourbon[1], dont vous avez ouï parler. Il fut condamné à avoir la tête tranchée et conduit sur l'échafaud. Sa fille, dont la beauté était admirable, et qui avait déjà plu au 870 feu roi, fit si bien (je ne sais par quels moyens) qu'elle obtint la vie de son père. On lui porta sa grâce comme il n'attendait que le coup de la mort, mais la peur l'avait tellement saisi qu'il n'avait plus de connaissance, et il mourut peu de jours après. Sa fille parut à la cour comme la maîtresse du roi[2]. Le voyage 875 d'Italie et la prison de ce prince[3] interrompirent cette passion.

---

1. **Affaire du connétable de Bourbon :** Jean de Poitiers, vicomte d'Estoile, seigneur de Saint-Vallier, fut accusé de complicité dans la trahison du connétable de Bourbon, le chef souverain des armées du roi, en 1523. Le connétable en effet avait entamé des négociations avec Charles Quint, le grand ennemi de François Ier.
2. **Du roi :** de François Ier.
3. François Ier fut fait prisonnier par Charles Quint à Pavie, en 1525. Il fut ensuite emmené à Madrid et ne put rentrer en France qu'un an plus tard.

Lorsqu'il revint d'Espagne et que Mme la régente[1] alla au-devant de lui à Bayonne, elle mena toutes ses filles[2], parmi lesquelles était Mlle de Pisseleu[3], qui a été depuis la duchesse d'Étampes. Le roi en devint amoureux. Elle était inférieure en naissance,

880 en esprit et en beauté à Mme de Valentinois, et elle n'avait au-dessus d'elle que l'avantage de la grande jeunesse. Je lui ai ouï dire plusieurs fois qu'elle était née le jour que Diane de Poitiers avait été mariée, la haine le lui faisait dire, et non pas la vérité, car je suis bien trompée si la duchesse de Valentinois n'épousa

885 M. de Brezé[4], grand sénéchal[5] de Normandie, dans le même temps que le roi devint amoureux de Mme d'Étampes. Jamais il n'y a eu une si grande haine que l'a été celle de ces deux femmes. La duchesse de Valentinois ne pouvait pardonner à Mme d'Étampes de lui avoir ôté le titre de maîtresse du roi.

890 Mme d'Étampes avait une jalousie violente contre Mme de Valentinois, parce que le roi conservait un commerce[6] avec elle. Ce prince n'avait pas une fidélité exacte pour ses maîtresses; il y en avait toujours une qui avait le titre et les honneurs, mais les dames que l'on appelait *de la petite bande* le partageaient tour à

895 tour. La perte du dauphin, son fils[7], qui mourut à Tournon, et que l'on crut empoisonné, lui donna une sensible affliction.

---

1. Mme la régente: Louise de Savoie (1476-1531), mère de François Ier.

2. Ses filles: les jeunes filles et jeunes femmes constituant sa compagnie la plus proche.

3. Mlle de Pisseleu: Anne de Pisseleu (1508-1575) est la favorite du roi François Ier jusqu'à la mort de ce dernier.

4. M. De Brézé: Louis de Brézé (1463-1531) est le petit fils de Charles VII et de sa favorite Agnès Sorel. Il épousa Diane de Poitiers.

5. Grand sénéchal: grand officier.

6. Commerce: liaison.

7. La perte du dauphin, son fils: il s'agit de François III de Bretagne, fils aîné de François Ier, qui aurait été empoisonné par Charles Quint.

Il n'avait pas la même tendresse, ni le même goût pour son second fils, qui règne présentement ; il ne lui trouvait pas assez de hardiesse, ni assez de vivacité. Il s'en plaignit un jour à Mme de Valentinois, et elle lui dit qu'elle voulait le faire devenir amoureux d'elle, pour le rendre plus vif et plus agréable. Elle y réussit comme vous le voyez. Il y a plus de vingt ans que cette passion dure sans qu'elle ait été altérée ni par le temps ni par les obstacles.

Le feu roi s'y opposa d'abord et soit qu'il eût encore assez d'amour pour Mme de Valentinois pour avoir de la jalousie, ou qu'il fût poussé par la duchesse d'Étampes, qui était au désespoir que M. le dauphin fût attaché à son ennemie, il est certain qu'il vit cette passion avec une colère et un chagrin dont il donnait tous les jours des marques. Son fils ne craignit ni sa colère ni sa haine, et rien ne put l'obliger à diminuer son attachement, ni à le cacher ; il fallut que le roi s'accoutumât à le souffrir. Aussi cette opposition à ses volontés l'éloigna encore de lui et l'attacha davantage au duc d'Orléans, son troisième fils[1]. C'était un prince bien fait, beau, plein de feu et d'ambition, d'une jeunesse fougueuse, qui avait besoin d'être modéré, mais qui eût fait aussi un prince d'une grande élévation, si l'âge eût muri son esprit.

Le rang d'aîné qu'avait le dauphin, et la faveur du roi qu'avait le duc d'Orléans, faisaient entre eux une sorte d'émulation[2] qui allait jusqu'à la haine. Cette émulation avait commencé dès leur enfance, et s'était toujours conservée. Lorsque l'empereur[3] passa en France, il donna une préférence entière au duc d'Orléans sur

1. Son troisième fils : Charles (1522-1545), duc d'Angoulême puis duc d'Orléans.
2. Émulation : rivalité.
3. L'empereur : Charles Quint.

M. le dauphin, qui la ressentit si vivement, que, comme cet
925 empereur était à Chantilly, il voulut obliger M. le connétable à
l'arrêter, sans attendre le commandement du roi. M. le connétable ne le voulut pas, le roi le blâma dans la suite de n'avoir pas
suivi le conseil de son fils, et lorsqu'il l'éloigna de la cour, cette
raison y eut beaucoup de part.

930 La division des deux frères donna la pensée à la duchesse
d'Étampes de s'appuyer de M. le duc d'Orléans, pour la soutenir
auprès du roi contre Mme de Valentinois. Elle y réussit : ce
prince, sans être amoureux d'elle, n'entra guère moins dans ses
intérêts que le dauphin était dans ceux de Mme de Valentinois.
935 Cela fit deux cabales[1] dans la cour, telles que vous pouvez vous
les imaginer, mais ces intrigues ne se bornèrent pas seulement
à des démêlés de femmes.

L'empereur, qui avait conservé de l'amitié pour le duc
d'Orléans, avait offert plusieurs fois de lui remettre le duché
940 de Milan. Dans les propositions qui se firent depuis pour la
paix, il faisait espérer de lui donner les dix-sept provinces, et
de lui faire épouser sa fille. M. le dauphin ne souhaitait ni la
paix, ni ce mariage. Il se servit de M. le connétable, qu'il a
toujours aimé, pour faire voir au roi de quelle importance il
945 était de ne pas donner à son successeur un frère aussi puissant
que le serait un duc d'Orléans avec l'alliance de l'empereur
et les dix-sept provinces. M. le connétable entra d'autant
mieux dans les sentiments de M. le dauphin, qu'il s'opposait
par-là à ceux de Mme d'Étampes, qui était son ennemie
950 déclarée, et qui souhaitait ardemment l'élévation de M. le
duc d'Orléans.

---

1. Cabales : conspirations.

M. le dauphin commandait alors l'armée du roi en Champagne et avait réduit celle de l'empereur en une telle extrémité qu'elle eût péri entièrement si la duchesse d'Étampes, craignant que de
955 trop grands avantages ne nous fissent refuser la paix et l'alliance de l'empereur pour M. le duc d'Orléans, n'eût fait secrètement avertir les ennemis de surprendre Épernay et Château-Thierry, qui étaient pleins de vivres. Ils le firent, et sauvèrent par ce moyen toute leur armée.

960 Cette duchesse ne jouit pas longtemps du succès de sa trahison. Peu après, M. le duc d'Orléans mourut à Farmoutiers d'une espèce de maladie contagieuse. Il aimait une des plus belles femmes de la cour, et en était aimé. Je ne vous la nommerai pas, parce qu'elle a vécu depuis avec tant de sagesse, et qu'elle a
965 même caché avec tant de soin la passion qu'elle avait pour ce prince, qu'elle a mérité que l'on conserve sa réputation. Le hasard fit qu'elle reçut la nouvelle de la mort de son mari le même jour qu'elle apprit celle de M. d'Orléans, de sorte qu'elle eut ce prétexte pour cacher sa véritable affliction, sans avoir la
970 peine de se contraindre.

Le roi ne survécut guère au prince son fils ; il mourut deux ans après. Il recommanda à M. le dauphin de se servir du cardinal de Tournon[1] et de l'amiral d'Annebault[2], et ne parla point de M. le connétable, qui était pour lors relégué à Chantilly. Ce fut néan-
975 moins la première chose que fit le roi son fils, de le rappeler, et de lui donner le gouvernement des affaires.

---

1. Cardinal de Tournon : François de Tournon (1489-1562) devint archevêque de Lyon en 1551, et doyen du Collège des cardinaux en 1560.
2. L'amiral d'Annebault : Claude d'Annebault (1495-1552) fut nommé maréchal de France puis amiral.

Mme d'Étampes fut chassée et reçut tous les mauvais traitements qu'elle pouvait attendre d'une ennemie toute puissante. La duchesse de Valentinois se vengea alors pleinement, et de cette duchesse, et de tous ceux qui lui avaient déplu. Son pouvoir parut plus absolu sur l'esprit du roi, qu'il ne paraissait encore pendant qu'il était dauphin. Depuis douze ans que ce prince règne, elle est maîtresse absolue de toutes choses; elle dispose des charges et des affaires; elle a fait chasser le cardinal de Tournon, le chancelier Olivier[1], et Villeroy[2]. Ceux qui ont voulu éclairer le roi sur sa conduite ont péri dans cette entreprise. Le comte de Taix[3], grand maître de l'artillerie, qui ne l'aimait pas, ne put s'empêcher de parler de ses galanteries[4], et surtout de celle du comte de Brissac[5], dont le roi avait déjà eu beaucoup de jalousie; néanmoins, elle fit si bien que le comte de Taix fut disgracié, on lui ôta sa charge, et, ce qui est presque incroyable, elle la fit donner au comte de Brissac, et l'a fait ensuite maréchal de France. La jalousie du roi augmenta néanmoins d'une telle sorte qu'il ne put souffrir que ce maréchal demeurât à la cour, mais la jalousie, qui est aigre et violente en tous les autres, est douce et modérée en lui par l'extrême respect qu'il a pour sa maîtresse, en sorte qu'il n'osa éloigner

---

1. Le chancelier Olivier (1496-1560): François Olivier fut nommé chancelier de France et garde des Sceaux par François Ier et par François II.

2. Villeroy: Nicolas II de Neuville, seigneur de Villeroy (mort vers 1553) fut trésorier de France et secrétaire des finances et de la chambre du roi sous François Ier.

3. Le comte de Taix: Jean de Taix, mort en 1553, devint grand-maître de l'artillerie en 1546.

4. Galanteries: conquêtes amoureuses.

5. Charles Ier de Cossé, comte de Brissac (1505-1563), fut nommé maréchal de France en 1550.

son rival que sur le prétexte de lui donner le gouvernement de Piémont. Il y a passé plusieurs années ; il revint, l'hiver dernier, sur le prétexte de demander des troupes et d'autres choses nécessaires pour l'armée qu'il commande. Le désir de revoir Mme de Valentinois et la crainte d'en être oublié avaient peut-être beaucoup de part à ce voyage. Le roi le reçut avec une grande froideur. Messieurs de Guise qui ne l'aiment pas, mais qui n'osent le témoigner à cause de Mme de Valentinois, se servirent de monsieur le vidame, qui est son ennemi déclaré, pour empêcher qu'il n'obtînt aucune des choses qu'il était venu demander. Il n'était pas difficile de lui nuire ; le roi le haïssait, et sa présence lui donnait de l'inquiétude, de sorte qu'il fut contraint de s'en retourner sans remporter aucun fruit de son voyage, que d'avoir peut-être rallumé dans le cœur de Mme de Valentinois des sentiments que l'absence commençait d'éteindre. Le roi a bien eu d'autres sujets de jalousie, mais ou il ne les a pas connus, ou il n'a osé s'en plaindre.

« Je ne sais, ma fille, ajouta Mme de Chartres, si vous ne trouverez point que je vous ai plus appris de choses que vous n'aviez envie d'en savoir.

— Je suis très éloignée, Madame, de faire cette plainte, répondit Mme de Clèves, et, sans la peur de vous importuner, je vous demanderais encore plusieurs circonstances que j'ignore. »

La passion de M. de Nemours pour Mme de Clèves fut d'abord[1] si violente qu'elle lui ôta le goût et même le souvenir de toutes les personnes qu'il avait aimées et avec qui il avait conservé des commerces[2] pendant son absence. Il ne prit pas seulement le soin de chercher des prétextes pour rompre avec

---

1. **D'abord** : dès le commencement.
2. **Avec qui il avait conservé des commerces** : avec qui il avait gardé contact.

elles, il ne put se donner la patience d'écouter leurs plaintes et de répondre à leurs reproches. Mme la dauphine, pour qui il avait eu des sentiments assez passionnés, ne put tenir dans son cœur contre Mme de Clèves. Son impatience pour le

1030 voyage d'Angleterre commença même à se ralentir, et il ne pressa plus avec tant d'ardeur les choses qui étaient nécessaires pour son départ. Il allait souvent chez la reine dauphine, parce que Mme de Clèves y allait souvent, et il n'était pas fâché de laisser imaginer ce que l'on avait cru de ses sentiments pour

1035 cette reine. Mme de Clèves lui paraissait d'un si grand prix, qu'il se résolut de manquer plutôt à lui donner des marques de sa passion que de hasarder de la faire connaître au public. Il n'en parla pas même au vidame de Chartres, qui était son ami intime, et pour qui il n'avait rien de caché. Il prit une

1040 conduite si sage, et s'observa avec tant de soin que personne ne le soupçonna d'être amoureux de Mme de Clèves, que le chevalier de Guise, et elle aurait eu peine à s'en apercevoir elle-même, si l'inclination qu'elle avait pour lui ne lui eût donné une attention particulière pour ses actions, qui ne lui

1045 permit pas d'en douter.

Elle ne se trouva pas la même disposition à dire à sa mère ce qu'elle pensait des sentiments de ce prince, qu'elle avait eue à lui parler de ses autres amants : sans avoir un dessein formé de le lui cacher, elle ne lui en parla point. Mais

1050 Mme de Chartres ne le voyait que trop, aussi bien que le penchant que sa fille avait pour lui. Cette connaissance lui donna une douleur sensible ; elle jugeait bien le péril où était cette jeune personne, d'être aimée d'un homme fait comme M. de Nemours pour qui elle avait de l'inclination.

1055 Elle fut entièrement confirmée dans les soupçons qu'elle avait de cette inclination par une chose qui arriva peu de jours après.

Le maréchal de Saint-André, qui cherchait toutes les occasions de faire voir sa magnificence[1], supplia le roi, sur le prétexte de lui montrer sa maison, qui ne venait que d'être achevée, de lui vouloir faire l'honneur d'y aller souper avec les reines. Ce maréchal était bien aise aussi de faire paraître aux yeux de Mme de Clèves cette dépense éclatante qui allait jusqu'à la profusion.

Quelques jours avant celui qui avait été choisi pour ce souper, le roi dauphin, dont la santé était assez mauvaise, s'était trouvé mal, et n'avait vu personne. La reine, sa femme avait passé tout le jour auprès de lui. Sur le soir, comme il se portait mieux, il fit entrer toutes les personnes de qualité[2] qui étaient dans son antichambre. La reine dauphine s'en alla chez elle ; elle y trouva Mme de Clèves et quelques autres dames qui étaient le plus dans sa familiarité.

Comme il était déjà assez tard, et qu'elle n'était point habillée, elle n'alla pas chez la reine ; elle fit dire qu'on ne la voyait point, et fit apporter ses pierreries, afin d'en choisir pour le bal du maréchal de Saint-André, et pour en donner à Mme de Clèves, à qui elle en avait promis. Comme elles étaient dans cette occupation, le prince de Condé arriva. Sa qualité lui rendait toutes les entrées libres. La reine dauphine lui dit qu'il venait sans doute de chez le roi son mari et lui demanda ce que l'on y faisait.

« L'on dispute contre M. de Nemours, Madame, répondit-il, et il défend avec tant de chaleur la cause qu'il soutient qu'il faut que ce soit la sienne. Je crois qu'il a quelque maîtresse

---

1. Magnificence : luxe.

2. Qualité : ici, origine sociale élevée.

qui lui donne de l'inquiétude quand elle est au bal, tant il trouve que c'est une chose fâcheuse pour un amant, que d'y voir la personne qu'il aime.

— Comment ! reprit Mme la dauphine, M. de Nemours ne veut pas que sa maîtresse aille au bal ? J'avais bien cru que les maris pouvaient souhaiter que leurs femmes n'y allassent pas, mais, pour les amants, je n'avais jamais pensé qu'ils pussent être de ce sentiment.

— M. de Nemours trouve, répliqua le prince de Condé, que le bal est ce qu'il y a de plus insupportable pour les amants, soit qu'ils soient aimés ou qu'ils ne le soient pas. Il dit que, s'ils sont aimés, ils ont le chagrin de l'être moins pendant plusieurs jours ; qu'il n'y a point de femme que le soin de sa parure n'empêche de songer à son amant ; qu'elles en sont entièrement occupées ; que ce soin de se parer est pour tout le monde aussi bien que pour celui qu'elles aiment ; que, lorsqu'elles sont au bal, elles veulent plaire à tous ceux qui les regardent ; que, quand elles sont contentes de leur beauté, elles en ont une joie dont leur amant ne fait pas la plus grande partie. Il dit aussi que, quand on n'est point aimé, on souffre encore davantage de voir sa maîtresse dans une assemblée ; que, plus elle est admirée du public, plus on se trouve malheureux de n'en être point aimé ; que l'on craint toujours que sa beauté ne fasse naître quelque amour plus heureux que le sien. Enfin il trouve qu'il n'y a point de souffrance pareille à celle de voir sa maîtresse au bal, si ce n'est de savoir qu'elle y est, et de n'y être pas. »

Mme de Clèves ne faisait pas semblant d'entendre[1] ce que disait le prince de Condé, mais elle l'écoutait avec attention.

---

1. Ne faisait pas semblant d'entendre : faisait semblant de ne pas comprendre.

Elle jugeait aisément quelle part elle avait à l'opinion que soutenait M. de Nemours, et surtout à ce qu'il disait du chagrin de n'être pas au bal où était sa maîtresse, parce qu'il ne devait pas être à celui du maréchal de Saint-André, et que le roi l'en-

1115 voyait au-devant du duc de Ferrare[1].

La reine dauphine riait avec le prince de Condé et n'approuvait pas l'opinion de M. de Nemours.

« Il n'y a qu'une occasion, Madame, lui dit ce prince, où M. de Nemours consente que sa maîtresse aille au bal, c'est

1120 lorsque c'est lui qui le donne ; et il dit que, l'année passée qu'il en donna un à Votre Majesté, il trouva que sa maîtresse lui faisait une faveur d'y venir, quoiqu'elle ne semblât que vous y suivre ; que c'est toujours faire une grâce à un amant que d'aller prendre sa part à un plaisir qu'il donne ; que c'est aussi

1125 une chose agréable pour l'amant, que sa maîtresse le voie le maître d'un lieu où est toute la cour, et qu'elle le voie se bien acquitter d'en faire les honneurs.

– M. de Nemours avait raison, dit la reine dauphine, en souriant, d'approuver que sa maîtresse allât au bal. Il y avait alors

1130 un si grand nombre de femmes à qui il donnait cette qualité que, si elles n'y fussent point venues, il y aurait eu peu de monde. »

Sitôt que le prince de Condé avait commencé à conter les sentiments de M. de Nemours sur le bal, Mme de Clèves avait senti une grande envie de ne point aller à celui du maréchal

1135 de Saint-André. Elle entra aisément dans l'opinion qu'il ne fallait pas aller chez un homme dont on était aimée, et elle fut bien aise d'avoir une raison de sévérité pour faire une chose

---

1. Hercule II d'Este, duc de Ferrare (1508-1559) devint le quatrième duc de Ferrare, Modène et Reggio en 1534. Il épousa en 1528 Renée de France, fille de Louis XII.

qui était une faveur pour M. de Nemours. Elle emporta néanmoins la parure que lui avait donnée la reine dauphine, mais
1140 le soir, lorsqu'elle la montra à sa mère, elle lui dit qu'elle
n'avait pas dessein de s'en servir, que le maréchal de Saint-
André prenait tant de soin de faire voir qu'il était attaché à
elle, qu'elle ne doutait point qu'il ne voulût aussi faire croire
qu'elle aurait part au divertissement qu'il devait donner au
1145 roi et que, sous prétexte de faire l'honneur de chez lui, il lui
rendrait des soins dont peut-être elle serait embarrassée.

Mme de Chartres combattit quelque temps l'opinion de sa
fille, comme la trouvant particulière, mais, voyant qu'elle s'y
opiniâtrait, elle s'y rendit, et lui dit qu'il fallait donc qu'elle fît
1150 la malade, pour avoir un prétexte de n'y pas aller, parce que les
raisons qui l'en empêchaient ne seraient pas approuvées, et qu'il
fallait même empêcher qu'on ne les soupçonnât. Mme de Clèves
consentit volontiers à passer quelques jours chez elle pour ne
point aller dans un lieu où M. de Nemours ne devait pas être,
1155 et il partit sans avoir le plaisir de savoir qu'elle n'irait pas.

Il revint le lendemain du bal, il sut qu'elle ne s'y était pas
trouvée, mais, comme il ne savait pas que l'on eût redit devant
elle la conversation de chez le roi dauphin, il était bien éloigné
de croire qu'il fût assez heureux pour l'avoir empêchée d'y
1160 aller.

Le lendemain, comme il était chez la reine, et qu'il parlait
à Mme la dauphine, Mme de Chartres et Mme de Clèves y
vinrent, et s'approchèrent de cette princesse. Mme de Clèves
était un peu négligée, comme une personne qui s'était trouvée
1165 mal, mais son visage ne répondait pas à son habillement.

« Vous voilà si belle, lui dit Mme la dauphine, que je ne
saurais croire que vous ayez été malade. Je pense que M. le

prince de Condé, en vous contant l'avis de M. de Nemours sur le bal, vous a persuadée que vous feriez une faveur au maréchal de Saint-André d'aller chez lui, et que c'est ce qui vous a empêchée d'y venir. »

Mme de Clèves rougit de ce que Mme la dauphine devinait si juste et de ce qu'elle disait devant M. de Nemours ce qu'elle avait deviné.

Mme de Chartres vit dans ce moment pourquoi sa fille n'avait pas voulu aller au bal, et, pour empêcher que M. de Nemours ne le jugeât aussi bien qu'elle, elle prit la parole avec un air qui semblait être appuyé sur la vérité.

« Je vous assure, Madame, dit-elle à Mme la dauphine, que Votre Majesté fait plus d'honneur à ma fille qu'elle n'en mérite. Elle était véritablement malade, mais je crois que, si je ne l'en eusse empêchée, elle n'eût pas laissé de vous suivre et de se montrer aussi changée qu'elle était, pour avoir le plaisir de voir tout ce qu'il y a eu d'extraordinaire au divertissement d'hier au soir. »

Mme la dauphine crut ce que disait Mme de Chartres, M. de Nemours fut bien fâché d'y trouver de l'apparence ; néanmoins la rougeur de Mme de Clèves lui fit soupçonner que ce que Mme la dauphine avait dit n'était pas entièrement éloigné de la vérité. Mme de Clèves avait d'abord été fâchée que M. de Nemours eût eu lieu de croire que c'était lui qui l'avait empêchée d'aller chez le maréchal de Saint-André, mais ensuite elle sentit quelque espèce de chagrin que sa mère lui en eût entièrement ôté l'opinion.

Quoique l'assemblée de Cercamp eût été rompue, les négociations pour la paix avaient toujours continué et les choses s'y disposèrent d'une telle sorte que, sur la fin de février, on se

rassembla à Cateau-Cambrésis[1]. Les mêmes députés y retournèrent, et l'absence du maréchal de Saint-André défit M. de
1200 Nemours du rival qui lui était plus redoutable par l'attention
qu'il avait à observer ceux qui approchaient Mme de Clèves,
que par le progrès qu'il pouvait faire auprès d'elle.

Mme de Chartres n'avait pas voulu laisser voir à sa fille
qu'elle connaissait ses sentiments pour ce prince, de peur de
1205 se rendre suspecte sur les choses qu'elle avait envie de lui dire.
Elle se mit un jour à parler de lui ; elle lui en dit du bien et y
mêla beaucoup de louanges empoisonnées sur la sagesse qu'il
avait d'être incapable de devenir amoureux et sur ce qu'il ne
se faisait qu'un plaisir, et non pas un attachement sérieux du
1210 commerce[2] des femmes.

« Ce n'est pas, ajouta-t-elle, que l'on ne l'ait soupçonné
d'avoir une grande passion pour la reine dauphine ; je vois
même qu'il y va très souvent, et je vous conseille d'éviter,
autant que vous pourrez, de lui parler, et surtout en particulier,
1215 parce que, Mme la dauphine vous traitant comme elle fait, on
dirait bientôt que vous êtes leur confidente, et vous savez
combien cette réputation est désagréable. Je suis d'avis, si ce
bruit continue, que vous alliez un peu moins chez Mme la
dauphine, afin de ne vous pas trouver mêlée dans des aventures
1220 de galanterie. »

Mme de Clèves n'avait jamais ouï parler de M. de
Nemours et de Mme la dauphine ; elle fut si surprise de ce
que lui dit sa mère, et elle crut si bien voir combien elle
s'était trompée dans tout ce qu'elle avait pensé des sentiments

---

1. La paix entre Henri II et Philippe II fut signée au Cateau-Cambresis les 2 et
3 avril 1559. Elle marque la fin définitive des guerres d'Italie.

2. Commerce : présence.

1225 de ce prince, qu'elle en changea de visage. Mme de Chartres s'en aperçut ; il vint du monde dans ce moment, Mme de Clèves s'en alla chez elle et s'enferma dans son cabinet. L'on ne peut exprimer la douleur qu'elle sentit de connaître, par ce que lui venait de dire sa mère, l'intérêt qu'elle prenait à 1230 M. de Nemours ; elle n'avait encore osé se l'avouer à elle-même. Elle vit alors que les sentiments qu'elle avait pour lui étaient ceux que M. de Clèves lui avait tant demandés ; elle trouva combien il était honteux de les avoir pour un autre que pour un mari qui les méritait. Elle se sentit blessée et 1235 embarrassée de la crainte que M. de Nemours ne la voulût faire servir de prétexte à Mme la dauphine, et cette pensée la détermina à conter à Mme de Chartres ce qu'elle ne lui avait point encore dit.

Elle alla le lendemain matin dans sa chambre pour exécuter 1240 ce qu'elle avait résolu, mais elle trouva que Mme de Chartres avait un peu de fièvre, de sorte qu'elle ne voulut pas lui parler. Ce mal paraissait néanmoins si peu de chose, que Mme de Clèves ne laissa pas d'aller l'après-dînée chez Mme la dauphine : elle était dans son cabinet avec deux ou trois dames qui étaient 1245 le plus avant dans sa familiarité.

« Nous parlions de M. de Nemours, lui dit cette reine en la voyant, et nous admirions combien il est changé depuis son retour de Bruxelles. Devant que d'y aller, il avait un nombre infini de maîtresses, et c'était même un défaut en lui, car il 1250 ménageait également celles qui avaient du mérite et celles qui n'en avaient pas. Depuis qu'il est revenu, il ne connaît ni les unes ni les autres : il n'y a jamais eu un si grand changement ; je trouve même qu'il y en a dans son humeur, et qu'il est moins gai que de coutume. »

1255   Mme de Clèves ne répondit rien, et elle pensait avec honte qu'elle aurait pris tout ce que l'on disait du changement de ce prince pour des marques de sa passion, si elle n'avait point été détrompée. Elle se sentait quelque aigreur contre Mme la dauphine de lui voir chercher des raisons et s'étonner d'une
1260 chose dont apparemment elle savait mieux la vérité que personne. Elle ne put s'empêcher de lui en témoigner quelque chose, et, comme les autres dames s'éloignèrent, elle s'approcha d'elle et lui dit tout bas :

    « Est-ce aussi pour moi, Madame, que vous venez de parler,
1265 et voudriez-vous me cacher que vous fussiez celle qui a fait changer de conduite à M. de Nemours ?

    — Vous êtes injuste, lui dit Mme la dauphine, vous savez que je n'ai rien de caché pour vous. Il est vrai que M. de Nemours, devant que d'aller à Bruxelles, a eu, je crois, intention de me
1270 laisser entendre[1] qu'il ne me haïssait pas, mais, depuis qu'il est revenu, il ne m'a pas même paru qu'il se souvînt des choses qu'il avait faites, et j'avoue que j'ai de la curiosité de savoir ce qui l'a fait changer. Il sera bien difficile que je ne le démêle[2], ajouta-t-elle, le vidame de Chartres, qui est son ami intime, est amou-
1275 reux d'une personne sur qui j'ai quelque pouvoir, et je saurai par ce moyen ce qui a fait ce changement. »

    Mme la dauphine parla d'un air qui persuada Mme de Clèves, et elle se trouva malgré elle dans un état plus calme et plus doux que celui où elle était auparavant.

1280   Lorsqu'elle revint chez sa mère, elle sut qu'elle était beaucoup plus mal qu'elle ne l'avait laissée. La fièvre lui avait redoublé et,

---

1. Entendre : comprendre.
2. Il sera bien difficile que je ne le démêle : il y a peu de risques que je ne le découvre pas.

les jours suivants elle augmenta de telle sorte qu'il parut que ce serait une maladie considérable. Mme de Clèves était dans une affliction extrême, elle ne sortait point de la chambre de sa mère ;
1285 M. de Clèves y passait aussi presque tous les jours et, par l'intérêt qu'il prenait à Mme de Chartres, et pour empêcher sa femme de s'abandonner à la tristesse, mais pour avoir aussi le plaisir de la voir : sa passion n'était point diminuée.

M. de Nemours, qui avait toujours eu beaucoup d'amitié
1290 pour lui, n'avait pas cessé de lui en témoigner depuis son retour de Bruxelles. Pendant la maladie de Mme de Chartres, ce prince trouva le moyen de voir plusieurs fois Mme de Clèves en faisant semblant de chercher son mari ou de le venir prendre pour le mener promener. Il le cherchait même à des heures où il
1295 savait bien qu'il n'y était pas et, sous le prétexte de l'attendre, il demeurait dans l'antichambre de Mme de Chartres, où il y avait toujours plusieurs personnes de qualité[1]. Mme de Clèves y venait souvent et, pour être affligée[2], elle n'en paraissait pas moins belle à M. de Nemours. Il lui faisait voir combien il
1300 prenait d'intérêt à son affliction et il lui en parlait avec un air si doux et si soumis qu'il la persuadait aisément que ce n'était pas de Mme la dauphine dont il était amoureux.

Elle ne pouvait s'empêcher d'être troublée de sa vue, et d'avoir pourtant du plaisir à le voir, mais, quand elle ne le
1305 voyait plus, et qu'elle pensait que ce charme qu'elle trouvait dans sa vue était le commencement des passions, il s'en fallait peu[3] qu'elle ne crût le haïr, par la douleur que lui donnait cette pensée.

---

1. Qualité : ici, de rang social élevé.

2. Pour être affligée : si elle était affligée.

3. Il s'en fallait peu : il s'en fallait de peu.

Mme de Chartres empira si considérablement que l'on
1310 commença à désespérer de sa vie ; elle reçut ce que les médecins lui dirent du péril où elle était avec un courage digne de
sa vertu et de sa piété. Après qu'ils furent sortis, elle fit retirer
tout le monde et appeler Mme de Clèves.

« Il faut nous quitter, ma fille, lui dit-elle, en lui tendant la
1315 main ; le péril où je vous laisse et le besoin que vous avez de moi
augmentent le déplaisir que j'ai de vous quitter. Vous avez de
l'inclination pour M. de Nemours ; je ne vous demande point
de me l'avouer ; je ne suis plus en état de me servir de votre
sincérité pour vous conduire. Il y a déjà longtemps que je me
1320 suis aperçue de cette inclination, mais je ne vous en ai pas voulu
parler d'abord, de peur de vous en faire apercevoir vous-même.
Vous ne la connaissez que trop présentement, vous êtes sur
le bord du précipice, il faut de grands efforts et de grandes
violences pour vous retenir. Songez ce que vous devez à votre
1325 mari, songez ce que vous vous devez à vous-même, et pensez
que vous allez perdre cette réputation que vous vous êtes
acquise, et que je vous ai tant souhaitée. Ayez de la force et du
courage, ma fille, retirez-vous de la cour, obligez votre mari
de vous emmener ; ne craignez point de prendre des partis
1330 trop rudes et trop difficiles ; quelque affreux qu'ils vous
paraissent d'abord, ils seront plus doux dans les suites que les
malheurs d'une galanterie[1]. Si d'autres raisons que celles de la
vertu et de votre devoir vous pouvaient obliger à ce que je
souhaite, je vous dirais que, si quelque chose était capable de
1335 troubler le bonheur que j'espère en sortant de ce monde, ce
serait de vous voir tomber comme les autres femmes, mais, si

---

1. Galanterie : aventure extraconjugale.

ce malheur vous doit arriver, je reçois la mort avec joie, pour n'en être pas le témoin. »

Mme de Clèves fondait en larmes sur la main de sa mère, qu'elle tenait serrée entre les siennes, et Mme de Chartres se sentant touchée elle-même :

« Adieu, ma fille, lui dit-elle, finissons une conversation qui nous attendrit trop l'une et l'autre, et souvenez-vous, si vous pouvez, de tout ce que je viens de vous dire. »

Elle se tourna de l'autre côté en achevant ces paroles et commanda à sa fille d'appeler ses femmes, sans vouloir l'écouter ni parler davantage. Mme de Clèves sortit de la chambre de sa mère en l'état que l'on peut s'imaginer, et Mme de Chartres ne songea plus qu'à se préparer à la mort. Elle vécut encore deux jours, pendant lesquels elle ne voulut plus revoir sa fille, qui était la seule chose à quoi elle se sentait attachée.

Mme de Clèves était dans une affliction extrême ; son mari ne la quittait point, et, sitôt que Mme de Chartres fut expirée, il l'emmena à la campagne, pour l'éloigner d'un lieu qui ne faisait qu'aigrir sa douleur. On n'en a jamais vu de pareille ; quoique la tendresse et la reconnaissance y eussent la plus grande part, le besoin qu'elle sentait qu'elle avait de sa mère pour se défendre contre M. de Nemours ne laissait pas d'y en avoir beaucoup. Elle se trouvait malheureuse d'être abandonnée à elle-même, dans un temps où elle était si peu maîtresse de ses sentiments et où elle eût tant souhaité d'avoir quelqu'un qui pût la plaindre et lui donner de la force. La manière dont M. de Clèves en usait pour elle[1] lui faisait souhaiter plus fortement que jamais de ne manquer à rien de ce qu'elle lui devait. Elle

---

1. La manière dont M. de Clèves en usait pour elle : la façon dont M. de Clèves se comportait avec elle.

1365 lui témoignait aussi plus d'amitié et plus de tendresse qu'elle n'avait encore fait ; elle ne voulait point qu'il la quittât, et il lui semblait qu'à force de s'attacher à lui, il la défendrait contre M. de Nemours.

Ce prince vint voir M. de Clèves à la campagne. Il fit ce qu'il 1370 put pour rendre aussi une visite à Mme de Clèves, mais elle ne le voulut point recevoir et, sentant bien qu'elle ne pouvait s'empêcher de le trouver aimable[1], elle avait fait une forte résolution de s'empêcher de le voir et d'en éviter toutes les occasions qui dépendraient d'elle.

1375 M. de Clèves vint à Paris pour faire sa cour et promit à sa femme de s'en retourner le lendemain ; il ne revint néanmoins que le jour d'après.

« Je vous attendis tout hier, lui dit Mme de Clèves lorsqu'il arriva, et je vous dois faire des reproches de n'être pas venu 1380 comme vous me l'aviez promis. Vous savez que si je pouvais sentir une nouvelle affliction en l'état où je suis, ce serait la mort de Mme de Tournon, que j'ai apprise ce matin : j'en aurais été touchée quand je ne l'aurais point connue ; c'est toujours une chose digne de pitié qu'une femme jeune et belle 1385 comme celle-là soit morte en deux jours, mais, de plus, c'était une des personnes du monde qui me plaisait davantage et qui paraissait avoir autant de sagesse que de mérite.

— Je fus très fâché de ne pas revenir hier, répondit M. de Clèves, mais j'étais si nécessaire à la consolation d'un malheureux, 1390 qu'il m'était impossible de le quitter. Pour Mme de Tournon, je ne vous conseille pas d'en être affligée, si vous la regrettez comme une femme pleine de sagesse et digne de votre estime.

---

1. Aimable : propre à être aimé.

— Vous m'étonnez, reprit Mme de Clèves, et je vous ai ouï dire plusieurs fois qu'il n'y avait point de femme à la cour que vous estimassiez davantage.

— Il est vrai, répondit-il, mais les femmes sont incompréhensibles, et quand je les vois toutes, je me trouve si heureux de vous avoir, que je ne saurais assez admirer mon bonheur.

— Vous m'estimez plus que je ne vaux, répliqua Mme de Clèves en soupirant, et il n'est pas encore temps de me trouver digne de vous. Apprenez-moi, je vous en supplie, ce qui vous a détrompé de Mme de Tournon.

— Il y a longtemps que je le suis, répliqua-t-il, et que je sais qu'elle aimait le comte de Sancerre[1], à qui elle donnait des espérances de l'épouser.

— Je ne saurais croire, interrompit Mme de Clèves, que Mme de Tournon, après cet éloignement si extraordinaire qu'elle a témoigné pour le mariage depuis qu'elle est veuve, et après les déclarations publiques qu'elle a faites de ne se remarier jamais, ait donné des espérances à Sancerre.

— Si elle n'en eût donné qu'à lui, répliqua monsieur de Clèves, il ne faudrait pas s'étonner, mais ce qu'il y a de surprenant, c'est qu'elle en donnait aussi à Estouteville[2] dans le même temps, et je vais vous apprendre toute cette histoire. »

FIN DU PREMIER TOME

---

1. **Le comte de Sancerre** (avant 1532-1563 ou 1565): Louis de Bueil devint le 18e comte de Sancerre, sous le nom de Louis IV de Sancerre-Bueil, en 1537.
2. **Estouteville**: François II de Saint-Pol, duc d'Estouteville est en fait mort à douze ans en 1546. Ce dernier est donc un personnage de fiction.

Tome deuxième

« Vous savez l'amitié qu'il y a entre Sancerre et moi ; néanmoins il devint amoureux de Mme de Tournon, il y a environ
deux ans, et me le cacha avec beaucoup de soin, aussi bien qu'à
tout le reste du monde. J'étais bien éloigné de le soupçonner.
Mme de Tournon paraissait encore inconsolable de la mort de
son mari et vivait dans une retraite austère. La sœur de Sancerre
était quasi la seule personne qu'elle vît, et c'était chez elle qu'il
en était devenu amoureux.

Un soir qu'il devait y avoir une comédie au Louvre et que
l'on n'attendait plus que le roi et Mme de Valentinois pour
commencer, l'on vint dire qu'elle s'était trouvée mal, et que
le roi ne viendrait pas. On jugea aisément que le mal de cette
duchesse était quelque démêlé avec le roi. Nous savions les
jalousies qu'il avait eues du maréchal de Brissac pendant qu'il
avait été à la cour, mais il était retourné en Piémont depuis
quelques jours, et nous ne pouvions imaginer le sujet de cette
brouillerie.

Comme j'en parlais avec Sancerre, M. d'Anville arriva dans
la salle et me dit tout bas que le roi était dans une affliction
et dans une colère qui faisaient pitié ; qu'en un raccommode-
ment qui s'était fait entre lui et Mme de Valentinois, il y
avait quelques jours, sur des démêlés qu'ils avaient eus pour
le maréchal de Brissac, le roi lui avait donné une bague et

75

l'avait priée de la porter ; que, pendant qu'elle s'habillait pour
25 venir à la comédie, il avait remarqué qu'elle n'avait point
cette bague, et lui en avait demandé la raison ; qu'elle avait
paru étonnée de ne la pas avoir, qu'elle l'avait demandée à ses
femmes, lesquelles, par malheur, ou faute d'être bien instruites,
avaient répondu qu'il y avait quatre ou cinq jours qu'elles ne
30 l'avaient vue.

Ce temps est précisément celui du départ du maréchal de
Brissac, continua M. d'Anville ; le roi n'a point douté qu'elle
ne lui ait donné la bague en lui disant adieu. Cette pensée a
réveillé si vivement toute cette jalousie, qui n'était pas encore
35 bien éteinte, qu'il s'est emporté contre son ordinaire et lui a
fait mille reproches. Il vient de rentrer chez lui très affligé,
mais je ne sais s'il l'est davantage de l'opinion que Mme de
Valentinois a sacrifié sa bague que de la crainte de lui avoir
déplu par sa colère.

40 Sitôt que M. d'Anville eut achevé de me conter cette
nouvelle, je me rapprochai de Sancerre pour la lui apprendre ;
je la lui dis comme un secret que l'on venait de me confier, et
dont je lui défendais de parler.

Le lendemain matin, j'allai d'assez bonne heure chez ma
45 belle-sœur : je trouvai Mme de Tournon au chevet de son lit.
Elle n'aimait pas Mme de Valentinois, et elle savait bien que
ma belle-sœur n'avait pas sujet de s'en louer. Sancerre avait
été chez elle au sortir de la comédie. Il lui avait appris la
brouillerie du roi avec cette duchesse, et Mme de Tournon
50 était venue la conter à ma belle-sœur, sans savoir ou sans faire
réflexion que c'était moi qui l'avait apprise à son amant.

Sitôt que je m'approchai de ma belle-sœur, elle dit à
Mme de Tournon que l'on pouvait me confier ce qu'elle venait

de lui dire et, sans attendre la permission de Mme de Tournon,
elle me conta mot pour mot tout ce que j'avais dit à Sancerre
le soir précédent. Vous pouvez juger comme j'en fus étonné.
Je regardai Mme de Tournon, elle me parut embarrassée. Son
embarras me donna du soupçon ; je n'avais dit la chose qu'à
Sancerre, il m'avait quitté au sortir de la comédie sans m'en
dire la raison, je me souvins de lui avoir ouï extrêmement louer
Mme de Tournon. Toutes ces choses m'ouvrirent les yeux, et je
n'eus pas de peine à démêler qu'il avait une galanterie avec elle,
et qu'il l'avait vue depuis qu'il m'avait quitté.

Je fus si piqué de voir qu'il me cachait cette aventure que je
dis plusieurs choses qui firent connaître à Mme de Tournon
l'imprudence qu'elle avait faite ; je la remis à son carrosse et je
l'assurai, en la quittant, que j'enviais le bonheur de celui qui
lui avait appris la brouillerie du roi et de Mme de Valentinois.

Je m'en allai à l'heure même trouver Sancerre, je lui fis des
reproches, et je lui dis que je savais sa passion pour Mme de
Tournon, sans lui dire comment je l'avais découverte. Il fut
contraint de me l'avouer ; je lui contai ensuite ce qui me
l'avait apprise, et il m'apprit aussi le détail de leur aventure ;
il me dit que, quoiqu'il fût cadet de sa maison, et très éloigné
de pouvoir prétendre un aussi bon parti, néanmoins elle était
résolue de l'épouser. L'on ne peut être plus surpris que je le
fus. Je dis à Sancerre de presser la conclusion de son mariage,
et qu'il n'y avait rien qu'il ne dût craindre d'une femme qui
avait l'artifice de soutenir aux yeux du public un personnage
si éloigné de la vérité. Il me répondit qu'elle avait été véritablement affligée, mais que l'inclination qu'elle avait eue pour
lui avait surmonté cette affliction, et qu'elle n'avait pu laisser
paraître tout d'un coup un si grand changement. Il me dit

encore plusieurs autres raisons pour l'excuser, qui me firent
85 voir à quel point il en était amoureux ; il m'assura qu'il la
ferait consentir que je susse la passion qu'il avait pour elle,
puisque aussi bien c'était elle-même qui me l'avait apprise. Il
l'y obligea en effet, quoique avec beaucoup de peine, et je fus
ensuite très avant dans leur confidence.

90   Je n'ai jamais vu une femme avoir une conduite si honnête
et si agréable à l'égard de son amant ; néanmoins j'étais
toujours choqué de son affectation à paraître encore affligée.
Sancerre était si amoureux et si content de la manière dont
elle en usait pour lui, qu'il n'osait quasi la presser de conclure
95 leur mariage, de peur qu'elle ne crût qu'il le souhaitait plutôt
par intérêt que par une véritable passion. Il lui en parla toutefois, et elle lui parut résolue à l'épouser ; elle commença même
à quitter cette retraite où elle vivait, et à se remettre dans le
monde. Elle venait chez ma belle-sœur à des heures où une
100 partie de la cour s'y trouvait. Sancerre n'y venait que rare-
ment, mais ceux qui y étaient tous les soirs et qui l'y voyaient
souvent la trouvaient très aimable[1].

Peu de temps après qu'elle eut commencé à quitter sa solitude, Sancerre crut voir quelque refroidissement dans la
105 passion qu'elle avait pour lui. Il m'en parla plusieurs fois sans
que je fisse aucun fondement sur ses plaintes, mais, à la fin,
comme il me dit qu'au lieu d'achever leur mariage, elle
semblait l'éloigner, je commençai à croire qu'il n'avait pas de
tort d'avoir de l'inquiétude. Je lui répondis que, quand la
110 passion de Mme de Tournon diminuerait après avoir duré
deux ans, il ne faudrait pas s'en étonner ; que quand même,

---

1. Aimable : propre à être aimée.

sans être diminuée, elle ne serait pas assez forte pour l'obliger à l'épouser, il ne devrait pas s'en plaindre ; que ce mariage, à l'égard du public, lui ferait un extrême tort, non seulement

115 parce qu'il n'était pas un assez bon parti pour elle, mais par le préjudice qu'il apporterait à sa réputation ; qu'ainsi tout ce qu'il pouvait souhaiter était qu'elle ne le trompât point et qu'elle ne lui donnât pas de fausses espérances. Je lui dis encore que, si elle n'avait pas la force de l'épouser ou qu'elle lui avouât

120 qu'elle en aimait quelque autre, il ne fallait point qu'il s'emportât, ni qu'il se plaignît, mais qu'il devrait conserver pour elle de l'estime et de la reconnaissance.

« Je vous donne, lui dis-je, le conseil que je prendrais pour moi-même ; car la sincérité me touche d'une telle sorte que je

125 crois que, si ma maîtresse et même ma femme m'avouait que quelqu'un lui plût, j'en serais affligé sans en être aigri. Je quitterais le personnage d'amant ou de mari, pour la conseiller et pour la plaindre. »

Ces paroles firent rougir Mme de Clèves, et elle y trouva un

130 certain rapport avec l'état où elle était, qui la surprit et qui lui donna un trouble dont elle fut longtemps à se remettre.

Sancerre parla à Mme de Tournon, continua M. de Clèves, il lui dit tout ce que je lui avais conseillé, mais elle le rassura avec tant de soin, et parut si offensée de ses soupçons, qu'elle les lui

135 ôta entièrement. Elle remit néanmoins leur mariage après un voyage qu'il allait faire et qui devait être assez long, mais elle se conduisit si bien jusqu'à son départ et en parut si affligée que je crus, aussi bien que lui, qu'elle l'aimait véritablement. Il partit il y a environ trois mois. Pendant son absence, j'ai peu vu

140 Mme de Tournon ; vous m'avez entièrement occupé, et je savais seulement qu'il devait bientôt revenir.

Avant-hier, en arrivant à Paris, j'appris qu'elle était morte. J'envoyai savoir chez lui si on n'avait point eu de ses nouvelles : on me manda[1] qu'il était arrivé de la veille, qui était précisément le jour de la mort de Mme de Tournon. J'allai le voir à l'heure même, me doutant bien de l'état où je le trouverais, mais son affliction passait de beaucoup ce que je m'en étais imaginé.

Je n'ai jamais vu une douleur si profonde et si tendre. Dès le moment qu'il me vit, il m'embrassa, fondant en larmes :

« Je ne la verrai plus, me dit-il, je ne la verrai plus, elle est morte ! Je n'en étais pas digne, mais je la suivrai bientôt. »

Après cela il se tut ; et puis, de temps en temps, redisant toujours : « Elle est morte, et je ne la verrai plus ! », il revenait aux cris et aux larmes, et demeurait comme un homme qui n'avait plus de raison. Il me dit qu'il n'avait pas reçu souvent de ses lettres pendant son absence, mais qu'il ne s'en était pas étonné, parce qu'il la connaissait et qu'il savait la peine qu'elle avait à hasarder de ses lettres. Il ne doutait point qu'il ne l'eût épousée à son retour ; il la regardait comme la plus aimable[2] et la plus fidèle personne qui eût jamais été ; il s'en croyait tendrement aimé ; il la perdait dans le moment qu'il pensait s'attacher à elle pour jamais. Toutes ces pensées le plongeaient dans une affliction violente dont il était entièrement accablé, et j'avoue que je ne pouvais m'empêcher d'en être touché.

Je fus néanmoins contraint de le quitter pour aller chez le roi ; je lui promis que je reviendrais bientôt. Je revins en effet, et je ne fus jamais si surpris que de le trouver tout différent

---

1. On me manda : on me fit dire.

2. Aimable : propre à être aimée.

170 de ce que je l'avais quitté. Il était debout dans sa chambre, avec un visage furieux, marchant et s'arrêtant comme s'il eût été hors de lui-même. « Venez, venez, me dit-il, venez voir l'homme du monde le plus désespéré ; je suis plus malheureux mille fois que je n'étais tantôt, et ce que je viens d'apprendre
175 de Mme de Tournon est pire que sa mort. »

Je crus que la douleur le troublait entièrement et je ne pouvais m'imaginer qu'il y eût quelque chose de pire que la mort d'une maîtresse que l'on aime et dont on est aimé. Je lui dis que tant que son affliction avait eu des bornes, je l'avais
180 approuvée, et que j'y étais entré, mais que je ne le plaindrais plus s'il s'abandonnait au désespoir, et s'il perdait la raison.

« Je serais trop heureux de l'avoir perdue, et la vie aussi, s'écria-t-il, Mme de Tournon m'était infidèle, et j'apprends son infidélité et sa trahison le lendemain que j'ai appris sa mort, dans
185 un temps où mon âme est remplie et pénétrée de la plus vive douleur et de la plus tendre amour que l'on ait jamais senties, dans un temps où son idée[1] est dans mon cœur comme la plus parfaite chose qui ait jamais été, et la plus parfaite à mon égard. Je trouve que je me suis trompé, et qu'elle ne mérite pas que je
190 la pleure ; cependant j'ai la même affliction de sa mort, que si elle m'était fidèle, et je sens son infidélité comme si elle n'était point morte. Si j'avais appris son changement devant[2] sa mort, la jalousie, la colère, la rage m'auraient rempli et m'auraient endurci en quelque sorte contre la douleur de sa perte, mais je
195 suis dans un état où je ne puis ni m'en consoler, ni la haïr. »

Vous pouvez juger si je fus surpris de ce que me disait Sancerre ; je lui demandai comment il avait su ce qu'il venait

---

1. Son idée : son image.
2. Devant : avant.

de me dire. Il me conta qu'un moment après que j'étais sorti de sa chambre, Estouteville, qui est son ami intime, mais qui
200 ne savait pourtant rien de son amour pour Mme de Tournon, l'était venu voir ; que, d'abord qu'il avait été assis, il avait commencé à pleurer, et qu'il lui avait dit qu'il lui demandait pardon de lui avoir caché ce qu'il lui allait apprendre ; qu'il le priait d'avoir pitié de lui ; qu'il venait lui ouvrir son cœur, et
205 qu'il voyait l'homme du monde le plus affligé de la mort de Mme de Tournon.

« Ce nom, me dit Sancerre, m'a tellement surpris, que, quoique mon premier mouvement ait été de lui dire que j'en étais plus affligé que lui, je n'ai pas eu néanmoins la force de
210 parler. » Il a continué, et m'a dit qu'il était amoureux d'elle depuis six mois ; qu'il avait toujours voulu me le dire, mais qu'elle le lui avait défendu expressément et avec tant d'autorité qu'il n'avait osé lui désobéir ; qu'il lui avait plu quasi dans le même temps qu'il l'avait aimée ; qu'ils avaient caché leur
215 passion à tout le monde ; qu'il n'avait jamais été chez elle publiquement ; qu'il avait eu le plaisir de la consoler de la mort de son mari ; et qu'enfin il l'allait épouser dans le temps qu'elle était morte ; mais que ce mariage, qui était un effet de passion, aurait paru un effet de devoir et d'obéissance ; qu'elle avait
220 gagné son père pour se faire commander de l'épouser, afin qu'il n'y eût pas un trop grand changement dans sa conduite, qui avait été si éloignée de se marier.

« Tant qu'Estouteville m'a parlé, me dit Sancerre, j'ai ajouté foi à ses paroles, parce que j'y ai trouvé de la vraisem-
225 blance et que le temps où il m'a dit qu'il avait commencé à aimer Mme de Tournon est précisément celui où elle m'a paru changée, mais un moment après, je l'ai cru un menteur ou

du moins un visionnaire. J'ai été prêt à le lui dire, j'ai passé ensuite à vouloir m'éclaircir, je l'ai questionné, je lui ai fait paraître des doutes ; enfin j'ai tant fait pour m'assurer de mon malheur qu'il m'a demandé si je connaissais l'écriture de Mme de Tournon. Il a mis sur mon lit quatre de ses lettres et son portrait ; mon frère est entré dans ce moment. Estouteville avait le visage si plein de larmes qu'il a été contraint de sortir pour ne se pas laisser voir ; il m'a dit qu'il reviendrait ce soir requérir ce qu'il me laissait, et moi je chassai mon frère sur le prétexte de me trouver mal, par l'impatience de voir ces lettres que l'on m'avait laissées, et espérant d'y trouver quelque chose qui ne me persuaderait pas tout ce qu'Estouteville venait de me dire[1]. Mais hélas ! Que n'y ai-je point trouvé ! Quelle tendresse ! Quels serments ! Quelles assurances de l'épouser ! Quelles lettres ! Jamais elle ne m'en a écrit de semblables. Ainsi, ajouta-t-il, j'éprouve à la fois la douleur de la mort et celle de l'infidélité ; ce sont deux maux que l'on a souvent comparés, mais qui n'ont jamais été sentis en même temps par la même personne. J'avoue, à ma honte, que je sens encore plus sa perte que son changement ; je ne puis la trouver assez coupable pour consentir à sa mort. Si elle vivait, j'aurais le plaisir de lui faire des reproches et de me venger d'elle en lui faisant connaître son injustice, mais je ne la verrai plus, reprenait-il, je ne la verrai plus ; ce mal est le plus grand de tous les maux. Je souhaiterais de lui rendre la vie aux dépens de la mienne. Quel souhait ! Si elle revenait, elle vivrait pour Estouteville. Que j'étais heureux hier ! s'écriait-il, que j'étais heureux ! J'étais l'homme du monde le plus affligé, mais mon

---

1. Qui ne me persuaderait pas tout ce qu'Estouteville venait de me dire : qui me permettrait d'avoir des doutes sur ce qu'Estouteville venait de me dire.

affliction était raisonnable, et je trouvais quelque douceur à penser que je ne devais jamais me consoler. Aujourd'hui tous mes sentiments sont injustes. Je paye à une passion feinte qu'elle a eue pour moi, le même tribut de douleur que je
260 croyais devoir à une passion véritable. Je ne puis ni haïr, ni aimer sa mémoire ; je ne puis me consoler ni m'affliger. Du moins, me dit-il, en se retournant tout d'un coup vers moi, faites, je vous en conjure, que je ne voie jamais Estouteville ; son nom seul me fait horreur. Je sais bien que je n'ai nul sujet
265 de m'en plaindre ; c'est ma faute de lui avoir caché que j'aimais Mme de Tournon : s'il l'eût su il ne s'y serait peut-être pas attaché, elle ne m'aurait pas été infidèle ; il est venu me chercher pour me confier sa douleur ; il me fait pitié. Eh ! C'est avec raison, s'écriait-il, il aimait Mme de Tournon, il en
270 était aimé et il ne la verra jamais, je sens bien néanmoins que je ne saurais m'empêcher de le haïr. Et encore une fois, je vous conjure de faire en sorte que je ne le voie point. »

Sancerre se remit ensuite à pleurer, à regretter Mme de Tournon, à lui parler et à lui dire les choses du monde les plus
275 tendres ; il repassa ensuite à la haine, aux plaintes, aux reproches et aux imprécations[1] contre elle. Comme je le vis dans un état si violent, je connus bien[2] qu'il me fallait quelque secours pour m'aider à calmer son esprit. J'envoyai quérir son frère que je venais de quitter chez le roi ; j'allai lui parler dans l'antichambre
280 avant qu'il entrât et je lui contai l'état où était Sancerre. Nous donnâmes des ordres pour empêcher qu'il ne vît Estouteville et nous employâmes une partie de la nuit à tâcher de le rendre capable de raison. Ce matin, je l'ai encore trouvé plus affligé ;

1. Imprécations : reproches.
2. Je connus bien : je sus bien.

son frère est demeuré auprès de lui, et je suis revenu auprès de
285 vous.

— L'on ne peut être plus surprise que je le suis, dit alors Mme
de Clèves, et je croyais Mme de Tournon incapable d'amour et
de tromperie.

— L'adresse et la dissimulation, reprit M. de Clèves, ne
290 peuvent aller plus loin qu'elle les a portées. Remarquez que,
quand Sancerre crut qu'elle était changée pour lui, elle l'était
véritablement et qu'elle commençait à aimer Estouteville. Elle
disait à ce dernier qu'il la consolait de la mort de son mari et
que c'était lui qui était cause qu'elle quittait cette grande
295 retraite, et il paraissait à Sancerre que c'était parce que nous
avions résolu qu'elle ne témoignerait plus d'être si affligée.
Elle faisait valoir à Estouteville de cacher leur intelligence[1], et
de paraître obligée à l'épouser par le commandement de son
père, comme un effet du soin qu'elle avait de sa réputation ; et
300 c'était pour abandonner Sancerre sans qu'il eût sujet de s'en
plaindre. Il faut que je m'en retourne, continua M. de Clèves,
pour voir ce malheureux et je crois qu'il faut que vous reveniez
aussi à Paris. Il est temps que vous voyiez le monde, et que
vous receviez ce nombre infini de visites dont aussi bien vous
305 ne sauriez vous dispenser. »

Mme de Clèves consentit à son retour et elle revint le lendemain. Elle se trouva plus tranquille sur M. de Nemours qu'elle
n'avait été ; tout ce que lui avait dit Mme de Chartres en
mourant, et la douleur de sa mort, avaient fait une suspension
310 à ses sentiments, qui lui faisait croire qu'ils étaient entièrement effacés.

---

1. **Intelligence** : complicité, relation.

Dès le même soir qu'elle fut arrivée, Mme la dauphine la vint voir, et, après lui avoir témoigné la part qu'elle avait prise à son affliction, elle lui dit que, pour la détourner de ces tristes pensées, elle voulait l'instruire de tout ce qui s'était passé à la cour en son absence ; elle lui conta ensuite plusieurs choses particulières.

« Mais ce que j'ai le plus d'envie de vous apprendre, ajouta-t-elle, c'est qu'il est certain que M. de Nemours est passionnément amoureux, et que ses amis les plus intimes, non seulement ne sont point dans sa confidence, mais qu'ils ne peuvent deviner qui est la personne qu'il aime. Cependant cet amour est assez fort pour lui faire négliger ou abandonner, pour mieux dire, les espérances d'une couronne. »

Mme la dauphine conta ensuite tout ce qui s'était passé sur l'Angleterre.

« J'ai appris ce que je viens de vous dire, continua-t-elle, de M. d'Anville, et il m'a dit ce matin que le roi envoya quérir hier au soir M. de Nemours, sur des lettres de Lignerolles, qui demande à revenir, et qui écrit au roi qu'il ne peut plus soutenir auprès de la reine d'Angleterre les retardements de M. de Nemours ; qu'elle commence à s'en offenser, et qu'encore qu'elle n'eût point donné de parole positive, elle en avait assez dit pour faire hasarder un voyage. Le roi lut cette lettre à M. de Nemours qui, au lieu de parler sérieusement, comme il avait fait dans les commencements, ne fit que rire, que badiner et se moquer des espérances de Lignerolles. Il dit que toute l'Europe condamnerait son imprudence, s'il hasardait d'aller en Angleterre comme un prétendu mari de la reine sans être assuré du succès.

« Il me semble aussi, ajouta-t-il, que je prendrais mal mon temps, de faire ce voyage présentement que[1] le roi d'Espagne fait de si grandes instances pour épouser cette reine. Ce ne serait peut-être pas un rival bien redoutable dans une galanterie[2], mais je pense que dans un mariage Votre Majesté ne me conseillerait pas de lui disputer quelque chose.

— Je vous le conseillerais en cette occasion, reprit le roi, mais vous n'aurez rien à lui disputer ; je sais qu'il a d'autres pensées ; et, quand il n'en aurait pas, la reine Marie s'est trop mal trouvée du joug de l'Espagne pour croire que sa sœur le veuille reprendre, et qu'elle se laisse éblouir à l'éclat de tant de couronnes jointes ensemble.

— Si elle ne s'en laisse pas éblouir, repartit M. de Nemours, il y a apparence qu'elle voudra se rendre heureuse par l'amour. Elle a aimé le milord Courtenay[3], il y a déjà quelques années ; il était aussi aimé de la reine Marie, qui l'aurait épousé du consentement de toute l'Angleterre, sans qu'elle connût que la jeunesse et la beauté de sa sœur Élisabeth le touchaient davantage que l'espérance de régner. Votre Majesté sait que les violentes jalousies qu'elle en eut la portèrent à les mettre l'un et l'autre en prison, à exiler ensuite le milord Courtenay, et la déterminèrent enfin à épouser le roi d'Espagne. Je crois qu'Élisabeth, qui est présentement sur le trône, rappellera bientôt ce milord, et qu'elle choisira un homme qu'elle a aimé, qui est fort aimable, qui a tant souffert pour elle, plutôt qu'un autre qu'elle n'a jamais vu.

---

1. **Présentement que :** alors que.

2. **Galanterie :** aventure amoureuse.

3. **Le milord Courtenay :** Édouard de Courtenay (1527-1555) était le premier comte de Devon.

— Je serais de votre avis, repartit le roi, si Courtenay vivait encore, mais j'ai su, depuis quelques jours, qu'il est mort à Padoue, où il était relégué. Je vois bien, ajouta-t-il en quittant M. de Nemours, qu'il faudrait faire votre mariage comme on ferait celui de M. le dauphin et envoyer épouser la reine d'Angleterre par des ambassadeurs. »

M. d'Anville et M. le vidame, qui étaient chez le roi avec M. de Nemours, sont persuadés que c'est cette même passion dont il est occupé qui le détourne d'un si grand dessein. Le vidame, qui le voit de plus près que personne, a dit à Mme de Martigues[1] que ce prince est tellement changé qu'il ne le reconnaît plus, et ce qui l'étonne davantage, c'est qu'il ne lui voit aucun commerce[2] ni aucunes heures particulières où il se dérobe, en sorte qu'il croit qu'il n'a point d'intelligence[3] avec la personne qu'il aime ; et c'est ce qui fait méconnaître M. de Nemours de lui voir aimer une femme qui ne répond point à son amour. »

Quel poison pour Mme de Clèves que le discours de Mme la dauphine ! Le moyen de ne se pas reconnaître pour cette personne dont on ne savait point le nom et le moyen de n'être pas pénétrée de reconnaissance et de tendresse, en apprenant, par une voie qui ne lui pouvait être suspecte, que ce prince, qui touchait déjà son cœur, cachait sa passion à tout le monde et négligeait pour l'amour d'elle les espérances d'une couronne ! Aussi ne peut-on représenter ce qu'elle sentit, et le trouble qui s'éleva dans son âme. Si Mme la dauphine l'eût regardée avec

---

1. Mme de Martigues : Marie de Beaucaire (1535-1616) avait épousé Sébastien de Luxembourg, comte de Martigues.

2. Aucun commerce : aucune liaison.

3. Intelligence : liaison.

attention, elle eût aisément remarqué que les choses qu'elle
venait de dire ne lui étaient pas indifférentes, mais, comme elle
395 n'avait aucun soupçon de la vérité, elle continua de parler, sans
y faire de réflexion.

« M. d'Anville, ajouta-t-elle, qui, comme je vous viens de
dire, m'a appris tout ce détail, m'en croit mieux instruite que
lui ; et il a une si grande opinion de mes charmes qu'il est
400 persuadé que je suis la seule personne qui puisse faire de si
grands changements en M. de Nemours. »

Ces dernières paroles de Mme la dauphine donnèrent une
autre sorte de trouble à Mme de Clèves, que celui qu'elle avait
eu quelques moments auparavant.

405 « Je serais aisément de l'avis de M. d'Anville, répondit-elle,
et il y a beaucoup d'apparence, Madame, qu'il ne faut pas
moins qu'une princesse telle que vous pour faire mépriser la
reine d'Angleterre.

— Je vous l'avouerais si je le savais, repartit Mme la dauphine,
410 et je le saurais s'il était véritable. Ces sortes de passions
n'échappent point à la vue de celles qui les causent, elles s'en
aperçoivent les premières. M. de Nemours ne m'a jamais
témoigné que de légères complaisances ; mais il y a néanmoins
une si grande différence de la manière dont il a vécu avec moi à
415 celle dont il y vit présentement que je puis vous répondre que
je ne suis pas la cause de l'indifférence qu'il a pour la couronne
d'Angleterre.

Je m'oublie avec vous, ajouta Mme la dauphine, et je ne
me souviens pas qu'il faut que j'aille voir Madame. Vous
420 savez que la paix est quasi conclue, mais vous ne savez pas
que le roi d'Espagne n'a voulu passer aucun article qu'à
condition d'épouser cette princesse, au lieu du prince don

Carlos[1], son fils. Le roi a eu beaucoup de peine à s'y résoudre ; enfin il y a consenti, et il est allé tantôt annoncer cette nouvelle à Madame. Je crois qu'elle sera inconsolable : ce n'est pas une chose qui puisse plaire d'épouser un homme de l'âge et de l'humeur du roi d'Espagne, surtout à elle qui a toute la joie que donne la première jeunesse jointe à la beauté, et qui s'attendait d'épouser un jeune prince pour qui elle a de l'inclination sans l'avoir vu. Je ne sais si le roi en elle trouvera toute l'obéissance qu'il désire ; il m'a chargée de la voir parce qu'il sait qu'elle m'aime et qu'il croit que j'aurai quelque pouvoir sur son esprit. Je ferai ensuite une autre visite bien différente ; j'irai me réjouir avec Madame[2], sœur du roi. Tout est arrêté pour son mariage avec M. de Savoie, et il sera ici dans peu de temps. Jamais personne de l'âge de cette princesse n'a eu une joie si entière de se marier. La cour va être plus belle et plus grosse qu'on ne l'a jamais vue et, malgré votre affliction, il faut que vous veniez nous aider à faire voir aux étrangers que nous n'avons pas de médiocres beautés. »

Après ces paroles, Mme la dauphine quitta Mme de Clèves, et, le lendemain le mariage de Madame fut su de tout le monde. Les jours suivants, le roi et les reines allèrent voir Mme de Clèves. M. de Nemours, qui avait attendu son retour avec une extrême impatience et qui souhaitait ardemment de lui pouvoir parler sans témoins, attendit pour aller chez elle l'heure que tout le monde en sortirait et qu'apparemment

---

1. Don Carlos (1545-1568) : c'est à l'origine l'infant, le fils de Philippe II qui devait épouser Élisabeth de France, fille de Henri II et de Catherine de Médicis. Mais Philippe II changea d'avis et épousa lui-même la princesse.

2. Madame : Marie Stuart appelle « Madame » la fille et la sœur du roi.

il ne reviendrait plus personne. Il réussit dans son dessein, et
450 il arriva comme les dernières visites en sortaient.

Cette princesse était sur son lit, il faisait chaud, et la vue
de M. de Nemours acheva de lui donner une rougeur qui ne
diminuait pas sa beauté. Il s'assit vis-à-vis d'elle, avec cette
crainte et cette timidité que donnent les véritables passions.
455 Il demeura quelque temps sans pouvoir parler. Mme de Clèves
n'était pas moins interdite, de sorte qu'ils gardèrent assez
longtemps le silence. Enfin, M. de Nemours prit la parole et
lui fit des compliments sur son affliction ; Mme de Clèves,
étant bien aise de continuer la conversation sur ce sujet, parla
460 assez longtemps de la perte qu'elle avait faite, et enfin elle dit
que, quand le temps aurait diminué la violence de sa douleur,
il lui en demeurerait toujours une si forte impression que son
humeur en serait changée.

« Les grandes afflictions et les passions violentes, repartit
465 M. de Nemours, font de grands changements dans l'esprit, et,
pour moi, je ne me reconnais pas depuis que je suis revenu de
Flandre. Beaucoup de gens ont remarqué ce changement, et
même Mme la dauphine m'en parlait encore hier.

— Il est vrai, repartit Mme de Clèves, qu'elle l'a remarqué,
470 et je crois lui en avoir ouï dire quelque chose.

— Je ne suis pas fâché, Madame, répliqua M. de Nemours,
qu'elle s'en soit aperçue, mais je voudrais qu'elle ne fût pas
seule à s'en apercevoir. Il y a des personnes à qui on n'ose
donner d'autres marques de la passion qu'on a pour elles que
475 par les choses qui ne les regardent point, et, n'osant leur faire
paraître qu'on les aime, on voudrait du moins qu'elles vissent
que l'on ne veut être aimé de personne. L'on voudrait qu'elles
sussent qu'il n'y a point de beauté, dans quelque rang qu'elle

pût être, que l'on ne regardât avec indifférence, et qu'il n'y a
480   point de couronne que l'on voulût acheter au prix de ne les
voir jamais. Les femmes jugent d'ordinaire de la passion qu'on
a pour elles, continua-t-il, par le soin qu'on prend de leur
plaire et de les chercher, mais ce n'est pas une chose difficile
pour peu qu'elles soient aimables ; ce qui est difficile, c'est de
485   ne s'abandonner pas au plaisir de les suivre, c'est de les éviter,
par la peur de laisser paraître au public, et quasi à elles-
mêmes, les sentiments que l'on a pour elles. Et ce qui marque
encore mieux un véritable attachement, c'est de devenir entièrement opposé à ce que l'on était, et de n'avoir plus d'ambi-
490   tion, ni de plaisir, après avoir été toute sa vie occupé de l'un
et de l'autre. »

Mme de Clèves entendait[1] aisément la part qu'elle avait à
ces paroles[2]. Il lui semblait qu'elle devait y répondre et ne les
pas souffrir. Il lui semblait aussi qu'elle ne devait pas les
495   entendre, ni témoigner qu'elle les prît pour elle. Elle croyait
devoir parler et croyait ne devoir rien dire. Le discours de
M. de Nemours lui plaisait et l'offensait quasi également, elle
y voyait la confirmation de tout ce que lui avait fait penser
Mme la dauphine, elle y trouvait quelque chose de galant et
500   de respectueux, mais aussi quelque chose de hardi et de trop
intelligible. L'inclination qu'elle avait pour ce prince lui
donnait un trouble dont elle n'était pas maîtresse. Les paroles
les plus obscures d'un homme qui plaît donnent plus d'agitation que des déclarations ouvertes d'un homme qui ne plaît
505   pas. Elle demeurait donc sans répondre et M. de Nemours se
fût aperçu de son silence, dont il n'aurait peut-être pas tiré

---

1. Entendait : comprenait.

2. La part qu'elle avait à ces paroles : en quoi ces paroles la concernaient.

de mauvais présages, si l'arrivée de M. de Clèves n'eût fini la conversation et sa visite.

Ce prince venait conter à sa femme des nouvelles de Sancerre, mais elle n'avait pas une grande curiosité pour la suite de cette aventure. Elle était si occupée de ce qui se venait de passer, qu'à peine pouvait-elle cacher la distraction de son esprit. Quand elle fut en liberté de rêver, elle connut bien qu'elle s'était trompée lorsqu'elle avait cru n'avoir plus que de l'indifférence pour M. de Nemours. Ce qu'il lui avait dit avait fait toute l'impression qu'il pouvait souhaiter et l'avait entièrement persuadée de sa passion. Les actions de ce prince s'accordaient trop bien avec ses paroles pour laisser quelque doute à cette princesse. Elle ne se flatta plus de l'espérance de ne le pas aimer ; elle songea seulement à ne lui en donner jamais aucune marque. C'était une entreprise difficile dont elle connaissait déjà les peines ; elle savait que le seul moyen d'y réussir était d'éviter la présence de ce prince, et comme son deuil lui donnait lieu d'être plus retirée que de coutume, elle se servit de ce prétexte pour n'aller plus dans les lieux où il la pouvait voir. Elle était dans une tristesse profonde : la mort de sa mère en paraissait la cause, et l'on n'en cherchait point d'autre.

M. de Nemours était désespéré de ne la voir presque plus, et, sachant qu'il ne la trouverait dans aucune assemblée et dans aucun des divertissements où était toute la cour, il ne pouvait se résoudre d'y paraître ; il feignit une passion grande pour la chasse, et il en faisait des parties les mêmes jours qu'il y avait des assemblées chez les reines. Une légère maladie lui servit longtemps de prétexte pour demeurer chez lui et pour éviter d'aller dans tous les lieux où il savait bien que Mme de Clèves ne serait pas.

M. de Clèves fut malade à peu près dans le même temps. Mme de Clèves ne sortit point de sa chambre pendant son mal, mais, quand il se porta mieux, qu'il vit du monde, et entre autres M. de Nemours, qui, sur le prétexte d'être encore faible[1], y passait la plus grande partie du jour, elle trouva qu'elle n'y pouvait plus demeurer : elle n'eut pas néanmoins la force d'en sortir les premières fois qu'il y vint. Il y avait trop longtemps qu'elle ne l'avait vu, pour se résoudre à ne le voir pas. Ce prince trouva le moyen de lui faire entendre[2], par des discours qui ne semblaient que généraux, mais qu'elle entendait néanmoins parce qu'ils avaient du rapport à ce qu'il lui avait dit chez elle, qu'il allait à la chasse pour rêver et qu'il n'allait point aux assemblées parce qu'elle n'y était pas.

Elle exécuta enfin la résolution qu'elle avait prise de sortir de chez son mari lorsqu'il y serait ; ce fut toutefois en se faisant une extrême violence. Ce prince vit bien qu'elle le fuyait, et en fut sensiblement touché.

M. de Clèves ne prit pas garde d'abord à la conduite de sa femme, mais enfin il s'aperçut qu'elle ne voulait pas être dans sa chambre lorsqu'il y avait du monde. Il lui en parla, et elle lui répondit qu'elle ne croyait pas que la bienséance voulût qu'elle fût tous les soirs avec ce qu'il y avait de plus jeune à la cour ; qu'elle le suppliait de trouver bon qu'elle fît une vie plus retirée qu'elle n'avait accoutumé ; que la vertu et la présence de sa mère autorisaient beaucoup de choses qu'une femme de son âge ne pouvait soutenir.

---

1. **Sur le prétexte d'être encore faible** : sur le prétexte que M. de Clèves était encore faible.

2. **Entendre** : comprendre.

M. de Clèves, qui avait naturellement beaucoup de douceur
565 et de complaisance pour sa femme, n'en eut pas en cette occasion, et il lui dit qu'il ne voulait pas absolument qu'elle chan-
geât de conduite. Elle fut prête de lui dire que le bruit était
dans le monde que M. de Nemours était amoureux d'elle,
mais elle n'eut pas la force de le nommer. Elle sentit aussi de
570 la honte de se vouloir servir d'une fausse raison et de déguiser
la vérité à un homme qui avait si bonne opinion d'elle.

Quelques jours après, le roi était chez la reine à l'heure du
cercle ; l'on parla des horoscopes et des prédictions. Les opinions
étaient partagées sur la croyance que l'on y devait donner. La
575 reine y ajoutait beaucoup de foi : elle soutint qu'après tant de
choses qui avaient été prédites, et que l'on avait vu arriver, on
ne pouvait douter qu'il n'y eût quelque certitude dans cette
science. D'autres soutenaient que, parmi ce nombre infini de
prédictions, le peu qui se trouvait véritable faisait bien voir que
580 ce n'était qu'un effet du hasard.

« J'ai eu autrefois beaucoup de curiosité pour l'avenir, dit le
roi, mais on m'a dit tant de choses fausses et si peu vraisem-
blables, que je suis demeuré convaincu que l'on ne peut rien
savoir de véritable. Il y a quelques années qu'il vint ici un
585 homme d'une grande réputation dans l'astrologie. Tout le
monde l'alla voir ; j'y allai comme les autres, mais sans lui dire
qui j'étais, et je menai M. de Guise et d'Escars[1] ; je les fis passer
les premiers. L'astrologue néanmoins s'adressa d'abord à moi,
comme s'il m'eût jugé le maître des autres. Peut-être qu'il me
590 connaissait ; cependant il me dit une chose qui ne me conve-
nait pas s'il m'eût connu. Il me prédit que je serais tué en duel.

---

1. D'Escars : Jean d'Escars (1517-1585), prince de Carency, était chevalier de
l'ordre du roi.

Il dit ensuite à M. de Guise qu'il serait tué par derrière et à d'Escars qu'il aurait la tête cassée d'un coup de pied de cheval. M. de Guise s'offensa quasi de cette prédiction, comme si on l'eût accusé de devoir fuir. D'Escars ne fut guère satisfait de trouver qu'il devait finir par un accident si malheureux. Enfin, nous sortîmes tous très malcontents de l'astrologue[1]. Je ne sais ce qui arrivera à M. de Guise et à d'Escars, mais il n'y a guère d'apparence que je sois tué en duel. Nous venons de faire la paix, le roi d'Espagne et moi ; et, quand nous ne l'aurions pas faite, je doute que nous nous battions, et que je le fisse appeler, comme le roi mon père fit appeler Charles Quint. »

Après le malheur que le roi conta qu'on lui avait prédit, ceux qui avaient soutenu l'astrologie en abandonnèrent le parti et tombèrent d'accord qu'il n'y fallait donner aucune croyance.

« Pour moi, dit tout haut M. de Nemours, je suis l'homme du monde qui doit le moins y en avoir et, se tournant vers Mme de Clèves, auprès de qui il était, on m'a prédit, lui dit-il tout bas, que je serais heureux par les bontés de la personne du monde pour qui j'aurais la plus violente et la plus respectueuse passion. Vous pouvez juger, madame, si je dois croire aux prédictions. »

Mme la dauphine qui crut, parce que M. de Nemours avait dit tout haut, que ce qu'il disait tout bas était quelque fausse prédiction qu'on lui avait faite, demanda à ce prince ce qu'il disait à Mme de Clèves. S'il eût eu moins de présence d'esprit, il eût été surpris de cette demande, mais prenant la parole sans hésiter :

---

1. Il s'agit de Nostradamus (1503-1566), célèbre pour ses prophéties.

620 « Je lui disais, Madame, répondit-il, que l'on m'a prédit que je serais élevé à une si haute fortune que je n'oserais même y prétendre.

— Si l'on ne vous a fait que cette prédiction, repartit Mme la dauphine en souriant, et pensant à l'affaire d'Angleterre, je
625 ne vous conseille pas de décrier l'astrologie, et vous pourriez trouver des raisons pour la soutenir. »

Mme de Clèves comprit bien ce que voulait dire Mme la dauphine ; mais elle entendait[1] bien aussi que la fortune dont M. de Nemours voulait parler n'était pas d'être roi d'Angleterre.

630 Comme il y avait déjà assez longtemps de la mort de sa mère, il fallait qu'elle commençât à paraître dans le monde et à faire sa cour comme elle avait accoutumé. Elle voyait M. de Nemours chez Mme la dauphine ; elle le voyait chez M. de Clèves, où il venait souvent avec d'autres personnes de qualité[2]
635 de son âge, afin de ne se pas faire remarquer ; mais elle ne le voyait plus qu'avec un trouble dont il s'apercevait aisément.

Quelque application qu'elle eût à éviter ses regards et à lui parler moins qu'à un autre, il lui échappait de certaines choses qui partaient d'un premier mouvement, qui faisaient juger à ce
640 prince qu'il ne lui était pas indifférent. Un homme moins pénétrant que lui ne s'en fût peut-être pas aperçu, mais il avait déjà été aimé tant de fois qu'il était difficile qu'il ne connût pas quand on l'aimait. Il voyait bien que le chevalier de Guise était son rival, et ce prince connaissait que M. de Nemours était le
645 sien. Il était le seul homme de la cour qui eût démêlé cette vérité, son intérêt l'avait rendu plus clairvoyant que les autres, la connaissance qu'ils avaient de leurs sentiments leur donnait

---

1. Entendait : comprenait.
2. Qualité : origine sociale élevée.

une aigreur qui paraissait en toutes choses sans éclater néanmoins par aucun démêlé, mais ils étaient opposés en tout. Ils étaient toujours de différent parti dans les courses de bague[1], dans les combats à la barrière, et dans tous les divertissements où le roi s'occupait, et leur émulation était si grande qu'elle ne se pouvait cacher.

L'affaire d'Angleterre revenait souvent dans l'esprit de Mme de Clèves : il lui semblait que M. de Nemours ne résisterait point aux conseils du roi et aux instances de Lignerolles. Elle voyait avec peine que ce dernier n'était point encore de retour, et elle l'attendait avec impatience. Si elle eût suivi ses mouvements, elle se serait informée avec soin de l'état de cette affaire, mais le même sentiment qui lui donnait de la curiosité, l'obligeait à la cacher et elle s'enquérait seulement de la beauté, de l'esprit, et de l'humeur de la reine Élisabeth. On apporta un de ses portraits chez le roi, qu'elle trouva plus beau qu'elle n'avait envie de le trouver ; et elle ne put s'empêcher de dire qu'il était flatté[2].

« Je ne le crois pas, reprit Mme la dauphine, qui était présente, cette princesse a la réputation d'être belle et d'avoir un esprit fort au-dessus du commun, et je sais bien qu'on me l'a proposée toute ma vie pour exemple. Elle doit être aimable, si elle ressemble à Anne de Boulen[3] sa mère. Jamais femme n'a eu tant de charmes et tant d'agrément[4] dans sa personne et

---

1. **Courses de bague** : ces affrontements consistent à passer une lance à travers des anneaux suspendus.

2. **Flatté** : flatteur.

3. **Anne de Boulen ou Anne Boleyn** (1501 ou 1507-1536) : deuxième femme de Henri VIII et mère d'Élisabeth I, elle fut accusée d'adultère, d'inceste et de haute trahison et décapitée en 1536.

4. **Agrément** : caractère agréable.

dans son humeur. J'ai ouï dire que son visage avait quelque
chose de vif et de singulier, et qu'elle n'avait aucune ressem-
blance avec les autres beautés anglaises.

675   — Il me semble aussi, reprit Mme de Clèves, que l'on dit
qu'elle était née en France.

     — Ceux qui l'ont cru se sont trompés, répondit Mme la
dauphine, et je vais vous conter son histoire en peu de mots.

     Elle était d'une bonne maison d'Angleterre. Henri VIII avait
680   été amoureux de sa sœur et de sa mère, et l'on a même soupçonné
qu'elle était sa fille. Elle vint ici avec la sœur de Henri VII[1], qui
épousa le roi Louis XII. Cette princesse, qui était jeune et
galante, eut beaucoup de peine à quitter la cour de France après
la mort de son mari, mais Anne de Boulen, qui avait les mêmes
685   inclinations que sa maîtresse, ne se put résoudre à en partir. Le
feu roi en était amoureux, et elle demeura fille d'honneur de la
reine Claude. Cette reine mourut, et Mme Marguerite[2], sœur du
roi, duchesse d'Alençon, et depuis reine de Navarre, dont vous
avez vu les contes, la prit auprès d'elle, et elle prit auprès de cette
690   princesse les teintures de la religion nouvelle[3]. Elle retourna
ensuite en Angleterre et y charma tout le monde ; elle avait les
manières de France qui plaisent à toutes les nations ; elle chantait
bien, elle dansait admirablement ; on la mit fille de la reine

---

1. Mme de Lafayette se trompe ; il s'agit ici non de Henri VII, mais de Henri VIII.
Louis XII (1462-1515) épousa sa sœur, Marie d'Angleterre (1496-1533) en
troisièmes noces, en 1514.

2. Mme Marguerite : Marguerite de Navarre (1492-1549), sœur de François Ier,
était la grande protectrice des évangéliques. Elle était également écrivain, et
auteur notamment de l'*Heptaméron*, qui parut de façon posthume.

3. Les teintures de la religion nouvelle : le goût du protestantisme. Marguerite
de Navarre n'était pas protestante mais évangélique. Selon Marie Stuart, c'est
néanmoins l'évangélisme de Marguerite de Navarre qui a préparé le terrain au
protestantisme d'Anne Boleyn.

Catherine d'Aragon[1], et le roi Henri VIII en devint éperdument
amoureux.

Le cardinal de Volsey[2], son favori et son premier ministre,
avait prétendu au pontificat, et mal satisfait de l'empereur[3],
qui ne l'avait pas soutenu dans cette prétention, il résolut de
s'en venger et d'unir le roi, son maître, à la France. Il mit dans
l'esprit de Henri VIII que son mariage avec la tante de l'empereur[4] était nul et lui proposa d'épouser la duchesse d'Alençon[5],
dont le mari venait de mourir. Anne de Boulen, qui avait
de l'ambition, regarda ce divorce comme un chemin qui la
pouvait conduire au trône. Elle commença à donner au roi
d'Angleterre des impressions[6] de la religion de Luther[7] et
engagea le feu roi[8] à favoriser à Rome le divorce de Henri, sur
l'espérance du mariage[9] de Mme d'Alençon. Le cardinal de
Volsey se fit députer en France sur d'autres prétextes pour
traiter cette affaire, mais son maître ne put se résoudre à souf-

---

1. Catherine d'Aragon (1485-1536) : elle fut la première femme de Henri VIII.
Anne Boleyn était sa fille d'honneur et Henri VIII voulut faire annuler son
mariage avec Catherine d'Aragon pour épouser celle-là. Le refus du pape fut à
l'origine de la rupture de Henri VIII avec Rome et de l'instauration de l'anglicanisme.

2. Le cardinal de Volsey : Thomas Volsey (1471-1530) devint cardinal en
1515. Il tomba en disgrâce auprès de Henri VIII pour n'avoir pas réussi à faire
annuler le mariage de ce dernier avec Catherine d'Aragon.

3. L'empereur : Charles Quint.

4. La tante de l'Empereur : Catherine d'Aragon.

5. La duchesse d'Alençon : Marguerite de Navarre, sœur de François Ier, mariée
au duc d'Alençon qui meurt en 1525, puis remariée en 1527 à Henri d'Albret,
roi de Navarre.

6. Impressions : ici, des éléments de connaissance.

7. Luther : Martin Luther (1483-1546) est à l'origine du protestantisme.

8. Le feu roi : François Ier.

9. Sur l'espérance du mariage : en espérant le mariage.

710 frir qu'on en fît seulement la proposition et il lui envoya un
ordre à Calais de ne point parler de ce mariage.

Au retour de France, le cardinal de Volsey fut reçu avec des
honneurs pareils à ceux que l'on rendait au roi même ; jamais
favori n'a porté l'orgueil et la vanité à un si haut point. Il
715 ménagea une entrevue entre les deux rois, qui se fit à Boulogne[1].
François Ier donna la main à Henri VIII, qui ne la voulait point
recevoir. Ils se traitèrent tour à tour avec une magnificence[2]
extraordinaire, et se donnèrent des habits pareils à ceux qu'ils
avaient fait faire pour eux-mêmes. Je me souviens d'avoir ouï
720 dire que ceux que le feu roi envoya au roi d'Angleterre étaient
de satin cramoisi, chamarré en triangle, avec des perles et des
diamants ; et la robe de velours blanc brodé d'or. Après avoir été
quelques jours à Boulogne, ils allèrent encore à Calais. Anne de
Boulen était logée chez Henri VIII avec le train d'une reine[3], et
725 François Ier lui fit les mêmes présents et lui rendit les mêmes
honneurs que si elle l'eût été. Enfin, après une passion de
neuf années, Henri l'épousa sans attendre la dissolution de son
premier mariage, qu'il demandait à Rome depuis longtemps. Le
pape prononça les fulminations[4] contre lui avec précipitation et
730 Henri en fut tellement irrité qu'il se déclara chef de la religion,
et entraîna toute l'Angleterre dans le malheureux changement
où vous la voyez[5].

Anne de Boulen ne jouit pas longtemps de sa grandeur ;
car, lorsqu'elle la croyait plus assurée par la mort de Catherine

---

1. L'entrevue se fit à Boulogne-sur-Mer en 1532.
2. **Magnificence** : luxe.
3. **Le train d'une reine** : le luxe dévolu à une reine.
4. **Fulminations** : condamnations.
5. C'est ainsi qu'il créa l'anglicanisme.

735 d'Aragon, un jour qu'elle assistait avec toute la cour à des
courses de bague[1] que faisait le vicomte de Rochefort[2], son
frère, le roi en fut frappé d'une telle jalousie, qu'il quitta brusquement le spectacle, s'en vint à Londres et laissa ordre d'arrêter la reine, le vicomte de Rochefort et plusieurs autres,
740 qu'il croyait amants ou confidents de cette princesse. Quoique
cette jalousie parût née dans ce moment, il y avait déjà quelque
temps qu'elle lui avait été inspirée par la vicomtesse de
Rochefort[3], qui, ne pouvant souffrir la liaison étroite de son
mari avec la reine, la fit regarder au roi comme une amitié
745 criminelle, en sorte que ce prince, qui d'ailleurs était amoureux
de Jeanne Seimer[4], ne songea qu'à se défaire d'Anne de Boulen.
En moins de trois semaines, il fit faire le procès à cette reine et
à son frère, leur fit couper la tête et épousa Jeanne Seimer. Il eut
ensuite plusieurs femmes, qu'il répudia, ou qu'il fit mourir, et
750 entre autres Catherine Havart[5], dont la comtesse de Rochefort
était confidente, et qui eut la tête coupée avec elle. Elle fut ainsi
punie des crimes qu'elle avait supposés à Anne de Boulen, et
Henri VIII mourut étant devenu d'une grosseur prodigieuse. »

---

1. Courses de bague : affrontements consistant à passer une lance à travers des anneaux suspendus.

2. Le vicomte de Rochefort : George Boleyn (1503-1536) est le frère d'Anne. Accusé de relations incestueuses avec sa sœur, il fut décapité le 17 mai 1536, deux jours avant sa sœur, accusée d'adultère.

3. La vicomtesse de Rochefort : Jane Parker épouse George Boleyn en 1524 ou 1525. Sans doute poussée par la jalousie, elle fut à l'origine des accusations d'inceste qui pesèrent sur son mari.

4. Jeanne Seimer ou Jane Seymour (vers 1509-1537) devint la troisième femme de Henri VIII en 1536 et mourut des suites de l'accouchement du futur Édouard VI d'Angleterre.

5. Catherine Havart ou Catherine Howard (1522-1542) devint la cinquième épouse de Henri VIII en 1540. Elle fut décapitée moins de deux ans plus tard, pour adultère.

Toutes les dames, qui étaient présentes au récit de Mme la
dauphine, la remercièrent de les avoir si bien instruites de la
cour d'Angleterre, et entre autres Mme de Clèves, qui ne put
s'empêcher de lui faire encore plusieurs questions sur la reine
Élisabeth.

La reine dauphine faisait faire des portraits en petit de toutes
les belles personnes de la cour pour les envoyer à la reine sa
mère. Le jour qu'on achevait celui de Mme de Clèves, Mme la
dauphine vint passer l'après-dînée chez elle. M. de Nemours ne
manqua pas de s'y trouver : il ne laissait échapper aucune occasion de voir Mme de Clèves sans laisser paraître néanmoins qu'il
les cherchât. Elle était si belle, ce jour-là, qu'il en serait devenu
amoureux, quand il ne l'aurait pas été. Il n'osait pourtant avoir
les yeux attachés sur elle pendant qu'on la peignait, et il craignait de laisser trop voir le plaisir qu'il avait à la regarder.

Mme la dauphine demanda à M. de Clèves un petit portrait
qu'il avait de sa femme, pour le voir auprès de celui que l'on
achevait. Tout le monde dit son sentiment de l'un et de
l'autre, et Mme de Clèves ordonna au peintre de raccommoder
quelque chose à la coiffure de celui que l'on venait d'apporter.
Le peintre, pour lui obéir, ôta le portrait de la boîte où il était,
et après y avoir travaillé, il le remit sur la table.

Il y avait longtemps que M. de Nemours souhaitait d'avoir
le portrait de Mme de Clèves. Lorsqu'il vit celui qui était à
M. de Clèves, il ne put résister à l'envie de le dérober à un mari
qu'il croyait tendrement aimé, et il pensa que, parmi tant de
personnes qui étaient dans ce même lieu, il ne serait pas soupçonné plutôt qu'un autre.

Mme la dauphine était assise sur le lit et parlait bas à Mme
de Clèves, qui était debout devant elle. Mme de Clèves aperçut

par un des rideaux qui n'était qu'à demi-fermé, M. de Nemours,
785 le dos contre la table qui était au pied du lit, et elle vit que, sans
tourner la tête, il prenait adroitement quelque chose sur cette
table. Elle n'eut pas de peine à deviner que c'était son portrait,
et elle en fut si troublée que Mme la dauphine remarqua qu'elle
ne l'écoutait pas et lui demanda tout haut ce qu'elle regardait.
790 M. de Nemours se tourna à ces paroles, il rencontra les yeux de
Mme de Clèves qui étaient encore attachés sur lui, et il pensa
qu'il n'était pas impossible qu'elle eût vu ce qu'il venait de faire.

Mme de Clèves n'était pas peu embarrassée : la raison voulait
qu'elle demandât son portrait, mais en le demandant publique-
795 ment, c'était apprendre à tout le monde les sentiments que ce
prince avait pour elle, et en le lui demandant en particulier,
c'était quasi l'engager à lui parler de sa passion. Enfin, elle jugea
qu'il valait mieux le lui laisser, et elle fut bien aise de lui accorder
une faveur qu'elle lui pouvait faire sans qu'il sût même qu'elle la
800 lui faisait. M. de Nemours, qui remarquait son embarras, et qui
en devinait quasi la cause, s'approcha d'elle et lui dit tout bas :

« Si vous avez vu ce que j'ai osé faire, ayez la bonté,
Madame, de me laisser croire que vous l'ignorez, je n'ose vous
en demander davantage. »

805 Et il se retira après ces paroles, et n'attendit point sa réponse.

Mme la dauphine sortit pour s'aller promener, suivie de
toutes les dames et M. de Nemours alla se renfermer chez lui,
ne pouvant soutenir en public la joie d'avoir un portrait de
Mme de Clèves. Il sentait tout ce que la passion peut faire
810 sentir de plus agréable ; il aimait la plus aimable[1] personne de
la cour, il s'en faisait aimer malgré elle, et il voyait dans toutes

---

1. Aimable : propre à être aimée.

Des clés
pour vous guider

Le portrait dérobé
de «La reine dauphine»
à «sa réponse», l. 759 à l. 805

Depuis sa rencontre spectaculaire avec M. de Nemours,
Mme de Clèves est atteinte par le trouble de l'amour naissant.

1 **Comment qualifier le cadre de cette scène : mondain, intime ou les deux à la fois ? Justifiez votre réponse.**

> *pour vous aider*
>
> Identifiez le lieu de la scène et comparez-le avec le même type de lieu aujourd'hui.

2 **En quoi peut-on dire que Mme de Lafayette met en scène ce passage ?**

3 **Qu'est ce qui fait de cette scène un moment extrêmement violent pour Mme de Clèves ?**

> *pour vous aider*
>
> Repérez les éléments qui trahissent le trouble de l'héroïne.

4 GRAMMAIRE • **Quel est l'antécédent du pronom relatif « qui » dans la proposition : « qui étaient encore attachés sur lui » (l. 791) et quelle est la fonction de ce pronom ?**

> *pour vous aider*
>
> Observez l'accord du verbe de la proposition relative.

POUR ALLER *plus loin*

PROLONGEMENTS ARTISTIQUES • Recherchez des portraits de différentes époques représentant des individus de statut social différent, afin de déterminer quelles sont les fonctions sociales du portrait.

ses actions cette sorte de trouble et d'embarras que cause l'amour dans l'innocence de la première jeunesse.

Le soir, on chercha ce portrait avec beaucoup de soin ; comme on trouvait la boîte où il devait être, l'on ne soupçonna point qu'il eût été dérobé, et l'on crut qu'il était tombé par hasard. M. de Clèves était affligé de cette perte et, après qu'on eut encore cherché inutilement, il dit à sa femme, mais d'une manière qui faisait voir qu'il ne le pensait pas, qu'elle avait sans doute quelque amant caché à qui elle avait donné ce portrait, ou qui l'avait dérobé, et qu'un autre qu'un amant ne se serait pas contenté de la peinture sans la boîte.

Ces paroles, quoique dites en riant, firent une vive impression dans l'esprit de Mme de Clèves. Elles lui donnèrent des remords, elle fit réflexion à la violence de l'inclination qui l'entraînait vers M. de Nemours, elle trouva qu'elle n'était plus maîtresse de ses paroles et de son visage ; elle pensa que Lignerolles était revenu, qu'elle ne craignait plus l'affaire d'Angleterre, qu'elle n'avait plus de soupçons sur Mme la dauphine, qu'enfin il n'y avait plus rien qui la pût défendre, et qu'il n'y avait de sûreté pour elle qu'en s'éloignant. Mais, comme elle n'était pas maîtresse de s'éloigner, elle se trouvait dans une grande extrémité et prête à tomber dans ce qui lui paraissait le plus grand des malheurs, qui était de laisser voir à M. de Nemours l'inclination qu'elle avait pour lui. Elle se souvenait de tout ce que Mme de Chartres lui avait dit en mourant et des conseils qu'elle lui avait donnés de prendre toutes sortes de partis, quelque difficiles qu'ils pussent être, plutôt que de s'embarquer dans une galanterie[1]. Ce que M. de

---

1. Galanterie : aventure amoureuse.

840 Clèves lui avait dit sur la sincérité, en parlant de Mme de Tournon, lui revint dans l'esprit ; il lui sembla qu'elle lui devait avouer l'inclination qu'elle avait pour M. de Nemours. Cette pensée l'occupa longtemps : ensuite elle fut étonnée de l'avoir eue, elle y trouva de la folie, et retomba dans l'embarras 845 de ne savoir quel parti prendre.

La paix était signée. Mme Élisabeth, après beaucoup de répugnance, s'était résolue à obéir au roi son père. Le duc d'Albe avait été nommé pour venir l'épouser au nom du roi catholique, et il devait bientôt arriver. L'on attendait le duc 850 de Savoie, qui venait épouser Madame, sœur du roi, et dont les noces se devaient faire en même temps[1]. Le roi ne songeait qu'à rendre ces noces célèbres par des divertissements où il pût faire paraître l'adresse et la magnificence[2] de sa cour. On proposa tout ce qui se pouvait faire de plus grand pour des 855 ballets et des comédies, mais le roi trouva ces divertissements trop particuliers, et il en voulut d'un plus grand éclat. Il résolut de faire un tournoi, où les étrangers seraient reçus, et dont le peuple pourrait être spectateur. Tous les princes et les jeunes seigneurs entrèrent avec joie dans le dessein du roi, 860 et surtout le duc de Ferrare, M. de Guise et M. de Nemours, qui surpassaient tous les autres dans ces sortes d'exercices. Le roi les choisit pour être avec lui les quatre tenants[3] du tournoi.

L'on fit publier par tout le royaume, qu'en la ville de Paris, le pas[4] était ouvert au quinzième juin, par Sa Majesté Très-865 Chrétienne, et par les princes Alphonse d'Este, duc de Ferrare,

---

1. En réalité, les noces eurent lieu à quelques semaines de distance.
2. Magnificence : luxe.
3. Tenants : adversaires.
4. Pas : ici le tournoi.

François de Lorraine, duc de Guise, et Jacques de Savoie, duc de Nemours, pour être tenu contre tous venants, à commencer le premier combat à cheval en lice[1], en double pièce[2], quatre coups de lance et un pour les dames ; le deuxième combat à coups d'épée, un à un, ou deux à deux, à la volonté des maîtres du camp ; le troisième combat à pied, trois coups de pique et six coups d'épée ; que les tenants fourniraient de lances, d'épées et de piques, au choix des assaillants ; et que, si en courant on donnait au cheval[3], on serait mis hors des rangs ; qu'il y aurait quatre maîtres du camp pour donner les ordres et que ceux des assaillants qui auraient le plus rompu[4] et le mieux fait auraient un prix dont la valeur serait à la discrétion des juges ; que tous les assaillants, tant français qu'étrangers, seraient tenus de venir toucher à l'un des écus qui seraient pendus au perron, au bout de la lice, ou à plusieurs, selon leur choix ; que là ils trouveraient un officier d'armes qui les recevrait pour les enrôler selon leur rang et selon les écus[5] qu'ils auraient touchés ; que les assaillants seraient tenus de faire apporter par un gentilhomme leur écu avec leurs armes, pour le pendre au perron trois jours avant le commencement du tournoi ; qu'autrement ils n'y seraient point reçus sans le congé[6] des tenants.

On fit faire une grande lice proche de la Bastille qui venait du château des Tournelles[7], qui traversait la rue Saint-Antoine,

---

1. En lice : dans le champ du tournoi.
2. En double pièce : en armure composée de deux parties.
3. Donnait au cheval : donnait des coups d'éperon.
4. Rompu : échangé des coups de lance.
5. Écus : boucliers.
6. Congé : permission.
7. Le château des Tournelles se situait au nord de l'actuelle place des Vosges.

890 et qui allait rendre[1] aux écuries royales. Il y avait des deux
côtés des échafauds[2] et des amphithéâtres, avec des loges
couvertes qui formaient des espèces de galeries, qui faisaient
un très bel effet à la vue, et qui pouvaient contenir un nombre
infini de personnes. Tous les princes et seigneurs ne furent plus
895 occupés que du soin d'ordonner ce qui leur était nécessaire
pour paraître avec éclat, et pour mêler dans leurs chiffres ou
dans leurs devises[3] quelque chose de galant qui eût rapport aux
personnes qu'ils aimaient.

Peu de jours avant l'arrivée du duc d'Albe, le roi fit une
900 partie de paume avec M. de Nemours, le chevalier de Guise
et le vidame de Chartres. Les reines les allèrent voir jouer,
suivies de toutes les dames, et entre autres de Mme de Clèves.
Après que la partie fut finie, comme l'on sortait du jeu de
paume, Chastelart s'approcha de la reine dauphine et lui dit que
905 le hasard lui venait de mettre entre les mains une lettre de
galanterie qui était tombée de la poche de M. de Nemours.
Cette reine, qui avait toujours de la curiosité pour ce qui regardait ce prince, dit à Chastelart de la lui donner ; elle la prit et
suivit la reine sa belle-mère, qui s'en allait avec le roi voir
910 travailler à la lice. Après que l'on y eut été quelque temps, le
roi fit amener des chevaux qu'il avait fait venir depuis peu.
Quoiqu'ils ne fussent pas encore dressés, il les voulut monter,
et en fit donner à tous ceux qui l'avaient suivi. Le roi et M. de
Nemours se trouvèrent sur les plus fougueux ; ces chevaux se
915 voulurent jeter l'un à l'autre. M. de Nemours, par la crainte de
blesser le roi, recula brusquement et porta son cheval contre un

---

1. Rendre : aboutir.

2. Échafauds : estrades.

3. Les devises sont les formules associées aux blasons des familles nobles.

pilier du manège, avec tant de violence que la secousse le fit
chanceler. On courut à lui, et on le crut considérablement
blessé. Mme de Clèves le crut encore plus blessé que les
autres. L'intérêt qu'elle y prenait lui donna une appréhension
et un trouble qu'elle ne songea pas à cacher ; elle s'approcha
de lui avec les reines et avec un visage si changé qu'un homme
moins intéressé que le chevalier de Guise s'en fût aperçu :
aussi le remarqua-t-il aisément, et il eut bien plus d'attention
à l'état où était Mme de Clèves qu'à celui où était M. de
Nemours. Le coup que ce prince s'était donné lui causa un si
grand éblouissement qu'il demeura quelque temps la tête
penchée sur ceux qui le soutenaient. Quand il la releva, il vit
d'abord Mme de Clèves ; il <connut, sur son visage, la pitié
qu'elle avait de lui, et il la regarda d'une sorte qui pût lui faire
juger combien il en était touché. Il fit ensuite des remercie-
ments aux reines de la bonté qu'elles lui témoignaient, et des
excuses de l'état où il avait été devant elles. Le roi lui ordonna
de s'aller reposer.

Mme de Clèves, après s'être remise de la frayeur qu'elle
avait eue, fit bientôt réflexion aux marques qu'elle en avait
données. Le chevalier de Guise ne la laissa pas longtemps dans
l'espérance que personne ne s'en serait aperçu. Il lui donna la
main pour la conduire hors de la lice :

« Je suis plus à plaindre que M. de Nemours, Madame, lui
dit-il ; pardonnez-moi, si je sors de ce profond respect que j'ai
toujours eu pour vous, et si je vous fais paraître la vive douleur
que je sens de ce que je viens de voir ; c'est la première fois que
j'ai été assez hardi pour vous parler et ce sera aussi la dernière.
La mort, ou du moins un éloignement éternel, m'ôteront
d'un lieu où je ne puis plus vivre, puisque je viens de perdre

la triste consolation de croire que tous ceux qui osent vous regarder sont aussi malheureux que moi. »

Mme de Clèves ne répondit que quelques paroles mal arrangées, comme si elle n'eût pas entendu ce que signifiaient celles du chevalier de Guise. Dans un autre temps, elle aurait été offensée qu'il lui eût parlé des sentiments qu'il avait pour elle ; mais, dans ce moment, elle ne sentit que l'affliction de voir qu'il s'était aperçu de ceux qu'elle avait pour M. de Nemours. Le chevalier de Guise en fut si convaincu et si pénétré de douleur, que, dès ce jour, il prit la résolution de ne penser jamais à être aimé de Mme de Clèves. Mais, pour quitter cette entreprise qui lui avait paru si difficile et si glorieuse, il en fallait quelque autre dont la grandeur pût l'occuper. Il se mit dans l'esprit de prendre Rhodes, dont il avait déjà eu quelque pensée[1], et quand la mort l'ôta du monde dans la fleur de sa jeunesse[2], et dans le temps qu'il avait acquis la réputation d'un des plus grands princes de son siècle, le seul regret qu'il témoigna de quitter la vie fut de n'avoir pu exécuter une si belle résolution, dont il croyait le succès infaillible par tous les soins qu'il en avait pris.

Mme de Clèves, en sortant de la lice, alla chez la reine, l'esprit bien occupé de ce qui s'était passé. M. de Nemours y vint peu de temps après, habillé magnifiquement, et comme un homme qui ne se sentait pas de l'accident qui lui était arrivé. Il paraissait même plus gai que de coutume ; et la joie de ce qu'il croyait avoir vu lui donnait un air qui augmentait encore son agrément[3]. Tout le monde fut surpris lorsqu'il

---

1. Il avait déjà eu quelque pensée : ce à quoi il avait déjà pensé.

2. Le chevalier de Guise mourut en 1563, à l'âge de 25 ans. Il battit effectivement les Turcs à Rhodes, en 1557.

3. Agrément : charme.

entra, et il n'y eut personne qui ne lui demandât de ses nouvelles, excepté Mme de Clèves qui demeura auprès de la cheminée sans faire semblant de le voir[1]. Le roi sortit d'un cabinet où il était et, le voyant parmi les autres, il l'appela pour lui parler de son aventure. M. de Nemours passa auprès de Mme de Clèves et lui dit tout bas :

« J'ai reçu aujourd'hui des marques de votre pitié, Madame ; mais ce n'est pas de celles dont je suis le plus digne. »

Mme de Clèves s'était bien doutée que ce prince s'était aperçu de la sensibilité qu'elle avait eue pour lui, et ses paroles lui firent voir qu'elle ne s'était pas trompée. Ce lui était une grande douleur de voir qu'elle n'était plus maîtresse de cacher ses sentiments et de les avoir laissé paraître au chevalier de Guise. Elle en avait aussi beaucoup que M. de Nemours les connût ; mais cette dernière douleur n'était pas si entière et elle était mêlée de quelque sorte de douceur.

La reine dauphine, qui avait une extrême impatience de savoir ce qu'il y avait dans la lettre que Chastelart lui avait donnée, s'approcha de Mme de Clèves :

« Allez lire cette lettre, lui dit-elle, elle s'adresse à M. de Nemours et, selon les apparences, elle est de cette maîtresse pour qui il a quitté toutes les autres. Si vous ne la pouvez lire présentement, gardez-là ; venez ce soir à mon coucher pour me la rendre, et pour me dire si vous en connaissez l'écriture. »

Mme la dauphine quitta Mme de Clèves après ces paroles, et la laissa si étonnée[2], et dans un si grand saisissement, qu'elle fut quelque temps sans pouvoir sortir de sa place. L'impatience[3] et

---

1. Sans faire semblant de le voir : en faisant semblant de ne pas le voir.
2. Étonnée : abasourdie, foudroyée.
3. Impatience : inquiétude.

1000 le trouble où elle était ne lui permirent pas de demeurer chez
la reine ; elle s'en alla chez elle, quoiqu'il ne fût pas l'heure où
elle avait accoutumé de se retirer. Elle tenait cette lettre avec
une main tremblante : ses pensées étaient si confuses qu'elle
n'en avait aucune distincte, et elle se trouvait dans une sorte de
1005 douleur insupportable, qu'elle ne connaissait point et qu'elle
n'avait jamais sentie. Sitôt qu'elle fut dans son cabinet, elle
ouvrit cette lettre, et la trouva telle :

« Je vous ai trop aimé pour vous laisser croire que le changement qui vous paraît en moi soit un effet de ma légèreté ;
1010 je veux vous apprendre que votre infidélité en est la cause.
Vous êtes bien surpris que je vous parle de votre infidélité ;
vous me l'aviez cachée avec tant d'adresse, et j'ai pris tant de
soin de vous cacher que je la savais, que vous avez raison d'être
étonné qu'elle me soit connue. Je suis surprise moi-même que
1015 j'aie pu[1] ne vous en rien faire paraître. Jamais douleur n'a été
pareille à la mienne. Je croyais que vous aviez pour moi une
passion violente ; je ne vous cachais plus celle que j'avais pour
vous, et dans le temps que je vous la laissais voir tout entière,
j'appris que vous me trompiez, que vous en aimiez une autre,
1020 et que, selon toutes les apparences, vous me sacrifiiez à cette
nouvelle maîtresse. Je le sus le jour de la course de bague[2] ;
c'est ce qui fit que je n'y allai point. Je feignis d'être malade
pour cacher le désordre de mon esprit, mais je le devins en
effet, et mon corps ne put supporter une si violente agitation.
1025 Quand je commençai à me porter mieux, je feignis encore
d'être fort mal, afin d'avoir un prétexte de ne vous point

1. Je suis surprise moi-même que j'aie pu : je suis surprise moi-même d'avoir pu.
2. Course de bague : affrontement consistant à passer une lance à travers des
anneaux suspendus.

voir et de ne vous point écrire. Je voulus avoir du temps pour résoudre de quelle sorte j'en devais user avec vous ; je pris et je quittai vingt fois les mêmes résolutions, mais enfin je vous
1030 trouvai indigne de voir ma douleur, et je résolus de ne vous la point faire paraître. Je voulus blesser votre orgueil en vous faisant voir que ma passion s'affaiblissait d'elle-même. Je crus diminuer par là le prix du sacrifice que vous en faisiez, je ne voulus pas que vous eussiez le plaisir de montrer combien je
1035 vous aimais pour en paraître plus aimable[1]. Je résolus de vous écrire des lettres tièdes et languissantes pour jeter dans l'esprit de celle à qui vous les donniez que l'on cessait de vous aimer. Je ne voulus pas qu'elle eût le plaisir d'apprendre que je savais qu'elle triomphait de moi, ni augmenter son
1040 triomphe par mon désespoir et par mes reproches. Je pensais que je ne vous punirais pas assez en rompant avec vous, et que je ne vous donnerais qu'une légère douleur si je cessais de vous aimer lorsque vous ne m'aimiez plus. Je trouvai qu'il fallait que vous m'aimassiez pour sentir le mal de n'être point aimé,
1045 que j'éprouvais si cruellement. Je crus que, si quelque chose pouvait rallumer les sentiments que vous aviez eus pour moi, c'était de vous faire voir que les miens étaient changés, mais de vous le faire voir en feignant de vous le cacher, et comme si je n'eusse pas eu la force de vous l'avouer. Je m'arrêtai à cette
1050 résolution, mais qu'elle me fut difficile à prendre, et qu'en vous revoyant elle me parut impossible à exécuter ! Je fus prête cent fois à éclater par mes reproches et par mes pleurs. L'état où j'étais encore, par ma santé, me servit à vous déguiser mon trouble et mon affliction. Je fus soutenue ensuite par le

---

1. Aimable : digne d'être aimé.

1055 plaisir de dissimuler avec vous, comme vous dissimuliez avec
moi ; néanmoins je me faisais une si grande violence pour vous
dire et pour vous écrire que je vous aimais, que vous vîtes plus
tôt que je n'avais eu dessein de vous laisser voir que mes sentiments étaient changés. Vous en fûtes blessé ; vous vous en
1060 plaignîtes : je tâchais de vous rassurer, mais c'était d'une
manière si forcée que vous en étiez encore mieux persuadé que
je ne vous aimais plus. Enfin, je fis tout ce que j'avais eu
intention de faire. La bizarrerie de votre cœur vous fit revenir
vers moi, à mesure que vous voyiez que je m'éloignais de vous.
1065 J'ai joui de tout le plaisir que peut donner la vengeance ; il m'a
paru que vous m'aimiez mieux que vous n'aviez jamais fait,
et je vous ai fait voir que je ne vous aimais plus. J'ai eu lieu
de croire que vous aviez entièrement abandonné celle pour
qui vous m'aviez quittée. J'ai eu aussi des raisons pour être
1070 persuadée que vous ne lui aviez jamais parlé de moi. Mais
votre retour et votre discrétion n'ont pu réparer votre légèreté.
Votre cœur a été partagé entre moi et une autre, vous m'avez
trompée, cela suffit pour m'ôter le plaisir d'être aimée de
vous, comme je croyais mériter de l'être, et pour me laisser
1075 dans cette résolution que j'ai prise de ne vous voir jamais, et
dont vous êtes si surpris. »

Mme de Clèves lut cette lettre, et la relut plusieurs fois, sans
savoir néanmoins ce qu'elle avait lu. Elle voyait seulement que
M. de Nemours ne l'aimait pas comme elle l'avait pensé, et qu'il
1080 en aimait d'autres qu'il trompait comme elle. Quelle vue et
quelle connaissance pour une personne de son humeur, qui avait
une passion violente, qui venait d'en donner des marques à un
homme qu'elle en jugeait indigne, et à un autre qu'elle maltrai-
tait pour l'amour de lui ! Jamais affliction n'a été si piquante et

1085 si vive : il lui semblait que ce qui faisait l'aigreur de cette affliction était ce qui s'était passé dans cette journée, et que, si M. de
Nemours n'eût point eu lieu de croire qu'elle l'aimait, elle ne se
fût pas souciée qu'il en eût aimé une autre. Mais elle se trompait
elle-même et ce mal qu'elle trouvait si insupportable était la
1090 jalousie avec toutes les horreurs dont elle peut être accompagnée. Elle voyait, par cette lettre, que M. de Nemours avait une
galanterie[1] depuis longtemps. Elle trouvait que celle qui avait
écrit la lettre avait de l'esprit et du mérite ; elle lui paraissait
digne d'être aimée ; elle lui trouvait plus de courage qu'elle ne
1095 s'en trouvait à elle-même, et elle enviait la force qu'elle avait eue
de cacher ses sentiments à M. de Nemours. Elle voyait, par la fin
de la lettre, que cette personne se croyait aimée ; elle pensait que
la discrétion que ce prince lui avait fait paraître, et dont elle avait
été si touchée, n'était peut-être que l'effet de la passion qu'il
1100 avait pour cette autre personne à qui il craignait de déplaire.
Enfin elle pensait tout ce qui pouvait augmenter son affliction
et son désespoir. Quels retours ne fit-elle point sur elle-même !
Quelles réflexions sur les conseils que sa mère lui avait donnés !
Combien se repentit-elle de ne s'être pas opiniâtrée à se séparer
1105 du commerce du monde, malgré M. de Clèves, ou de n'avoir pas
suivi la pensée qu'elle avait eue de lui avouer l'inclination qu'elle
avait pour M. de Nemours ! Elle trouvait qu'elle aurait mieux
fait de la découvrir à un mari dont elle connaissait la bonté, et
qui aurait eu intérêt à la cacher, que de la laisser voir à un homme
1110 qui en était indigne, qui la trompait, qui la sacrifiait peut-être,
et qui ne pensait à être aimé d'elle que par un sentiment d'orgueil et de vanité. Enfin elle trouva que tous les maux qui lui

---

1. Galanterie : liaison.

pouvaient arriver, et toutes les extrémités où elle se pouvait porter, étaient moindres que d'avoir laissé voir à M. de Nemours qu'elle l'aimait et de connaître qu'il en aimait une autre. Tout ce qui la consolait était de penser au moins, qu'après cette connaissance, elle n'avait plus rien à craindre d'elle-même, et qu'elle serait entièrement guérie de l'inclination qu'elle avait pour ce prince.

Elle ne pensa guère à l'ordre que Mme la dauphine lui avait donné de se trouver à son coucher : elle se mit au lit et feignit de se trouver mal, en sorte que, quand M. de Clèves revint de chez le roi, on lui dit qu'elle était endormie, mais elle était bien éloignée de la tranquillité qui conduit au sommeil. Elle passa la nuit sans faire autre chose que s'affliger et relire la lettre qu'elle avait entre les mains.

Mme de Clèves n'était pas la seule personne dont cette lettre troublait le repos. Le vidame de Chartres, qui l'avait perdue, et non pas M. de Nemours, en était dans une extrême inquiétude. Il avait passé tout le soir chez M. de Guise, qui avait donné un grand souper au duc de Ferrare, son beau-frère, et à toute la jeunesse de la cour. Le hasard fit qu'en soupant on parla de jolies lettres. Le vidame de Chartres dit qu'il en avait une sur lui, plus jolie que toutes celles qui avaient jamais été écrites. On le pressa de la montrer, il s'en défendit. M. de Nemours lui soutint qu'il n'en avait point et qu'il ne parlait que par vanité. Le vidame lui répondit qu'il poussait sa discrétion à bout, que néanmoins il ne montrerait pas la lettre, mais qu'il en lirait quelques endroits, qui feraient juger que peu d'hommes en recevaient de pareilles. En même temps, il voulut prendre cette lettre, et ne la trouva point : il la chercha inutilement, on lui en fit la guerre, mais il parut si inquiet que l'on cessa de lui en parler. Il se retira plus tôt que les autres et s'en alla chez lui avec impatience, pour voir s'il n'y avait point laissé la lettre qui lui manquait. Comme il la cherchait encore, un premier valet de chambre de la reine le vint trouver pour lui dire que la vicomtesse d'Usez[1] avait cru nécessaire de l'avertir en diligence que l'on avait dit chez la reine qu'il était tombé une lettre de galanterie[2] de sa poche, pendant qu'il était au jeu de paume, que l'on avait raconté une grande partie de ce qui était dans la lettre ; que la reine avait témoigné beaucoup de curiosité de la voir ; qu'elle l'avait envoyé demander à un de ses gentilshommes servants, mais qu'il avait répondu qu'il l'avait laissée entre les mains de Chastelart.

Le premier valet de chambre dit encore beaucoup d'autres choses au vidame de Chartres, qui achevèrent de lui donner un grand trouble. Il sortit à l'heure même pour aller chez un gentilhomme qui était ami intime de Chastelart ; il le fit lever, quoique l'heure fût extraordinaire pour aller demander cette lettre, sans dire qui était celui qui la demandait et qui l'avait perdue. Chastelart, qui avait l'esprit prévenu qu'elle était à M. de Nemours, et que ce prince était amoureux de Mme la dauphine, ne douta point que ce ne fût lui qui la faisait redemander. Il répondit, avec une maligne joie, qu'il avait remis la lettre entre les mains de la reine dauphine. Le gentilhomme vint faire cette réponse au vidame de Chartres. Elle augmenta l'inquiétude qu'il avait déjà, et y en joignit encore de nouvelles. Après avoir été longtemps irrésolu sur ce qu'il devait faire, il trouva qu'il n'y avait que M. de Nemours qui pût lui aider à sortir de l'embarras où il était.

---

1. La vicomtesse d'Usez : Louise de Clermont (1504-1596) était proche de Catherine de Médicis.
2. Lettre de galanterie : lettre d'amour.

1170 Il s'en alla chez lui, et entra dans sa chambre que le jour ne commençait qu'à paraître. Ce prince dormait d'un sommeil tranquille ; ce qu'il avait vu le jour précédent de Mme de Clèves ne lui avait donné que des idées agréables. Il fut bien surpris de se voir éveillé par le vidame de Chartres, et il lui demanda si c'était 1175 pour se venger de ce qu'il lui avait dit pendant le souper qu'il venait troubler son repos. Le vidame lui fit bien juger par son visage qu'il n'y avait rien que de sérieux au sujet qui l'amenait.

« Je viens vous confier la plus importante affaire de ma vie, lui dit-il. Je sais bien que vous ne m'en devez pas être obligé, 1180 puisque c'est dans un temps où j'ai besoin de votre secours, mais je sais bien aussi que j'aurais perdu de votre estime si je vous avais appris tout ce que je vais vous dire, sans que la nécessité m'y eût contraint. J'ai laissé tomber cette lettre dont je parlais hier au soir ; il m'est d'une conséquence extrême que 1185 personne ne sache qu'elle s'adresse à moi. Elle a été vue de beaucoup de gens qui étaient dans le jeu de paume où elle tomba hier, vous y étiez aussi et je vous demande en grâce[1] de vouloir bien dire que c'est vous qui l'avez perdue.

— Il faut que vous croyiez que je n'ai point de maîtresse, 1190 reprit M. de Nemours en souriant, pour me faire une pareille proposition et pour vous imaginer qu'il n'y ait personne avec qui je me puisse brouiller en laissant croire que je reçois de pareilles lettres.

— Je vous prie, dit le vidame, écoutez-moi sérieusement. Si 1195 vous avez une maîtresse, comme je n'en doute point, quoique je ne sache pas qui elle est, il vous sera aisé de vous justifier, et je vous en donnerai les moyens infaillibles : quand vous ne

---

1. Demande en grâce : supplie.

vous justifieriez pas auprès d'elle, il ne vous en peut coûter que d'être brouillé pour quelques moments ; mais moi, par cette aventure, je déshonore une personne qui m'a passionnément aimé, et qui est une des plus estimables femmes du monde ; et, d'un autre côté, je m'attire une haine implacable, qui me coûtera ma fortune, et peut-être quelque chose de plus.

— Je ne puis entendre[1] tout ce que vous me dites, répondit M. de Nemours, mais vous me faites entrevoir que les bruits qui ont couru de l'intérêt qu'une grande princesse prenait à vous ne sont pas entièrement faux.

— Ils ne le sont pas aussi, repartit le vidame de Chartres, et plût à Dieu qu'ils le fussent ! Je ne me trouverais pas dans l'embarras où je me trouve, mais il faut vous raconter tout ce qui s'est passé, pour vous faire voir tout ce que j'ai à craindre.

Depuis que je suis à la cour, la reine m'a toujours traité avec beaucoup de distinction et d'agrément[2], et j'avais eu lieu de croire qu'elle avait de la bonté pour moi ; néanmoins, il n'y avait rien de particulier, et je n'avais jamais songé à avoir d'autres sentiments pour elle que ceux du respect. J'étais même fort amoureux de Mme de Thémines[3] : il est aisé de juger, en la voyant, qu'on peut avoir beaucoup d'amour pour elle quand on en est aimé, et je l'étais. Il y a près de deux ans que, comme la cour était à Fontainebleau, je me trouvai deux ou trois fois en conversation avec la reine, à des heures où il y avait très peu de monde. Il me parut que mon esprit lui plaisait et qu'elle entrait dans tout ce que je disais. Un jour entre autres, on se mit à parler

---

1. Entendre : comprendre.

2. Agrément : façon très agréable.

3. Mme de Thémines : Anne de Puymisson, femme de Jean de Lauzières, marquis de Thémines.

de la confiance. Je dis qu'il n'y avait personne en qui j'en eusse
1225 une entière ; que je trouvais que l'on se repentait toujours d'en
avoir, et que je savais beaucoup de choses dont je n'avais jamais
parlé. La reine me dit qu'elle m'en estimait davantage, qu'elle
n'avait trouvé personne en France qui eût du secret[1], et que
c'était ce qui l'avait le plus embarrassée, parce que cela lui avait
1230 ôté le plaisir de donner sa confiance, que c'était une chose nécessaire dans la vie que d'avoir quelqu'un à qui on pût parler, et
surtout pour les personnes de son rang. Les jours suivants, elle
reprit encore plusieurs fois la même conversation, elle m'apprit
même des choses assez particulières[2] qui se passaient. Enfin, il
1235 me sembla qu'elle souhaitait de s'assurer de mon secret, et
qu'elle avait envie de me confier les siens. Cette pensée m'attacha à elle, je fus touché de cette distinction, et je lui fis ma cour
avec beaucoup plus d'assiduité que je n'avais accoutumé. Un soir
que le roi et toutes les dames s'étaient allés promener à cheval
1240 dans la forêt, où elle n'avait pas voulu aller parce qu'elle s'était
trouvée un peu mal, je demeurai auprès d'elle ; elle descendit au
bord de l'étang, et quitta la main de ses écuyers, pour marcher
avec plus de liberté. Après qu'elle eut fait quelques tours, elle
s'approcha de moi, et m'ordonna de la suivre.

1245   « Je veux vous parler, me dit-elle, et vous verrez, par ce que
je veux vous dire, que je suis de vos amies. »

    Elle s'arrêta à ces paroles, et me regardant fixement :

    « Vous êtes amoureux, continua-t-elle, et parce que vous ne
vous fiez peut-être à personne, vous croyez que votre amour
1250 n'est pas su, mais il est connu, et même des personnes intéressées. On vous observe, on sait les lieux où vous voyez votre

---

1. Secret : discrétion.
2. Particulières : privées.

maîtresse, on a dessein de vous y surprendre. Je ne sais qui elle est, je ne vous le demande point et je veux seulement vous garantir des malheurs où vous pouvez tomber. »

1255 Voyez, je vous prie, quel piège me tendait la reine, et combien il était difficile de n'y pas tomber. Elle voulait savoir si j'étais amoureux ; et, en ne me demandant point de qui je l'étais, et en ne me laissant voir que la seule intention de me faire plaisir, elle m'ôtait la pensée qu'elle me parlât par curio-
1260 sité ou par dessein.

Cependant, contre toutes sortes d'apparences, je démêlai la vérité. J'étais amoureux de Mme de Thémines, mais, quoiqu'elle m'aimât, je n'étais pas assez heureux pour avoir des lieux parti-culiers à la voir[1], et pour craindre d'y être surpris ; et ainsi je vis
1265 bien que ce ne pouvait être elle dont la reine voulait parler. Je savais bien aussi que j'avais un commerce de galanterie[2] avec une autre femme moins belle et moins sévère que Mme de Thémines, et qu'il n'était pas impossible que l'on eût découvert le lieu où je la voyais, mais, comme je m'en souciais peu, il m'était aisé de
1270 me mettre à couvert de toutes sortes de périls en cessant de la voir. Ainsi je pris le parti de ne rien avouer à la reine et de l'as-surer, au contraire, qu'il y avait très longtemps que j'avais aban-donné le désir de me faire aimer des femmes dont je pouvais espérer de l'être, parce que je les trouvais quasi toutes indignes
1275 d'attacher un honnête homme, et qu'il n'y avait que quelque chose fort au-dessus d'elles qui pût m'engager.

« Vous ne me répondez pas sincèrement, répliqua la reine, je sais le contraire de ce que vous me dites. La manière dont je vous

---

1. Pour avoir des lieux particuliers à la voir : pour avoir des lieux privés où je pusse la voir.

2. Commerce de galanterie : liaison.

parle vous doit obliger à ne me rien cacher. Je veux que vous soyez
1280 de mes amis, continua-t-elle, mais je ne veux pas, en vous donnant
cette place, ignorer quels sont vos attachements. Voyez si vous la
voulez acheter au prix de me les apprendre : je vous donne deux
jours pour y penser, mais, après ce temps-là, songez bien à ce que
vous me direz, et souvenez-vous que, si dans la suite je trouve
1285 que vous m'ayez trompée, je ne vous le pardonnerai de ma vie. »

La reine me quitta après m'avoir dit ces paroles, sans attendre
ma réponse. Vous pouvez croire que je demeurai l'esprit bien
rempli de ce qu'elle me venait de dire. Les deux jours qu'elle
m'avait donnés pour y penser ne me parurent pas trop longs pour
1290 me déterminer. Je voyais qu'elle voulait savoir si j'étais amoureux, et qu'elle ne souhaitait pas que je le fusse. Je voyais les
suites et les conséquences du parti que j'allais prendre. Ma vanité
n'était pas peu flattée d'une liaison particulière avec la reine, et
une reine dont la personne est encore extrêmement aimable.
1295 D'un autre côté, j'aimais Mme de Thémines, et, quoique je lui
fisse une espèce d'infidélité pour cette autre femme dont je vous
ai parlé, je ne me pouvais résoudre à rompre avec elle. Je voyais
aussi le péril où je m'exposais en trompant la reine, et combien
il était difficile de la tromper, néanmoins, je ne pus me résoudre
1300 à refuser ce que la fortune m'offrait, et je pris le hasard[1] de tout
ce que ma mauvaise conduite pouvait m'attirer. Je rompis avec
cette femme dont on pouvait découvrir le commerce[2], et j'espérai
de cacher celui que j'avais avec Mme de Thémines.

Au bout des deux jours que la reine m'avait donnés, comme
1305 j'entrais dans la chambre où toutes les dames étaient au cercle,
elle me dit tout haut, avec un air grave qui me surprit :

---

1. Hasard : risque.
2. Commerce : liaison

« Avez-vous pensé à cette affaire dont je vous ai chargé, et en savez-vous la vérité ?

— Oui, Madame, lui répondis-je, et elle est comme je l'ai dite à Votre Majesté.

— Venez ce soir, à l'heure que je dois écrire, répliqua-t-elle, et j'achèverai de vous donner mes ordres. »

Je fis une profonde révérence, sans rien répondre, et ne manquai pas de me trouver à l'heure qu'elle m'avait marquée. Je la trouvai dans la galerie où était son secrétaire et quelqu'une de ses femmes. Sitôt qu'elle me vit, elle vint à moi, et me mena à l'autre bout de la galerie.

« Hé bien ! me dit-elle, est-ce après y avoir bien pensé que vous n'avez rien à me dire, et la manière dont j'en use[1] avec vous ne mérite-t-elle pas que vous me parliez sincèrement ?

— C'est parce que je vous parle sincèrement, Madame, lui répondis-je, que je n'ai rien à vous dire, et je jure à Votre Majesté, avec tout le respect que je lui dois, que je n'ai d'attachement pour aucune femme de la cour.

— Je le veux croire, repartit la reine, parce que je le souhaite, et je le souhaite parce que je désire que vous soyez entièrement attaché à moi, et qu'il serait impossible que je fusse contente de votre amitié si vous étiez amoureux. On ne peut se fier à ceux qui le sont, on ne peut s'assurer de leur secret. Ils sont trop distraits et trop partagés ; et leur maîtresse leur fait une première occupation qui ne s'accorde point avec la manière dont je veux que vous soyez attaché à moi. Souvenez-vous donc que c'est sur la parole que vous me donnez, que vous n'avez aucun engagement, que je vous choisis pour vous donner toute

---

1. La manière dont j'en use : mon attitude.

1335 ma confiance. Souvenez-vous que je veux la vôtre tout entière, que je veux que vous n'ayez ni ami, ni amie, que ceux qui me seront agréables, et que vous abandonniez tout autre soin que celui de me plaire. Je ne vous ferai pas perdre celui de votre fortune, je la conduirai avec plus d'application que vous-
1340 même ; et, quoi que je fasse pour vous, je m'en tiendrai trop bien récompensée, si je vous trouve pour moi tel que je l'espère. Je vous choisis pour vous confier tous mes chagrins et pour m'aider à les adoucir. Vous pouvez juger qu'ils ne sont pas médiocres. Je souffre en apparence, sans beaucoup de peine
1345 l'attachement du roi pour la duchesse de Valentinois, mais il m'est insupportable. Elle gouverne le roi, elle le trompe, elle me méprise, tous mes gens sont à elle. La reine ma belle-fille, fière de sa beauté et du crédit de ses oncles, ne me rend aucun devoir. Le connétable de Montmorency est maître du roi et du
1350 royaume ; il me hait, et m'a donné des marques de sa haine que je ne puis oublier. Le maréchal de Saint-André est un jeune favori audacieux qui n'en use pas mieux avec moi que les autres. Le détail de mes malheurs vous ferait pitié. Je n'ai osé jusqu'ici me fier à personne, je me fie à vous, faites que je ne
1355 m'en repente point et soyez ma seule consolation. »

Les yeux de la reine rougirent en achevant ces paroles, je pensai me jeter à ses pieds, tant je fus véritablement touché de la bonté qu'elle me témoignait. Depuis ce jour-là, elle eut en moi une entière confiance, elle ne fit plus rien sans m'en
1360 parler et j'ai conservé une liaison qui dure encore.

FIN DU DEUXIÈME TOME

Tome troisième

Cependant, quelque rempli et quelque occupé que je fusse de cette nouvelle liaison avec la reine, je tenais à Mme de Thémines par une inclination naturelle que je ne pouvais vaincre. Il me parut qu'elle cessait de m'aimer et, au lieu que,

5 si j'eusse été sage, je me fusse servi du changement qui paraissait en elle pour aider à me guérir, mon amour en redoubla et je me conduisais si mal que la reine eut quelque connaissance de cet attachement. La jalousie est naturelle aux personnes de sa nation[1], et peut-être que cette princesse a pour moi des senti-

10 ments plus vifs qu'elle ne pense elle-même. Mais enfin le bruit que j'étais amoureux lui donna de si grandes inquiétudes et de si grands chagrins que je me crus cent fois perdu auprès d'elle. Je la rassurai enfin à force de soins, de soumissions et de faux serments, mais je n'aurais pu la tromper longtemps si le chan-

15 gement de Mme de Thémines ne m'avait détaché d'elle malgré moi. Elle me fit voir qu'elle ne m'aimait plus, et j'en fus si persuadé que je fus contraint de ne la pas tourmenter davantage et de la laisser en repos. Quelque temps après, elle m'écrivit cette lettre que j'ai perdue. J'appris par là qu'elle avait su le

20 commerce[2] que j'avais eu avec cette autre femme dont je vous ai parlé, et que c'était la cause de son changement. Comme je

---

1. Catherine de Médicis est italienne, et donc, selon un cliché, de nature jalouse.
2. Commerce : liaison.

n'avais plus rien alors qui me partageât, la reine était assez contente de moi ; mais comme les sentiments que j'ai pour elle ne sont pas d'une nature à me rendre incapable de tout autre
25 attachement, et que l'on n'est pas amoureux par sa volonté, je le suis devenu de Mme de Martigues, pour qui j'avais déjà eu beaucoup d'inclination pendant qu'elle était Villemontais, fille[1] de la reine dauphine. J'ai lieu de croire que je n'en suis pas haï[2], la discrétion que je lui fais paraître, et dont elle ne sait pas
30 toutes les raisons, lui est agréable. La reine n'a aucun soupçon sur son sujet, mais elle en a un autre qui n'est guère moins fâcheux. Comme Mme de Martigues est toujours chez la reine dauphine, j'y vais aussi beaucoup plus souvent que de coutume. La reine s'est imaginé que c'est de cette princesse que je suis
35 amoureux. Le rang de la reine dauphine, qui est égal au sien, et la beauté et la jeunesse qu'elle a au-dessus d'elle, lui donnent une jalousie qui va jusques à la fureur, et une haine contre sa belle-fille qu'elle ne saurait plus cacher. Le cardinal de Lorraine, qui me paraît depuis longtemps aspirer aux bonnes grâces de la
40 reine[3], et qui voit bien que j'occupe une place qu'il voudrait remplir, sous prétexte de raccommoder Mme la dauphine avec elle, est entré dans les différends qu'elles ont eu ensemble. Je ne doute pas qu'il n'ait démêlé le véritable sujet de l'aigreur de la reine, et je crois qu'il me rend toutes sortes de mauvais offices,
45 sans lui laisser voir qu'il a dessein de me les rendre[4]. Voilà l'état

---

1. Fille : fille d'honneur.

2. J'ai lieu de croire que je n'en suis pas haï : je pense que j'en suis aimé.

3. Selon une légende alimentée par la haine des protestants pour ces deux personnages, Catherine de Médicis aurait eu une liaison avec le cardinal de Lorraine.

4. Sans lui laisser voir qu'il a dessein de me les rendre : il me dessert sans en laisser rien paraître.

où sont les choses à l'heure que je vous parle. Jugez quel effet peut produire la lettre que j'ai perdue, et que mon malheur m'a fait mettre dans ma poche, pour la rendre à Mme de Thémines. Si la reine voit cette lettre, elle connaîtra que je l'ai trompée, et que, presque dans le temps que je la trompais pour Mme de Thémines, je trompais Mme de Thémines pour une autre ; jugez quelle idée cela lui peut donner de moi et si elle peut jamais se fier à mes paroles. Si elle ne voit point cette lettre, que lui dirai-je ? Elle sait qu'on l'a remise entre les mains de Mme la dauphine, elle croira que Chastelart a reconnu l'écriture de cette reine, et que la lettre est d'elle, elle s'imaginera que la personne dont on témoigne de la jalousie est peut-être elle-même ; enfin il n'y a rien qu'elle n'ait lieu de penser, et il n'y a rien que je ne doive craindre de ses pensées. Ajoutez à cela que je suis vivement touché de Mme de Martigues, qu'assurément Mme la dauphine lui montrera cette lettre qu'elle croira écrite depuis peu ; ainsi je serai également brouillé, et avec la personne du monde que j'aime le plus, et avec la personne du monde que je dois le plus craindre. Voyez, après cela, si je n'ai pas raison de vous conjurer de dire que la lettre est à vous, et de vous demander en grâce, de l'aller retirer des mains de Mme la dauphine.

— Je vois bien, dit M. de Nemours, que l'on ne peut être dans un plus grand embarras que celui où vous êtes, et il faut avouer que vous le méritez. On m'a accusé de n'être pas un amant fidèle, et d'avoir plusieurs galanteries[1] à la fois, mais vous me passez[2] de si loin, que je n'aurais seulement osé imaginer les choses que vous avez entreprises. Pouviez-vous

---

1. Galanteries : liaisons.

2. Vous me passez : vous me dépassez.

prétendre de conserver Mme de Thémines en vous engageant
75 avec la reine, et espériez-vous de vous engager avec la reine et
de la pouvoir tromper ? Elle est italienne et reine, et par conséquent pleine de soupçons, de jalousie et d'orgueil ; quand votre
bonne fortune, plutôt que votre bonne conduite, vous a ôté des
engagements où vous étiez, vous en avez pris de nouveaux, et
80 vous vous êtes imaginé qu'au milieu de la cour vous pourriez
aimer Mme de Martigues sans que la reine s'en aperçût. Vous
ne pouviez prendre trop de soins de lui ôter la honte d'avoir fait
les premiers pas. Elle a pour vous une passion violente : votre
discrétion vous empêche de me le dire, et la mienne de vous le
85 demander, mais enfin elle vous aime, elle a de la défiance[1], et
la vérité est contre vous.

— Est-ce à vous à m'accabler de réprimandes, interrompit le
vidame, et votre expérience ne vous doit-elle pas donner de
l'indulgence pour mes fautes ? Je veux pourtant bien convenir
90 que j'ai tort, mais songez, je vous conjure, à me tirer de l'abîme
où je suis. Il me paraît qu'il faudrait que vous vissiez la reine
dauphine sitôt qu'elle sera éveillée, pour lui redemander cette
lettre, comme l'ayant perdue.

— Je vous ai déjà dit, reprit monsieur de Nemours, que la
95 proposition que vous me faites est un peu extraordinaire, et que
mon intérêt particulier m'y peut faire trouver des difficultés,
mais, de plus, si l'on a vu tomber cette lettre de votre poche, il
me paraît difficile de persuader qu'elle soit tombée de la mienne.

— Je croyais vous avoir appris, répondit le vidame, que l'on
100 a dit à la reine dauphine que c'était de la vôtre qu'elle était
tombée.

---

1. Défiance : méfiance.

— Comment ! reprit brusquement M. de Nemours, qui vit dans ce moment les mauvais offices[1] que cette méprise lui pouvait faire auprès de Mme de Clèves, l'on a dit à la reine dauphine que c'est moi qui ai laissé tomber cette lettre ?

— Oui, reprit le vidame, on le lui a dit. Et ce qui a fait cette méprise, c'est qu'il y avait plusieurs gentilshommes des reines dans une des chambres du jeu de paume où étaient nos habits, et que vos gens et les miens les ont été quérir. En même temps la lettre est tombée ; ces gentilshommes l'ont ramassée, et l'ont lue tout haut. Les uns ont cru qu'elle était à vous, et les autres à moi. Chastelart, qui l'a prise, et à qui je viens de la faire demander, a dit qu'il l'avait donnée à la reine dauphine, comme une lettre qui était à vous, et ceux qui en ont parlé à la reine, ont dit, par malheur, qu'elle était à moi ; ainsi vous pouvez faire aisément ce que je souhaite, et m'ôter de l'embarras où je suis. »

M. de Nemours avait toujours fort aimé le vidame de Chartres, et ce qu'il était à Mme de Clèves le lui rendait encore plus cher[2]. Néanmoins, il ne pouvait se résoudre à prendre le hasard[3] qu'elle entendît parler de cette lettre comme d'une chose où il avait intérêt[4]. Il se mit à rêver profondément, et le vidame se doutant à peu près du sujet de sa rêverie :

« Je crois bien, lui dit-il, que vous craignez de vous brouiller avec votre maîtresse, et même vous me donneriez lieu de croire que c'est avec la reine dauphine si le peu de jalousie que je vous vois de M. d'Anville ne m'en ôtait la pensée, mais, quoi qu'il

---

1. **Mauvais offices** : mauvais effets.
2. Le vidame de Chartres est en effet l'oncle de Mme de Clèves.
3. **Prendre le hasard** : prendre le risque.
4. **Où il avait intérêt** : qui le concernait.

en soit, il est juste que vous ne sacrifiez pas votre repos au mien, et je veux bien vous donner les moyens de faire voir à
130 celle que vous aimez que cette lettre s'adresse à moi et non pas à vous ; voilà un billet de Mme d'Amboise[1], qui est amie de Mme de Thémines, et à qui elle s'est fiée de tous les sentiments qu'elle a eus pour moi. Par ce billet elle me redemande cette lettre de son amie, que j'ai perdue. Mon nom est sur le billet,
135 et ce qui est dedans prouve, sans aucun doute, que la lettre que l'on me redemande est la même que l'on a trouvée. Je vous remets ce billet entre les mains, et je consens que vous le montriez à votre maîtresse pour vous justifier. Je vous conjure de ne perdre pas un moment, et d'aller dès ce matin chez
140 Mme la dauphine. »

M. de Nemours le promit au vidame de Chartres et prit le billet de Mme d'Amboise : néanmoins, son dessein n'était pas de voir la reine dauphine, et il trouvait qu'il avait quelque chose de plus pressé à faire. Il ne doutait pas qu'elle n'eût déjà
145 parlé de la lettre à Mme de Clèves, et il ne pouvait supporter qu'une personne qu'il aimait si éperdument eût lieu de croire qu'il eût quelque attachement pour une autre.

Il alla chez elle à l'heure qu'il crut qu'elle pouvait être éveillée et lui fit dire qu'il ne demanderait pas à avoir l'honneur de la
150 voir à une heure si extraordinaire, si une affaire de conséquence ne l'y obligeait. Mme de Clèves était encore au lit, l'esprit aigri et agité de tristes pensées qu'elle avait eues pendant la nuit. Elle fut extrêmement surprise, lorsqu'on lui dit que M. de Nemours la demandait. L'aigreur où elle était ne la fit pas balancer à
155 répondre qu'elle était malade et qu'elle ne pouvait lui parler.

---

1. Mme d'Amboise est probablement un personnage de fiction, difficile à identifier avec un personnage historique.

Ce prince ne fut pas blessé de ce refus ; une marque de froideur, dans un temps où elle pouvait avoir de la jalousie, n'était pas un mauvais augure. Il alla à l'appartement de M. de Clèves, et lui dit qu'il venait de celui de Mme sa femme, qu'il était bien fâché de ne la pouvoir entretenir, parce qu'il avait à lui parler d'une affaire importante pour le vidame de Chartres. Il fit entendre[1] en peu de mots à M. de Clèves la conséquence de cette affaire, et M. de Clèves le mena à l'heure même dans la chambre de sa femme. Si elle n'eût point été dans l'obscurité, elle eût eu peine à cacher son trouble et son étonnement de voir entrer M. de Nemours conduit par son mari. M. de Clèves lui dit qu'il s'agissait d'une lettre où l'on avait besoin de son secours pour les intérêts du vidame, qu'elle verrait avec M. de Nemours ce qu'il y avait à faire, et que, pour lui, il s'en allait chez le roi, qui venait de l'envoyer quérir.

M. de Nemours demeura seul auprès de Mme de Clèves, comme il le pouvait souhaiter.

« Je viens vous demander, Madame, lui dit-il, si Mme la dauphine ne vous a point parlé d'une lettre que Chastelart lui remit hier entre les mains.

— Elle m'en a dit quelque chose, répondit Mme de Clèves ; mais je ne vois pas ce que cette lettre a de commun avec les intérêts de mon oncle, et je vous puis assurer qu'il n'y est pas nommé.

— Il est vrai, Madame, répliqua M. de Nemours, il n'y est pas nommé ; néanmoins, elle s'adresse à lui, et il lui est très important que vous la retiriez des mains de Mme la dauphine.

---

1. Entendre : comprendre.

— J'ai peine à comprendre, reprit Mme de Clèves, pourquoi il lui importe que cette lettre soit vue, et pourquoi il faut la redemander sous son nom.

— Si vous voulez vous donner le loisir de m'écouter, Madame, dit M. de Nemours, je vous ferai bientôt voir la vérité, et vous apprendrez des choses si importantes pour M. le vidame, que je ne les aurais pas même confiées à M. le prince de Clèves, si je n'avais eu besoin de son secours pour avoir l'honneur de vous voir.

— Je pense que tout ce que vous prendriez la peine de me dire serait inutile, répondit Mme de Clèves avec un air assez sec, et il vaut mieux que vous alliez trouver la reine dauphine, et que, sans chercher de détours, vous lui disiez l'intérêt que vous avez à cette lettre, puisqu'aussi bien on lui a dit qu'elle vient de vous. »

L'aigreur que M. de Nemours voyait dans l'esprit de Mme de Clèves lui donnait le plus sensible plaisir qu'il eût jamais eu, et balançait son impatience de se justifier.

« Je ne sais, Madame, reprit-il, ce qu'on peut avoir dit à Mme la dauphine, mais je n'ai aucun intérêt à cette lettre, et elle s'adresse à M. le vidame.

— Je le crois, répliqua Mme de Clèves, mais on a dit le contraire à la reine dauphine, et il ne lui paraîtra pas vraisemblable que les lettres de M. le vidame tombent de vos poches. C'est pourquoi, à moins que vous n'ayez quelque raison que je ne sais point à cacher la vérité à la reine dauphine, je vous conseille de la lui avouer.

— Je n'ai rien à lui avouer, reprit-il, la lettre ne s'adresse pas à moi et, s'il y a quelqu'un que je souhaite d'en persuader, ce n'est pas Mme la dauphine ; mais, Madame, comme il s'agit en

ceci de la fortune de M. le vidame, trouvez bon que je vous
215 apprenne des choses qui sont même dignes de votre curiosité. »

Mme de Clèves témoigna par son silence qu'elle était prête
à l'écouter, et M. de Nemours lui conta le plus succinctement
qu'il lui fut possible tout ce qu'il venait d'apprendre du
vidame. Quoique ce fussent des choses propres à donner de
220 l'étonnement, et à être écoutées avec attention, Mme de
Clèves les entendit avec une froideur si grande qu'il semblait
qu'elle ne les crût pas véritables, ou qu'elles lui fussent indifférentes. Son esprit demeura dans cette situation jusqu'à ce
que M. de Nemours lui parlât du billet de Mme d'Amboise,
225 qui s'adressait au vidame de Chartres, et qui était la preuve de
tout ce qu'il lui venait de dire. Comme Mme de Clèves savait
que cette femme était amie de Mme de Thémines, elle trouva
une apparence de vérité à ce que lui disait M. de Nemours,
qui lui fit penser que la lettre ne s'adressait peut-être pas à lui.
230 Cette pensée la tira tout d'un coup, et malgré elle, de la froideur qu'elle avait eue jusqu'alors. Ce prince, après lui avoir lu
ce billet qui faisait sa justification, le lui présenta pour le lire,
et lui dit qu'elle en pouvait connaître l'écriture. Elle ne put
s'empêcher de le prendre, de regarder le dessus pour voir s'il
235 s'adressait au vidame de Chartres, et de le lire tout entier pour
juger si la lettre que l'on redemandait était la même qu'elle
avait entre les mains. M. de Nemours lui dit encore tout ce
qu'il crut propre à la persuader, et comme on persuade aisément une vérité agréable, il convainquit Mme de Clèves qu'il
240 n'avait point de part à cette lettre.

Elle commença alors à raisonner avec lui sur l'embarras et le
péril où était le vidame, à le blâmer de sa méchante conduite,
à chercher les moyens de le secourir ; elle s'étonna du procédé

de la reine, elle avoua à M. de Nemours qu'elle avait la lettre,
245 enfin, sitôt qu'elle le crut innocent, elle entra avec un esprit
ouvert et tranquille dans les mêmes choses qu'elle semblait
d'abord ne daigner pas entendre. Ils convinrent qu'il ne fallait
point rendre la lettre à la reine dauphine, de peur qu'elle ne la
montrât à Mme de Martigues, qui connaissait l'écriture de
250 Mme de Thémines, et qui aurait aisément deviné, par l'intérêt
qu'elle prenait au vidame, qu'elle s'adressait à lui. Ils trouvèrent aussi qu'il ne fallait pas confier à la reine dauphine tout
ce qui regardait la reine sa belle-mère. Mme de Clèves, sous le
prétexte des affaires de son oncle, entrait avec plaisir à garder
255 tous les secrets que M. de Nemours lui confiait.

Ce prince ne lui eût pas toujours parlé des intérêts du
vidame, et la liberté où il se trouvait de l'entretenir lui eût
donné une hardiesse qu'il n'avait encore osé prendre, si l'on ne
fût venu dire à Mme de Clèves que la reine dauphine lui ordon-
260 nait de l'aller trouver. M. de Nemours fut contraint de se
retirer. Il alla trouver le vidame pour lui dire qu'après l'avoir
quitté, il avait pensé qu'il était plus à propos de s'adresser à
Mme de Clèves, qui était sa nièce, que d'aller droit à Mme la
dauphine. Il ne manqua pas de raisons pour faire approuver ce
265 qu'il avait fait et pour en faire espérer un bon succès.

Cependant Mme de Clèves s'habilla en diligence pour aller
chez la reine. À peine parut-elle dans sa chambre, que cette
princesse la fit approcher, et lui dit tout bas :

« Il y a deux heures que je vous attends, et jamais je n'ai été
270 si embarrassée à déguiser la vérité que je l'ai été ce matin. La
reine a entendu parler de la lettre que je vous donnai hier ; elle
croit que c'est le vidame de Chartres qui l'a laissé tomber. Vous
savez qu'elle y prend quelque intérêt. Elle a fait chercher cette

lettre, elle l'a fait demander à Chastelart ; il a dit qu'il me
l'avait donnée : on me l'est venu demander, sur le prétexte que
c'était une jolie lettre qui donnait de la curiosité à la reine. Je
n'ai osé dire que vous l'aviez ; je crus qu'elle s'imaginerait que
je vous l'avais mise entre les mains à cause du vidame votre
oncle, et qu'il y aurait une grande intelligence[1] entre lui et
moi. Il m'a déjà paru qu'elle souffrait avec peine qu'il me vît
souvent, de sorte que j'ai dit que la lettre était dans les habits
que j'avais hier, et que ceux qui en avaient la clef étaient sortis.
Donnez-moi promptement cette lettre, ajouta-t-elle, afin que
je la lui envoie, et que je la lise avant que de l'envoyer, pour
voir si je n'en connaîtrai point l'écriture. »

Mme de Clèves se trouva encore plus embarrassée qu'elle
n'avait pensé.

« Je ne sais, Madame, comment vous ferez, répondit-elle,
car M. de Clèves, à qui je l'avais donnée à lire, l'a rendue à
M. de Nemours, qui est venu, dès ce matin, le prier de vous
la redemander. M. de Clèves a eu l'imprudence de lui dire
qu'il l'avait, et il a eu la faiblesse de céder aux prières que
M. de Nemours lui a faites de la lui rendre.

— Vous me mettez dans le plus grand embarras où je puisse
jamais être, repartit Mme la dauphine, et vous avez tort d'avoir
rendu cette lettre à M. de Nemours ; puisque c'était moi qui vous
l'avais donnée, vous ne deviez point la rendre sans ma permission. Que voulez-vous que je dise à la reine, et que pourra-t-elle
s'imaginer ? Elle croira, et avec apparence, que cette lettre me
regarde, et qu'il y a quelque chose entre le vidame et moi. Jamais
on ne lui persuadera que cette lettre soit à M. de Nemours.

---

1. Intelligence : complicité.

— Je suis très affligée, répondit Mme de Clèves, de l'embarras que je vous cause. Je le crois aussi grand qu'il est, mais c'est la faute de M. de Clèves, et non pas la mienne.

305 — C'est la vôtre, répliqua Mme la dauphine, de lui avoir donné la lettre, et il n'y a que vous de femme au monde qui fasse confidence à son mari de toutes les choses qu'elle sait.

— Je crois que j'ai tort, Madame, répliqua Mme de Clèves, mais songez à réparer ma faute, et non pas à l'examiner.

310 — Ne vous souvenez-vous point, à-peu-près de ce qui est dans cette lettre, dit alors la reine dauphine ?

— Oui, Madame, répondit-elle, je m'en souviens, et l'ai relue plus d'une fois.

— Si cela est, reprit Mme la dauphine, il faut que vous alliez
315 tout à l'heure[1] la faire écrire d'une main inconnue, je l'enverrai à la reine : elle ne la montrera pas à ceux qui l'ont vue. Quand elle le ferait, je soutiendrai toujours que c'est celle que Chastelart m'a donnée, et il n'oserait dire le contraire. »

Mme de Clèves entra dans cet expédient[2], et d'autant plus
320 qu'elle pensa qu'elle enverrait quérir M. de Nemours pour ravoir la lettre même, afin de la faire copier mot à mot, et d'en faire à peu près imiter l'écriture, et elle crut que la reine y serait infailliblement trompée. Sitôt qu'elle fut chez elle, elle conta à son mari l'embarras de Mme la dauphine, et le pria d'envoyer
325 chercher M. de Nemours. On le chercha ; il vint en diligence. Mme de Clèves lui dit tout ce qu'elle avait déjà appris à son mari et lui demanda la lettre ; mais M. de Nemours répondit qu'il l'avait déjà rendue au vidame de Chartres, qui avait eu

---

1. Tout à l'heure : dès cette heure, immédiatement.

2. Entra dans cet expédient : accepta cette solution.

tant de joie de la ravoir et de se trouver hors du péril qu'il
330 aurait couru, qu'il l'avait renvoyée à l'heure même à l'amie de
Mme de Thémines. Mme de Clèves se retrouva dans un nouvel
embarras ; et enfin, après avoir bien consulté[1], ils résolurent de
faire la lettre de mémoire. Ils s'enfermèrent pour y travailler :
on donna ordre à la porte[2] de ne laisser entrer personne, et on
335 renvoya tous les gens de M. de Nemours. Cet air de mystère et
de confidence n'était pas d'un médiocre charme pour ce prince
et même pour Mme de Clèves. La présence de son mari et les
intérêts du vidame de Chartres la rassuraient en quelque sorte
sur ses scrupules. Elle ne sentait que le plaisir de voir M. de
340 Nemours, elle en avait une joie pure et sans mélange qu'elle
n'avait jamais sentie ; cette joie lui donnait une liberté et un
enjouement dans l'esprit que M. de Nemours ne lui avait
jamais vus et qui redoublaient son amour. Comme il n'avait
point eu encore de si agréables moments, sa vivacité en était
345 augmentée, et quand Mme de Clèves voulut commencer à se
souvenir de la lettre et à l'écrire, ce prince, au lieu de lui aider
sérieusement, ne faisait que l'interrompre et lui dire des choses
plaisantes. Mme de Clèves entra dans le même esprit de gaieté,
de sorte qu'il y avait déjà longtemps qu'ils étaient enfermés,
350 et on était déjà venu deux fois de la part de la reine dauphine
pour dire à Mme de Clèves de se dépêcher, qu'ils n'avaient pas
encore fait la moitié de la lettre.

M. de Nemours était bien aise de faire durer un temps qui
lui était si agréable, et oubliait les intérêts de son ami. Mme
355 de Clèves ne s'ennuyait pas[3], et oubliait aussi les intérêts de

---

1. Après avoir bien consulté : après avoir bien discuté.
2. À la porte : aux gardes à la porte.
3. Mme de Clèves ne s'ennuyait pas (litote) : elle avait tous les sens en éveil.

son oncle. Enfin, à peine à quatre heures la lettre était-elle achevée, et elle était si mal, et l'écriture dont on la fit copier ressemblait si peu à celle que l'on avait eu dessein d'imiter, qu'il eût fallu que la reine n'eût guère pris de soin d'éclaircir
360 la vérité pour ne la pas connaître. Aussi n'y fut-elle pas trompée. Quelque soin que l'on prît de lui persuader que cette lettre s'adressait à M. de Nemours, elle demeura convaincue, non seulement qu'elle était au vidame de Chartres, mais elle crut que la reine dauphine y avait part, et qu'il y avait quelque
365 intelligence entre eux[1]. Cette pensée augmenta tellement la haine qu'elle avait pour cette princesse qu'elle ne lui pardonna jamais, et qu'elle la persécuta jusqu'à ce qu'elle l'eût fait sortir de France[2].

Pour le vidame de Chartres, il fut ruiné[3] auprès d'elle, et,
370 soit que le cardinal de Lorraine se fût déjà rendu maître de son esprit, ou que l'aventure de cette lettre, qui lui fit voir qu'elle était trompée, lui aidât à démêler les autres tromperies que le vidame lui avait déjà faites, il est certain qu'il ne put jamais se raccommoder sincèrement avec elle. Leur liaison se rompit,
375 et elle le perdit ensuite à la conjuration d'Amboise[4] où il se trouva embarrassé[5].

---

1. Qu'il y avait quelque intelligence entre eux : qu'il y avait quelque complot entre la reine dauphine et lui.

2. Marie Stuart rentra en Écosse peu après la mort de François II, sous l'influence de Catherine de Médicis.

3. Il fut ruiné : il fut discrédité.

4. La conjuration d'Amboise : le 17 mars 1560, à Amboise, le prince de Condé et les chefs protestants tentèrent d'enlever le très jeune roi François II, âgé de 16 ans afin de le soustraire à l'influence des Guises, qui dirigeaient quasiment le royaume à sa place. Le vidame de Chartres fut envoyé à la Bastille où il mourut en 1562.

5. Où il se trouva embarrassé : à laquelle il se trouva mêlé.

Après qu'on eut envoyé la lettre à Mme la dauphine, M. de Clèves et M. de Nemours s'en allèrent. Mme de Clèves demeura seule, et, sitôt qu'elle ne fut plus soutenue par cette
380 joie que donne la présence de ce que l'on aime, elle revint comme d'un songe ; elle regarda avec étonnement la prodigieuse différence de l'état où elle était le soir, d'avec celui où elle se trouvait alors ; elle se remit devant les yeux l'aigreur et la froideur qu'elle avait fait paraître à M. de Nemours, tant
385 qu'elle avait cru que la lettre de Mme de Thémines s'adressait à lui ; quel calme et quelle douceur avaient succédé à cette aigreur, sitôt qu'il l'avait persuadée que cette lettre ne le regardait pas. Quand elle pensait qu'elle s'était reproché comme un crime, le jour précédent, de lui avoir donné des marques de
390 sensibilité que la seule compassion pouvait avoir fait naître, et que, par son aigreur, elle lui avait fait paraître des sentiments de jalousie qui étaient des preuves certaines de passion, elle ne se reconnaissait plus elle-même. Quand elle pensait encore que M. de Nemours voyait bien qu'elle connaissait son amour,
395 qu'il voyait bien aussi que, malgré cette connaissance, elle ne l'en traitait pas plus mal en présence même de son mari, qu'au contraire, elle ne l'avait jamais regardé si favorablement, qu'elle était cause que M. de Clèves l'avait envoyé quérir, et qu'ils venaient de passer une après-dînée[1] ensemble
400 en particulier, elle trouvait qu'elle était d'intelligence[2] avec M. de Nemours, qu'elle trompait le mari du monde qui méritait le moins d'être trompé, et elle était honteuse de paraître si peu digne d'estime aux yeux même de son amant. Mais ce

---

1. **Après-dînée** : après-midi.
2. **Elle était d'intelligence** : elle entretenait des rapports secrets.

qu'elle pouvait moins supporter que tout le reste, était le
405 souvenir de l'état où elle avait passé la nuit, et les cuisantes
douleurs que lui avait causées la pensée que M. de Nemours
aimait ailleurs et qu'elle était trompée.

Elle avait ignoré jusqu'alors les inquiétudes mortelles de la
défiance[1] et de la jalousie, elle n'avait pensé qu'à se défendre
410 d'aimer M. de Nemours, et elle n'avait point encore commencé
à craindre qu'il en aimât une autre. Quoique les soupçons que
lui avait donnés cette lettre fussent effacés, ils ne laissèrent
pas de lui ouvrir les yeux sur le hasard[2] d'être trompée, et de
lui donner des impressions de défiance[3] et de jalousie qu'elle
415 n'avait jamais eues. Elle fut étonnée de n'avoir point encore
pensé combien il était peu vraisemblable qu'un homme comme
M. de Nemours, qui avait toujours fait paraître tant de légèreté
parmi les femmes, fût capable d'un attachement sincère et
durable. Elle trouva qu'il était presque impossible qu'elle pût
420 être contente de sa passion. Mais quand je le pourrais être,
disait-elle, qu'en veux-je faire ? Veux-je la souffrir ? Veux-je y
répondre ? Veux-je m'engager dans une galanterie[4]? Veux-je
manquer à M. de Clèves ? Veux-je me manquer à moi-même ?
Et veux-je enfin m'exposer aux cruels repentirs et aux mortelles
425 douleurs que donne l'amour ? Je suis vaincue et surmontée
par une inclination qui m'entraîne malgré moi. Toutes mes
résolutions sont inutiles ; je pensai hier tout ce que je pense
aujourd'hui et je fais aujourd'hui tout le contraire de ce que
je résolus hier. Il faut m'arracher de la présence de M. de

---

1. **Défiance** : méfiance.
2. **Hasard** : risque.
3. **Défiance** : méfiance.
4. **Galanterie** : liaison.

430 Nemours, il faut m'en aller à la campagne, quelque bizarre que puisse paraître mon voyage, et, si M. de Clèves s'opiniâtre à l'empêcher ou à en vouloir savoir les raisons, peut-être lui ferai-je le mal, et à moi-même aussi, de les lui apprendre. Elle demeura dans cette résolution, et passa tout le soir chez elle,

435 sans aller savoir de Mme la dauphine ce qui était arrivé de la fausse lettre du vidame.

Quand M. de Clèves fut revenu, elle lui dit qu'elle voulait aller à la campagne, qu'elle se trouvait mal, et qu'elle avait besoin de prendre l'air. M. de Clèves, à qui elle paraissait

440 d'une beauté qui ne lui persuadait pas que ses maux fussent considérables, se moqua d'abord de la proposition de ce voyage et lui répondit qu'elle oubliait que les noces des princesses et le tournoi s'allaient faire, et qu'elle n'avait pas trop de temps pour se préparer à y paraître avec la même

445 magnificence[1] que les autres femmes. Les raisons de son mari ne la firent pas changer de dessein ; elle le pria de trouver bon que, pendant qu'il irait à Compiègne avec le roi, elle allât à Coulommiers, qui était une belle maison à une journée de Paris, qu'ils faisaient bâtir avec soin. M. de Clèves y consentit ;

450 elle y alla dans le dessein de n'en pas revenir sitôt, et le roi partit pour Compiègne où il ne devait être que peu de jours.

M. de Nemours avait eu bien de la douleur de n'avoir point revu Mme de Clèves depuis cette après-dînée qu'il avait passée avec elle si agréablement et qui avait augmenté ses

455 espérances. Il avait une impatience[2] de la revoir qui ne lui donnait point de repos, de sorte que, quand le roi revint à

---

1. **Magnificence** : luxe.
2. **Impatience** : inquiétude.

Paris, il résolut d'aller chez sa sœur, la duchesse de Mercœur[1],
qui était à la campagne, assez près de Coulommiers. Il proposa
au vidame d'y aller avec lui, qui accepta aisément cette proposition, et M. de Nemours la fit dans l'espérance de voir Mme de
Clèves, et d'aller chez elle avec le vidame.

Mme de Mercœur les reçut avec beaucoup de joie, et ne
pensa qu'à les divertir et à leur donner tous les plaisirs de la
campagne. Comme ils étaient à la chasse à courir le cerf, M. de
Nemours s'égara dans la forêt. En s'enquérant du chemin qu'il
devait tenir pour s'en retourner, il sut qu'il était proche
de Coulommiers. À ce mot de « Coulommiers », sans faire
aucune réflexion[2], et sans savoir quel était son dessein, il alla
à toute bride du côté qu'on le lui montrait. Il arriva dans
la forêt, et se laissa conduire au hasard par des routes faites
avec soin, qu'il jugea bien qui conduisaient[3] vers le château.
Il trouva, au bout de ces routes, un pavillon dont le dessous[4]
était un grand salon accompagné de deux cabinets, dont l'un
était ouvert sur un jardin de fleurs qui n'était séparé de la forêt
que par des palissades, et le second donnait sur une grande
allée du parc. Il entra dans le pavillon, et il se serait arrêté à en
regarder la beauté, sans qu'il vît venir[5] par cette allée du parc
monsieur et Mme de Clèves, accompagnés d'un grand nombre
de domestiques. Comme il ne s'était pas attendu à trouver
M. de Clèves, qu'il avait laissé auprès du roi, son premier

---

1. **La duchesse de Mercœur** : Jeanne de Savoie-Nemours épousa Nicolas de
Mercœur en 1554.

2. **Sans faire aucune réflexion** : sans réfléchir.

3. **Qu'il jugea bien qui conduisaient** : dont il jugeait bien qu'elles conduisaient.

4. **Dessous** : rez-de-chaussée.

5. **Sans qu'il vît venir** : s'il n'avait pas vu venir.

mouvement le porta à se cacher : il entra dans le cabinet qui donnait sur le jardin de fleurs, dans la pensée d'en ressortir par une porte qui était ouverte sur la forêt, mais, voyant que Mme de Clèves et son mari s'étaient assis sous le pavillon, que leurs
485   domestiques demeuraient dans le parc, et qu'ils ne pouvaient venir à lui sans passer dans le lieu où étaient monsieur et Mme de Clèves, il ne put se refuser le plaisir de voir cette princesse, ni résister à la curiosité d'écouter la conversation avec un mari qui lui donnait plus de jalousie qu'aucun de ses rivaux.

490   Il entendit que M. de Clèves disait à sa femme :

« Mais pourquoi ne voulez-vous point revenir à Paris ? Qui vous peut retenir à la campagne ? Vous avez depuis quelque temps un goût pour la solitude qui m'étonne et qui m'afflige parce qu'il nous sépare. Je vous trouve même plus triste que de
495   coutume, et je crains que vous n'ayez quelque sujet d'affliction.

— Je n'ai rien de fâcheux dans l'esprit, répondit-elle, avec un air embarrassé, mais le tumulte de la cour est si grand, et il y a toujours un si grand monde chez vous qu'il est impossible que le corps et l'esprit ne se lassent, et que l'on ne cherche du repos.

500   — Le repos, répliqua-t-il, n'est guère propre pour une personne de votre âge. Vous êtes, chez vous et dans la cour, d'une sorte à ne vous pas donner de lassitude, et je craindrais plutôt que vous ne fussiez bien aise d'être séparée de moi.

505   — Vous me feriez une grande injustice d'avoir cette pensée, reprit-elle avec un embarras qui augmentait toujours, mais je vous supplie de me laisser ici. Si vous y pouviez demeurer, j'en aurais beaucoup de joie, pourvu que vous y demeurassiez seul, et que vous voulussiez bien n'y avoir point ce nombre infini
510   de gens qui ne vous quittent quasi jamais.

— Ah ! Madame ! s'écria M. de Clèves, votre air et vos paroles me font voir que vous avez des raisons pour souhaiter d'être seule, que je ne sais point, et je vous conjure de me les dire. »

Il la pressa[1] longtemps de les lui apprendre sans pouvoir l'y obliger, et, après qu'elle se fut défendue d'une manière qui augmentait toujours la curiosité de son mari, elle demeura dans un profond silence, les yeux baissés, puis, tout d'un coup, prenant la parole et le regardant :

« Ne me contraignez point, lui dit-elle, à vous avouer une chose que je n'ai pas la force de vous avouer, quoique j'en aie eu plusieurs fois le dessein. Songez seulement que la prudence ne veut pas qu'une femme de mon âge, et maîtresse de sa conduite, demeure exposée au milieu de la cour.

— Que me faites-vous envisager, Madame ? s'écria M. de Clèves. Je n'oserais vous le dire de peur de vous offenser. »

Mme de Clèves ne répondit point ; et son silence achevant de confirmer son mari dans ce qu'il avait pensé.

« Vous ne me dites rien, reprit-il, et c'est me dire que je ne me trompe pas.

— Eh bien ! Monsieur, lui répondit-elle en se jetant à ses genoux, je vais vous faire un aveu que l'on n'a jamais fait à son mari, mais l'innocence de ma conduite et de mes intentions m'en donne la force. Il est vrai que j'ai des raisons de m'éloigner de la cour et que je veux éviter les périls où se trouvent quelquefois les personnes de mon âge. Je n'ai jamais donné nulle marque de faiblesse, et je ne craindrais pas d'en laisser paraître, si vous me laissiez la liberté de me retirer de la cour, ou si j'avais encore Mme de Chartres pour aider à me conduire. Quelque

---

1. **Il la pressa** : il tenta de la persuader.

dangereux que soit le parti que je prends, je le prends avec joie
540 pour me conserver digne d'être à vous. Je vous demande mille
pardons, si j'ai des sentiments qui vous déplaisent, du moins
je ne vous déplairai jamais par mes actions. Songez que, pour
faire ce que je fais, il faut avoir plus d'amitié et plus d'estime
pour un mari que l'on n'en a jamais eu. Conduisez-moi, ayez
545 pitié de moi, et aimez-moi encore si vous pouvez. »

M. de Clèves était demeuré, pendant tout ce discours, la tête
appuyée sur ses mains, hors de lui-même, et il n'avait pas songé
à faire relever sa femme. Quand elle eut cessé de parler, qu'il
jeta les yeux sur elle, qu'il la vit à ses genoux, le visage couvert
550 de larmes, et d'une beauté si admirable, il pensa mourir de
douleur, et l'embrassant en la relevant :

« Ayez pitié de moi, vous-même, Madame, lui dit-il, j'en
suis digne, et pardonnez si, dans les premiers moments d'une
affliction aussi violente qu'est la mienne, je ne réponds pas
555 comme je dois à un procédé comme le vôtre. Vous me
paraissez plus digne d'estime et d'admiration que tout ce qu'il
y a jamais eu de femmes au monde, mais aussi je me trouve le
plus malheureux homme qui ait jamais été. Vous m'avez
donné de la passion dès le premier moment que je vous ai vue,
560 vos rigueurs et votre possession n'ont pu l'éteindre, elle dure
encore, je n'ai jamais pu vous donner de l'amour, et je vois que
vous craignez d'en avoir pour un autre. Et qui est-il, Madame,
cet homme heureux qui vous donne cette crainte ? Depuis
quand vous plaît-il ? Qu'a-t-il fait pour vous plaire ? Quel
565 chemin a-t-il trouvé pour aller à votre cœur ? Je m'étais
consolé en quelque sorte de ne l'avoir pas touché, par la pensée
qu'il était incapable de l'être. Cependant un autre fait ce
que je n'ai pu faire. J'ai tout ensemble la jalousie d'un mari et

celle d'un amant[1], mais il est impossible d'avoir celle d'un
mari après un procédé comme le vôtre. Il est trop noble pour
ne me pas donner une sûreté entière, il me console même
comme votre amant. La confiance et la sincérité que vous avez
pour moi sont d'un prix infini ; vous m'estimez assez pour croire
que je n'abuserai pas de cet aveu. Vous avez raison, Madame, je
n'en abuserai pas, et je ne vous en aimerai pas moins. Vous me
rendez malheureux par la plus grande marque de fidélité que
jamais une femme ait donnée à son mari. Mais, Madame,
achevez, et apprenez-moi qui est celui que vous voulez éviter.

— Je vous supplie de ne me le point demander, répondit-
elle, je suis résolue de ne vous le pas dire, et je crois que la
prudence ne veut pas que je vous le nomme.

— Ne craignez point, Madame, reprit M. de Clèves, je connais
trop le monde pour ignorer que la considération d'un mari
n'empêche pas que l'on ne soit amoureux de sa femme. On doit
haïr ceux qui le sont, et non pas s'en plaindre, et, encore une fois,
Madame, je vous conjure de m'apprendre ce que j'ai envie de
savoir.

— Vous m'en presseriez inutilement, répliqua-t-elle, j'ai de
la force pour taire ce que je crois ne pas devoir dire. L'aveu que
je vous ai fait n'a pas été par faiblesse, et il faut plus de courage
pour avouer cette vérité que pour entreprendre de la cacher. »

M. de Nemours ne perdait pas une parole de cette conversation ; et ce que venait de dire Mme de Clèves ne lui donnait
guère moins de jalousie qu'à son mari. Il était si éperdument
amoureux d'elle, qu'il croyait que tout le monde avait les
mêmes sentiments. Il était véritable aussi qu'il avait plusieurs

---

1. La jalousie d'un mari réside dans la crainte d'être trompé, celle d'un amant
dans la crainte de se voir préférer un autre.

Des clés
pour vous guider

L'aveu de la princesse de Clèves
de « Ne me contraignez point »
à « la cacher », l. 519 à l. 591

L'amour de Mme de Clèves pour M. de Nemours grandit malgré les efforts de l'héroïne pour y résister. Par ailleurs, son mari il lui fait comprendre qu'il préférerait une épouse sincère. Retiré à Coulommiers, le couple se croit seul. Mais le duc de Nemours les épie, à leur insu.

1 **Qu'est-ce qui fait le caractère exceptionnel de la scène ?**

> *pour vous aider* Relevez le champ lexical de l'exception et les procédés hyperboliques.

2 **Ne peut-on pas dire que, dans cet aveu, Mme de Clèves se trompe de destinataire ?**

> *pour vous aider* Demandez-vous quelle est la personne qui aurait été la mieux placée pour écouter les confidences de l'héroïne.

3 **Quel est l'état d'esprit de M. de Clèves au début de la scène ? Quel est-il à la fin ?**

> *pour vous aider* Distinguez ce qui est dit et ce qui ne l'est pas dans les propos de Mme de Clèves.

4 GRAMMAIRE • **« je connais trop le monde [...] que l'on ne soit amoureux de sa femme » (l. 582-584) : dans cette phrase, à quoi fait référence le pronom indéfini « on » ? Par quoi est-il repris dans la phrase suivante ?**

> *pour vous aider* Remplacez le pronom « on » par une expression équivalente.

POUR ALLER *plus loin*

LECTURE CURSIVE • Recherchez des œuvres où la jalousie amoureuse occupe une part importante et dégagez-en les passages les plus significatifs.

rivaux, mais il s'en imaginait encore davantage, et son esprit s'égarait à chercher celui dont Mme de Clèves voulait parler. Il avait cru bien des fois qu'il ne lui était pas désagréable, et il avait fait ce jugement sur des choses qui lui parurent si légères dans ce moment qu'il ne put s'imaginer qu'il eût donné une passion qui devait être bien violente pour avoir recours à un remède si extraordinaire. Il était si transporté qu'il ne savait quasi ce qu'il voyait, et il ne pouvait pardonner à M. de Clèves de ne pas assez presser sa femme de lui dire ce nom qu'elle lui cachait.

M. de Clèves faisait néanmoins tous ses efforts pour le savoir, et, après qu'il l'en eut pressée inutilement :

« Il me semble, répondit-elle, que vous devez être content de ma sincérité, ne m'en demandez pas davantage et ne me donnez point lieu de me repentir de ce que je viens de faire. Contentez-vous de l'assurance que je vous donne encore, qu'aucune de mes actions n'a fait paraître mes sentiments, et que l'on ne m'a jamais rien dit dont j'aie pu m'offenser.

— Ah ! Madame, reprit tout d'un coup M. de Clèves, je ne vous saurais croire. Je me souviens de l'embarras où vous fûtes le jour que votre portrait se perdit. Vous avez donné, Madame, vous avez donné ce portrait qui m'était si cher, et qui m'appartenait si légitimement. Vous n'avez pu cacher vos sentiments ; vous aimez, on le sait ; votre vertu vous a jusqu'ici garantie du reste.

— Est-il possible, s'écria cette princesse, que vous puissiez penser qu'il y ait quelque déguisement dans un aveu comme le mien, qu'aucune raison ne m'obligeait à vous faire ? Fiez-vous à mes paroles, c'est par un assez grand prix que j'achète la confiance que je vous demande. Croyez, je vous en conjure, que je n'ai point donné mon portrait ; il est vrai que je le vis prendre, mais je ne voulus pas faire paraître que je le voyais, de peur de m'exposer à me faire dire des choses que l'on ne m'a encore osé dire.

630   — Par où vous a-t-on donc fait voir qu'on vous aimait, reprit M. de Clèves, et quelles marques de passion vous a-t-on données ?

— Épargnez-moi la peine, répliqua-t-elle, de vous redire des détails qui me font honte à moi-même de les avoir remarqués et qui ne m'ont que trop persuadée de ma faiblesse.

635   — Vous avez raison, Madame, reprit-il, je suis injuste. Refusez-moi toutes les fois que je vous demanderai de pareilles choses, mais ne vous offensez pourtant pas si je vous les demande. »

Dans ce moment, plusieurs de leurs gens, qui étaient demeurés 640 dans les allées, vinrent avertir M. de Clèves, qu'un gentilhomme venait le chercher de la part du roi, pour lui ordonner de se trouver le soir à Paris. M. de Clèves fut contraint de s'en aller, et il ne put rien dire à sa femme, sinon qu'il la suppliait de venir le lendemain, et qu'il la conjurait de croire que, quoiqu'il fût affligé, il avait pour 645 elle une tendresse et une estime dont elle devait être satisfaite.

Lorsque ce prince fut parti, que Mme de Clèves demeura seule, qu'elle regarda ce qu'elle venait de faire, elle en fut si épouvantée, qu'à peine put-elle s'imaginer que ce fût une vérité. Elle trouva qu'elle s'était ôté elle-même le cœur et l'estime de 650 son mari, et qu'elle s'était creusé un abîme dont elle ne sortirait jamais. Elle se demandait pourquoi elle avait fait une chose si hasardeuse[1], et elle trouvait qu'elle s'y était engagée sans en avoir presque eu le dessein. La singularité d'un pareil aveu, dont elle ne trouvait point d'exemple, lui en faisait voir tout le péril.

---

1. Hasardeuse : risquée.

655   Mais quand elle venait à penser que ce remède, quelque violent qu'il fût, était le seul qui la pouvait défendre contre M. de Nemours, elle trouvait qu'elle ne devait point se repentir, et qu'elle n'avait point trop hasardé. Elle passa toute la nuit, pleine d'incertitude, de trouble et de crainte, mais enfin
660   le calme revint dans son esprit. Elle trouva même de la douceur à avoir donné ce témoignage de fidélité à un mari qui le méritait si bien, qui avait tant d'estime et tant d'amitié pour elle, et qui venait de lui en donner encore des marques par la manière dont il avait reçu ce qu'elle lui avait avoué.

665   Cependant M. de Nemours était sorti du lieu où il avait entendu une conversation qui le touchait si sensiblement, et s'était enfoncé dans la forêt. Ce qu'avait dit Mme de Clèves de son portrait lui avait redonné la vie en lui faisant connaître que c'était lui qu'elle ne haïssait pas[1]. Il s'abandonna d'abord
670   à cette joie, mais elle ne fut pas longue, quand il fit réflexion que la même chose qui lui venait d'apprendre qu'il avait touché le cœur de Mme de Clèves, le devait persuader aussi qu'il n'en recevrait jamais nulle marque, et qu'il était impossible d'engager[2] une personne qui avait recours à un remède
675   si extraordinaire. Il sentit pourtant un plaisir sensible de l'avoir réduite à cette extrémité. Il trouva de la gloire à s'être fait aimer d'une femme si différente de toutes celles de son sexe ; enfin, il se trouva cent fois heureux et malheureux tout ensemble. La nuit le surprit dans la forêt, et il eut beaucoup
680   de peine à retrouver le chemin de chez Mme de Mercœur. Il y arriva à la pointe du jour. Il fut assez embarrassé de rendre

---

1. **Elle ne haïssait pas** (litote) : elle aimait.
2. **Engager** : engager dans une aventure amoureuse.

compte de ce qui l'avait retenu ; il s'en démêla le mieux qu'il
lui fut possible, et revint ce jour même à Paris avec le vidame.

685 Ce prince était si rempli de sa passion et si surpris de ce qu'il
avait entendu, qu'il tomba dans une imprudence assez ordinaire, qui est de parler en termes généraux de ses sentiments
particuliers, et de conter ses propres aventures sous des noms
empruntés. En revenant, il tourna la conversation sur l'amour :
il exagéra le plaisir d'être amoureux d'une personne digne d'être
690 aimée. Il parla des effets bizarres de cette passion et enfin, ne
pouvant renfermer en lui-même l'étonnement que lui donnait
l'action de Mme de Clèves, il la conta au vidame, sans lui
nommer la personne, et sans lui dire qu'il y eût aucune part,
mais il la conta avec tant de chaleur et avec tant d'admiration,
695 que le vidame soupçonna aisément que cette histoire regardait
ce prince. Il le pressa extrêmement de le lui avouer. Il lui dit
qu'il connaissait depuis longtemps qu'il avait quelque passion
violente et qu'il y avait de l'injustice de se défier d'un homme
qui lui avait confié le secret de sa vie. M. de Nemours était trop
700 amoureux pour avouer son amour ; il l'avait toujours caché au
vidame, quoique ce fût l'homme de la cour qu'il aimât le
mieux. Il lui répondit qu'un de ses amis lui avait conté cette
aventure et lui avait fait promettre de n'en point parler, et qu'il
le conjurait aussi de garder ce secret. Le vidame l'assura qu'il
705 n'en parlerait point ; néanmoins M. de Nemours se repentit de
lui en avoir tant appris.

Cependant M. de Clèves était allé trouver le roi, le cœur
pénétré d'une douleur mortelle. Jamais mari n'avait eu une
passion si violente pour sa femme et ne l'avait tant estimée.
710 Ce qu'il venait d'apprendre ne lui ôtait pas l'estime, mais elle
lui en donnait d'une espèce différente de celle qu'il avait eue

jusqu'alors. Ce qui l'occupait le plus, était l'envie de deviner celui qui avait su lui plaire. M. de Nemours lui vint d'abord dans l'esprit, comme ce qu'il y avait de plus aimable[1] à la cour,

715 et le chevalier de Guise, et le maréchal de Saint-André, comme deux hommes qui avaient pensé à lui plaire, et qui lui rendaient encore beaucoup de soins, de sorte qu'il s'arrêta à croire qu'il fallait que ce fût l'un des trois. Il arriva au Louvre, et le roi le mena dans son cabinet, pour lui dire qu'il l'avait

720 choisi pour conduire Madame en Espagne ; qu'il avait cru que personne ne s'acquitterait mieux que lui de cette commission, et que personne aussi ne ferait tant d'honneur à la France que Mme de Clèves. M. de Clèves reçut l'honneur de ce choix comme il le devait, et le regarda même comme une chose qui

725 éloignerait sa femme de la cour, sans qu'il parût de change-ment dans sa conduite. Néanmoins, le temps de ce départ était encore trop éloigné pour être un remède à l'embarras où il se trouvait. Il écrivit à l'heure même à Mme de Clèves pour lui apprendre ce que le roi venait de lui dire, et lui manda

730 encore qu'il voulait absolument qu'elle revînt à Paris. Elle y revint comme il l'ordonnait, et lorsqu'ils se virent, ils se trou-vèrent tous deux dans une tristesse extraordinaire.

M. de Clèves lui parla comme le plus honnête homme du monde et le plus digne de ce qu'elle avait fait.

735 « Je n'ai nulle inquiétude de votre conduite, lui dit-il, vous avez plus de force et plus de vertu que vous ne pensez. Ce n'est point aussi la crainte de l'avenir qui m'afflige, je ne suis affligé que de vous voir pour un autre des sentiments que je n'ai pu vous donner.

---

1. **Aimable** : propre à être aimé.

740 — Je ne sais que vous répondre, lui dit-elle, je meurs de honte en vous en parlant. Épargnez-moi, je vous en conjure, de si cruelles conversations ; réglez ma conduite, faites que je ne voie personne ; c'est tout ce que je vous demande. Mais trouvez bon que je ne vous parle plus d'une chose qui me fait paraître si peu

745 digne de vous, et que je trouve si indigne de moi.

— Vous avez raison, Madame, répliqua-t-il, j'abuse de votre douceur et de votre confiance, mais aussi ayez quelque compassion de l'état où vous m'avez mis, et songez que, quoi que vous m'ayez dit, vous me cachez un nom qui me donne une curiosité

750 avec laquelle je ne saurais vivre. Je ne vous demande pourtant pas de la satisfaire, mais je ne puis m'empêcher de vous dire que je crois que celui que je dois envier[1] est le maréchal de Saint-André, le duc de Nemours ou le chevalier de Guise.

— Je ne vous répondrai rien, lui dit-elle en rougissant, et je

755 ne vous donnerai aucun lieu par mes réponses de diminuer ni de fortifier vos soupçons, mais si vous essayez de les éclaircir en m'observant, vous me donnerez un embarras qui paraîtra aux yeux de tout le monde. Au nom de Dieu, continua-t-elle, trouvez bon que, sur le prétexte de quelque maladie, je ne voie

760 personne.

— Non, Madame, répliqua-t-il, on démêlerait bientôt que ce serait une chose supposée ; et, de plus, je ne me veux fier qu'à vous-même ; c'est le chemin que mon cœur me conseille de prendre, et la raison me conseille aussi. De l'humeur dont

765 vous êtes, en vous laissant votre liberté, je vous donne des bornes plus étroites que je ne pourrais vous en prescrire. »

---

1. Envier : jalouser.

M. de Clèves ne se trompait pas : la confiance qu'il témoignait à sa femme la fortifiait davantage contre M. de Nemours, et lui faisait prendre des résolutions plus austères qu'aucune contrainte n'aurait pu faire. Elle alla donc au Louvre et chez la reine dauphine à son ordinaire, mais elle évitait la présence et les yeux de M. de Nemours avec tant de soin, qu'elle lui ôta quasi toute la joie qu'il avait de se croire aimé d'elle. Il ne voyait rien dans ses actions qui ne lui persuadât le contraire. Il ne savait quasi si ce qu'il avait entendu n'était point un songe, tant il y trouvait peu de vraisemblance. La seule chose qui l'assurait qu'il ne s'était pas trompé, était l'extrême tristesse de Mme de Clèves, quelque effort qu'elle fît pour la cacher. Peut-être que des regards et des paroles obligeantes n'eussent pas tant augmenté l'amour de M. de Nemours que faisait cette conduite austère.

Un soir que monsieur et Mme de Clèves étaient chez la reine, quelqu'un dit que le bruit courait que le roi nommerait encore un grand seigneur de la cour pour aller conduire Madame en Espagne. M. de Clèves avait les yeux sur sa femme, dans le temps que l'on ajouta que ce serait peut-être le chevalier de Guise ou le maréchal de Saint-André. Il remarqua qu'elle n'avait point été émue de ces deux noms, ni de la proposition qu'ils fissent ce voyage avec elle. Cela lui fit croire que pas un des deux n'était celui dont elle craignait la présence et, voulant s'éclaircir de ses soupçons, il entra dans le cabinet de la reine où était le roi. Après y avoir demeuré quelque temps, il revint auprès de sa femme, et lui dit tout bas, qu'il venait d'apprendre que ce serait M. de Nemours qui irait avec eux en Espagne.

Le nom de M. de Nemours, et la pensée d'être exposée à le voir tous les jours pendant un long voyage, en présence de son mari, donna un tel trouble à Mme de Clèves, qu'elle ne le put cacher et, voulant y donner d'autres raisons :

« C'est un choix bien désagréable pour vous, répondit-elle, que celui de ce prince. Il partagera tous les honneurs, et il me semble que vous devriez essayer de faire choisir quelque autre.

— Ce n'est pas la gloire, Madame, reprit M. de Clèves, qui vous fait appréhender que M. de Nemours ne vienne avec moi. Le chagrin que vous en avez vient d'une autre cause. Ce chagrin m'apprend ce que j'aurais appris d'une autre femme, par la joie qu'elle en aurait eue. Mais ne craignez point ; ce que je viens de vous dire n'est pas véritable, et je l'ai inventé pour m'assurer d'une chose que je ne croyais déjà que trop. »

Il sortit après ces paroles, ne voulant pas augmenter par sa présence l'extrême embarras où il voyait sa femme.

M. de Nemours entra dans cet instant et remarqua d'abord l'état où était Mme de Clèves. Il s'approcha d'elle, et lui dit tout bas qu'il n'osait, par respect, lui demander ce qui la rendait plus rêveuse que de coutume. La voix de M. de Nemours la fit revenir, et, le regardant sans avoir entendu ce qu'il venait de lui dire, pleine de ses propres pensées et de la crainte que son mari ne le vît auprès d'elle :

« Au nom de Dieu, lui dit-elle, laissez-moi en repos.

— Hélas, Madame, répondit-il, je ne vous y laisse que trop ! De quoi pouvez-vous vous plaindre ? Je n'ose vous parler, je n'ose même vous regarder, je ne vous approche qu'en tremblant. Par où me suis-je attiré ce que vous venez de me dire ? Et pourquoi me faites-vous paraître que j'ai quelque part au chagrin où je vous vois ? »

Mme de Clèves fut bien fâchée d'avoir donné lieu à M. de Nemours de s'expliquer plus clairement qu'il n'avait fait en

toute sa vie. Elle le quitta, sans lui répondre, et s'en revint
chez elle, l'esprit plus agité qu'elle ne l'avait jamais eu. Son
mari s'aperçut aisément de l'augmentation de son embarras.
830 Il vit qu'elle craignait qu'il ne lui parlât de ce qui s'était passé.
Il la suivit dans un cabinet où elle était entrée.

« Ne m'évitez point, Madame, lui dit-il, je ne vous dirai
rien qui puisse vous déplaire. Je vous demande pardon de
la surprise que je vous ai faite tantôt. J'en suis assez puni par
835 ce que j'ai appris. M. de Nemours était de tous les hommes
celui que je craignais le plus. Je vois le péril où vous êtes, ayez
du pouvoir sur vous, pour l'amour de vous-même, et, s'il est
possible, pour l'amour de moi. Je ne vous le demande point
comme un mari, mais comme un homme dont vous faites
840 tout le bonheur, et qui a pour vous une passion plus tendre et
plus violente que celui que votre cœur lui préfère. »

M. de Clèves s'attendrit en prononçant ces dernières
paroles et eut peine à les achever. Sa femme en fut pénétrée,
et, fondant en larmes, elle l'embrassa avec une tendresse et
845 une douleur qui le mirent dans un état peu différent du sien.
Ils demeurèrent quelque temps sans se rien dire, et se sépa-
rèrent sans avoir la force de se parler.

Les préparatifs pour le mariage de Madame étaient achevés.
Le duc d'Albe arriva pour l'épouser. Il fut reçu avec toute la
850 magnificence et toutes les cérémonies qui se pouvaient faire
dans une pareille occasion. Le roi envoya au-devant de lui le
prince de Condé, les cardinaux de Lorraine et de Guise, les ducs
de Lorraine, de Ferrare, d'Aumale, de Bouillon, de Guise et de
Nemours. Ils avaient plusieurs gentilshommes, et grand
855 nombre de pages vêtus de leurs livrées. Le roi attendit lui-
même le duc d'Albe à la première porte du Louvre, avec les

deux cents gentilshommes servants, et le connétable à leur tête. Lorsque ce duc fut proche du roi, il voulut lui embrasser les genoux[1], mais le roi l'en empêcha, et le fit marcher à son côté
860 jusque chez la reine et chez Madame, à qui le duc d'Albe apporta un présent magnifique de la part de son maître. Il alla ensuite chez Mme Marguerite, sœur du roi, lui faire les compliments de M. de Savoie, et l'assurer qu'il arriverait dans peu de jours. L'on fit de grandes assemblées au Louvre, pour faire voir
865 au duc d'Albe et au prince d'Orange qui l'avait accompagné, les beautés de la cour.

Mme de Clèves n'osa se dispenser de s'y trouver, quelque envie qu'elle en eût, par la crainte de déplaire à son mari, qui lui commanda absolument d'y aller. Ce qui l'y déterminait
870 encore davantage, était l'absence de M. de Nemours. Il était allé au-devant de M. de Savoie ; et, après que ce prince fut arrivé, il fut obligé de se tenir presque toujours auprès de lui pour lui aider à toutes les choses qui regardaient les cérémonies de ses noces. Cela fit que Mme de Clèves ne rencontra pas
875 ce prince aussi souvent qu'elle avait accoutumé, et elle s'en trouvait dans quelque sorte de repos.

Le vidame de Chartres n'avait pas oublié la conversation qu'il avait eue avec M. de Nemours. Il lui était demeuré dans l'esprit que l'aventure que ce prince lui avait contée était la
880 sienne propre, et il l'observait avec tant de soin, que peut-être aurait-il démêlé la vérité, sans que l'arrivée du duc d'Albe et celle de M. de Savoie firent un changement[2] et une occupa-

---

1. En signe de déférence au roi.
2. Sans que l'arrivée du duc d'Albe et celle de M. de Savoie firent un changement : si l'arrivée du duc d'Albe et celle de M. de Savoie n'avaient pas fait un changement.

tion dans la cour, qui l'empêcha de voir ce qui aurait pu l'éclairer. L'envie de s'éclaircir, ou plutôt la disposition natu-
885 relle que l'on a de conter tout ce que l'on sait à ce que l'on aime, fit qu'il redit à Mme de Martigues l'action extraor-dinaire de cette personne qui avait avoué à son mari la passion qu'elle avait pour un autre. Il l'assura que M. de Nemours était celui qui avait inspiré cette violente passion, et il la
890 conjura de lui aider à observer ce prince. Mme de Martigues fut bien aise d'apprendre ce que lui dit le vidame, et la curio-sité qu'elle avait toujours vue à Mme la dauphine pour ce qui regardait M. de Nemours lui donnait encore plus d'envie de pénétrer cette aventure.

895 Peu de jour avant celui que l'on avait choisi pour la céré-monie du mariage, la reine dauphine donnait à souper au roi son beau-père et à la duchesse de Valentinois. Mme de Clèves, qui était occupée à s'habiller, alla au Louvre plus tard que de coutume. En y allant, elle trouva un gentilhomme qui la
900 venait quérir de la part de Mme la dauphine. Comme elle entrait dans sa chambre, cette princesse lui cria de dessus son lit, où elle était, qu'elle l'attendait avec une grande impa-tience.

« Je crois, Madame, lui répondit-elle, que je ne dois pas
905 vous remercier de cette impatience, et qu'elle est sans doute causée par quelque autre chose que par l'envie de me voir.

— Vous avez raison, lui répliqua la reine dauphine, mais, néanmoins, vous devez m'en être obligée car je veux vous apprendre une aventure que je suis assurée que vous serez bien
910 aise de savoir. »

Mme de Clèves se mit à genoux devant son lit, et par bonheur pour elle, elle n'avait pas le jour au visage.

« Vous savez, lui dit cette reine, l'envie que nous avions de deviner ce qui causait le changement qui paraît au duc de Nemours : je crois le savoir, et c'est une chose qui vous surprendra. Il est éperdument amoureux et fort aimé d'une des plus belles personnes de la cour. »

Ces paroles, que Mme de Clèves ne pouvait s'attribuer, puisqu'elle ne croyait pas que personne sût qu'elle aimait ce prince, lui causèrent une douleur qu'il est aisé de s'imaginer.

« Je ne vois rien en cela, répondit-elle, qui doive surprendre d'un homme de l'âge de M. de Nemours, et fait comme il est.

— Ce n'est pas aussi, reprit Mme la dauphine, ce qui vous doit étonner, mais c'est de savoir que cette femme qui aime M. de Nemours ne lui en a jamais donné aucune marque, et que la peur qu'elle a eue de n'être pas toujours maîtresse de sa passion a fait qu'elle l'a avouée à son mari, afin qu'il l'ôtât de la cour. Et c'est M. de Nemours lui-même qui a conté ce que je vous dis. »

Si Mme de Clèves avait eu d'abord de la douleur par la pensée qu'elle n'avait aucune part à cette aventure, les dernières paroles de Mme la dauphine lui donnèrent du désespoir, par la certitude de n'y en avoir que trop. Elle ne put répondre, et demeura la tête penchée sur le lit, pendant que la reine continuait de parler, si occupée de ce qu'elle disait, qu'elle ne prenait pas garde à cet embarras. Lorsque Mme de Clèves fut un peu remise :

« Cette histoire ne me paraît guère vraisemblable, Madame, répondit-elle, et je voudrais bien savoir qui vous l'a contée.

— C'est Mme de Martigues, répliqua Mme la dauphine, qui l'a apprise du vidame de Chartres. Vous savez qu'il en est

Karim Kal, *Le Mas du Taureau* **(2012)**

> Présentation de l'image, p. 279-280

Image 2

Umberto Boccioni, *Rixe dans la galerie* (1910)

> Présentation et lecture de l'image, p. 280

 Jean-Antoine Watteau, *Les Plaisirs du Bal* (1715-1717)

> Présentation de l'image, p. 281

Clément Hervieu-Léger, mise en scène
du *Misanthrope* de Molière **(2015)**

> Présentation, p. 281-282

Jean Renoir, *La Règle du jeu* **(1939)**

> Présentation et lecture de l'image, p. 282

amoureux, il la lui a confiée comme un secret, et il la sait du duc de Nemours lui-même : il est vrai que le duc de Nemours
945 ne lui a pas dit le nom de la dame, et ne lui a pas même avoué que ce fût lui qui en fût aimé, mais le vidame de Chartres n'en doute point. »

Comme la reine dauphine achevait ces paroles, quelqu'un s'approcha du lit. Mme de Clèves était tournée d'une sorte qui
950 l'empêchait de voir qui c'était, mais elle n'en douta pas, lorsque Mme la dauphine se récria avec un air de gaieté et de surprise :

« Le voilà lui-même, et je veux lui demander ce qui en est. »

Mme de Clèves connut bien que c'était le duc de Nemours,
955 comme ce l'était en effet. Sans se tourner de son côté, elle s'avança avec précipitation vers Mme la dauphine, et lui dit tout bas qu'il fallait bien se garder de lui parler de cette aventure, qu'il l'avait confiée au vidame de Chartres, et que ce serait une chose capable de les brouiller. Mme la dauphine lui
960 répondit, en riant, qu'elle était trop prudente, et se retourna vers M. de Nemours. Il était paré pour l'assemblée du soir, et prenant la parole avec cette grâce qui lui était si naturelle :

« Je crois, Madame, dit-il, que je puis penser, sans témérité, que vous parliez de moi quand je suis entré, que vous aviez
965 dessein de me demander quelque chose, et que Mme de Clèves s'y oppose.

— Il est vrai, répondit Mme la dauphine, mais je n'aurai pas pour elle la complaisance que j'ai accoutumé d'avoir. Je veux savoir de vous si une histoire que l'on m'a contée est véritable,
970 et si vous n'êtes pas celui qui êtes amoureux et aimé d'une femme de la cour qui vous cache sa passion avec soin, et qui l'a avouée à son mari. »

Le trouble et l'embarras de Mme de Clèves étaient au-delà de tout ce que l'on peut s'imaginer, et si la mort se fût présentée pour la tirer de cet état, elle l'aurait trouvée agréable. Mais M. de Nemours était encore plus embarrassé, s'il est possible. Le discours de Mme la dauphine, dont il avait eu lieu de croire qu'il n'était pas haï, en présence de Mme de Clèves, qui était la personne de la cour en qui elle avait le plus de confiance, et qui en avait aussi le plus en elle, lui donnait une si grande confusion de pensées bizarres, qu'il lui fut impossible d'être maître de son visage. L'embarras où il voyait Mme de Clèves par sa faute, et la pensée du juste sujet qu'il lui donnait de le haïr, lui causa un saisissement qui ne lui permit pas de répondre. Mme la dauphine voyant à quel point il était interdit :

« Regardez-le, regardez-le, dit-elle à Mme de Clèves, et jugez si cette aventure n'est pas la sienne. »

Cependant, M. de Nemours, revenant de son premier trouble, et voyant l'importance de sortir d'un pas si dangereux, se rendit maître tout d'un coup de son esprit et de son visage.

« J'avoue, Madame, dit-il, que l'on ne peut être plus surpris et plus affligé que je le suis de l'infidélité que m'a faite le vidame de Chartres, en racontant l'aventure d'un de mes amis que je lui avais confiée. Je pourrais m'en venger, continua-t-il en souriant, avec un air tranquille qui ôta quasi à Mme la dauphine les soupçons qu'elle venait d'avoir. Il m'a confié des choses qui ne sont pas d'une médiocre importance. Mais, je ne sais, Madame, poursuivit-il, pourquoi vous me faites l'honneur de me mêler à cette aventure. Le vidame ne peut pas dire qu'elle me regarde, puisque je lui ai dit le contraire. La qualité d'un homme amoureux me peut convenir ; mais, pour celle d'un homme aimé, je ne crois pas, Madame, que vous puissiez me la donner. »

1005 Ce prince fut bien aise de dire quelque chose à Mme la dauphine qui eût du rapport à ce qu'il lui avait fait paraître en d'autres temps, afin de lui détourner l'esprit des pensées qu'elle avait pu avoir. Elle crut bien aussi entendre[1] ce qu'il disait, mais, sans y répondre, elle continua à lui faire la guerre de son embarras.

1010 « J'ai été troublé, Madame, lui répondit-il, pour l'intérêt de mon ami, et par les justes reproches qu'il me pourrait faire d'avoir redit une chose qui lui est plus chère que la vie. Il ne me l'a néanmoins confiée qu'à demi, et il ne m'a pas nommé la personne qu'il aime. Je sais seulement qu'il est l'homme du 1015 monde le plus amoureux et le plus à plaindre.

— Le trouvez-vous si à plaindre, répliqua Mme la dauphine, puisqu'il est aimé ?

— Croyez-vous qu'il le soit, Madame, reprit-il, et qu'une personne qui aurait une véritable passion pût la découvrir à son 1020 mari ? Cette personne ne connaît pas sans doute l'amour, et elle a pris pour lui une légère reconnaissance de l'attachement que l'on a pour elle. Mon ami ne se peut flatter d'aucune espérance ; mais, tout malheureux qu'il est, il se trouve heureux d'avoir du moins donné la peur de l'aimer, et il ne changerait pas son état 1025 contre celui du plus heureux amant du monde.

— Votre ami a une passion bien aisée à satisfaire, dit Mme la dauphine, et je commence à croire que ce n'est pas de vous dont vous parlez. Il ne s'en faut guère, continua-t-elle, que je ne sois de l'avis de Mme de Clèves, qui soutient que cette 1030 aventure ne peut être véritable.

---

1. **Entendre** : comprendre.

— Je ne crois pas en effet qu'elle le puisse être, reprit Mme de Clèves, qui n'avait point encore parlé et, quand il serait possible qu'elle le fût, par où l'aurait-on pu savoir ? Il n'y a pas d'apparence qu'une femme capable d'une chose si extraordinaire eût la faiblesse de la raconter, apparemment son mari ne l'aurait pas racontée non plus, ou ce serait un mari bien indigne du procédé que l'on aurait eu avec lui. »

M. de Nemours, qui vit les soupçons de Mme de Clèves sur son mari, fut bien aise de les lui confirmer. Il savait que c'était le plus redoutable rival qu'il eût à détruire.

« La jalousie, répondit-il, et la curiosité d'en savoir peut-être davantage que l'on ne lui en a dit, peuvent faire faire bien des imprudences à un mari. »

Mme de Clèves était à la dernière épreuve de sa force et de son courage, et, ne pouvant plus soutenir la conversation, elle allait dire qu'elle se trouvait mal, lorsque, par bonheur pour elle, la duchesse de Valentinois entra, qui dit à Mme la dauphine que le roi allait arriver. Cette reine passa dans son cabinet pour s'habiller. M. de Nemours s'approcha de Mme de Clèves, comme elle la voulait suivre.

« Je donnerais ma vie, Madame, lui dit-il, pour vous parler un moment, mais, de tout ce que j'aurais d'important à vous dire, rien ne me le paraît davantage que de vous supplier de croire que, si j'ai dit quelque chose où Mme la dauphine puisse prendre part, je l'ai fait par des raisons qui ne la regardent pas. »

Mme de Clèves ne fit pas semblant d'entendre[1] M. de Nemours ; elle le quitta sans le regarder, et se mit à suivre le roi, qui venait d'entrer. Comme il y avait beaucoup de monde,

---

1. Ne fit pas semblant d'entendre : fit semblant de ne pas comprendre.

elle s'embarrassa dans sa robe, et fit un faux pas, elle se servit
de ce prétexte pour sortir d'un lieu où elle n'avait pas la force
de demeurer, et, feignant de ne se pouvoir soutenir, elle s'en
alla chez elle.

M. de Clèves vint au Louvre et fut étonné de n'y pas trouver
sa femme ; on lui dit l'accident qui lui était arrivé. Il s'en
retourna à l'heure même, pour apprendre de ses nouvelles ; il
la trouva au lit, et il sut que son mal n'était pas considérable.
Quand il eut été quelque temps auprès d'elle, il s'aperçut
qu'elle était dans une tristesse si excessive qu'il en fut surpris.

« Qu'avez-vous, Madame, lui dit-il ? Il me paraît que vous
avez quelque autre douleur que celle dont vous vous plaignez.

— J'ai la plus sensible affliction que je pouvais jamais avoir,
répondit-elle. Quel usage avez-vous fait de la confiance
extraordinaire ou, pour mieux dire folle, que j'ai eue en vous ?
Ne méritais-je pas le secret ? Et, quand je ne l'aurais pas
mérité, votre propre intérêt ne vous y engageait-il pas ?
Fallait-il que la curiosité de savoir un nom que je ne dois pas
vous dire vous obligeât à vous confier à quelqu'un pour tâcher
de le découvrir ? Ce ne peut être que cette seule curiosité qui
vous ait fait faire une si cruelle imprudence. Les suites en sont
aussi fâcheuses qu'elles pouvaient l'être. Cette aventure est
sue, et on me la vient de conter, ne sachant pas que j'y eusse
le principal intérêt.

— Que me dites-vous, Madame ? lui répondit-il. Vous
m'accusez d'avoir conté ce qui s'est passé entre vous et moi,
et vous m'apprenez que la chose est sue. Je ne me justifie pas
de l'avoir redite, vous ne le sauriez croire, et il faut, sans
doute, que vous ayez pris pour vous ce que l'on vous a dit de
quelque autre.

— Ah! Monsieur, reprit-elle, il n'y a pas dans le monde une
autre aventure pareille à la mienne, il n'y a point une autre
femme capable de la même chose. Le hasard ne peut l'avoir
fait inventer, on ne l'a jamais imaginée, et cette pensée n'est
jamais tombée dans un autre esprit que le mien. Mme la
dauphine vient de me conter toute cette aventure ; elle l'a sue
par le vidame de Chartres, qui la sait de M. de Nemours.

— M. de Nemours ! s'écria M. de Clèves, avec une action qui
marquait du transport et du désespoir. Quoi ! M. de Nemours
sait que vous l'aimez, et que je le sais !

— Vous voulez toujours choisir M. de Nemours plutôt
qu'un autre, répliqua-t-elle, je vous ai dit que je ne vous répondrai jamais sur vos soupçons. J'ignore si M. de Nemours sait
la part que j'ai dans cette aventure, et celle que vous lui avez
donnée ; mais il l'a contée au vidame de Chartres, et lui a dit
qu'il la savait d'un de ses amis, qui ne lui avait pas nommé la
personne. Il faut que cet ami de M. de Nemours soit des vôtres,
et que vous vous soyez fié à lui pour tâcher de vous éclaircir.

— A-t-on un ami au monde à qui on voulût faire une telle confidence, reprit M. de Clèves, et voudrait-on éclaircir ses soupçons au
prix d'apprendre à quelqu'un ce que l'on souhaiterait de se cacher
à soi-même ? Songez plutôt, Madame, à qui vous avez parlé. Il est
plus vraisemblable que ce soit par vous que par moi que ce secret
soit échappé. Vous n'avez pu soutenir toute seule l'embarras où
vous vous êtes trouvée, et vous avez cherché le soulagement de vous
plaindre avec quelque confidente qui vous a trahie.

— N'achevez point de m'accabler, s'écria-t-elle, et n'ayez
point la dureté de m'accuser d'une faute que vous avez faite.
Pouvez-vous m'en soupçonner, et, puisque j'ai été capable de
vous parler, suis-je capable de parler à quelque autre ? »

L'aveu que Mme de Clèves avait fait à son mari était une si
grande marque de sa sincérité, et elle niait si fortement de s'être
confiée à personne, que M. de Clèves ne savait que penser. D'un
autre côté, il était assuré de n'avoir rien redit ; c'était une chose
que l'on ne pouvait avoir devinée, elle était sue ; ainsi il fallait
que ce fût par l'un des deux, mais ce qui lui causait une douleur
violente, était de savoir que ce secret était entre les mains de
quelqu'un, et qu'apparemment il serait bientôt divulgué.

Mme de Clèves pensait à peu près les mêmes choses, elle
trouvait également impossible que son mari eût parlé, et qu'il
n'eût pas parlé. Ce qu'avait dit M. de Nemours, que la curiosité pouvait faire faire des imprudences à un mari, lui paraissait se rapporter si juste à l'état de M. de Clèves, qu'elle ne
pouvait croire que ce fût une chose que le hasard eût fait dire,
et cette vraisemblance la déterminait à croire que M. de
Clèves avait abusé de la confiance qu'elle avait en lui. Ils
étaient si occupés l'un et l'autre de leurs pensées, qu'ils furent
longtemps sans parler, et ils ne sortirent de ce silence que pour
redire les mêmes choses qu'ils avaient déjà dites plusieurs fois,
et demeurèrent le cœur et l'esprit plus éloignés et plus altérés
qu'ils ne les avaient encore eus.

Il est aisé de s'imaginer en quel état ils passèrent la nuit.
M. de Clèves avait épuisé toute sa constance à soutenir le
malheur de voir une femme qu'il adorait touchée de passion
pour un autre. Il ne lui restait plus de courage, il croyait
même n'en devoir pas trouver dans une chose où sa gloire et
son honneur étaient si vivement blessés. Il ne savait plus que
penser de sa femme ; il ne voyait plus quelle conduite il lui
devait faire prendre, ni comment il se devait conduire lui-
même, et il ne trouvait de tous côtés que des précipices et

des abymes. Enfin, après une agitation et une incertitude très
1150 longues, voyant qu'il devait bientôt s'en aller en Espagne, il
prit le parti de ne rien faire qui pût augmenter les soupçons
ou la connaissance de son malheureux état. Il alla trouver
Mme de Clèves, et lui dit qu'il ne s'agissait pas de démêler
entre eux qui avait manqué au secret, mais qu'il s'agissait de
1155 faire voir que l'histoire que l'on avait contée était une fable où
elle n'avait aucune part, qu'il dépendait d'elle de le persuader
à M. de Nemours et aux autres, qu'elle n'avait qu'à agir avec
lui avec la sévérité et la froideur qu'elle devait avoir pour un
homme qui lui témoignait de l'amour, que, par ce procédé,
1160 elle lui ôterait aisément l'opinion qu'elle eût de l'inclination
pour lui, qu'ainsi, il ne fallait point s'affliger de tout ce qu'il
aurait pu penser, parce que, si dans la suite elle ne faisait
paraître aucune faiblesse, toutes ses pensées se détruiraient
aisément, et que, surtout, il fallait qu'elle allât au Louvre et
1165 aux assemblées, comme à l'ordinaire.

Après ces paroles, M. de Clèves quitta sa femme, sans
attendre sa réponse. Elle trouva beaucoup de raison dans tout
ce qu'il lui dit, et la colère où elle était contre M. de Nemours
lui fit croire qu'elle trouverait aussi beaucoup de facilité à
1170 l'exécuter, mais il lui parut difficile de se trouver à toutes les
cérémonies du mariage, et d'y paraître avec un visage tranquille et un esprit libre. Néanmoins, comme elle devait porter
la robe de Mme la dauphine, et que c'était une chose où elle
avait été préférée à plusieurs autres princesses, il n'y avait pas
1175 moyen d'y renoncer, sans faire beaucoup de bruit, et sans en
faire chercher des raisons. Elle se résolut donc de faire un effort
sur elle-même, mais elle prit le reste du jour pour s'y préparer,
et pour s'abandonner à tous les sentiments dont elle était

agitée. Elle s'enferma seule dans son cabinet. De tous ses maux celui qui se présentait à elle avec le plus de violence, était d'avoir sujet de se plaindre de M. de Nemours et de ne trouver aucun moyen de le justifier. Elle ne pouvait douter qu'il n'eût conté cette aventure au vidame de Chartres ; il l'avait avoué, et elle ne pouvait douter aussi, par la manière dont il avait parlé, qu'il ne sût que l'aventure la regardait. Comment excuser une si grande imprudence, et qu'était devenue l'extrême discrétion de ce prince, dont elle avait été si touchée ?

Il a été discret, disait-elle, tant qu'il a cru être malheureux, mais une pensée d'un bonheur, même incertain, a fini sa discrétion. Il n'a pu s'imaginer qu'il était aimé, sans vouloir qu'on le sût. Il a dit tout ce qu'il pouvait dire, je n'ai pas avoué que c'était lui que j'aimais, il l'a soupçonné, et il a laissé voir ses soupçons. S'il eût eu des certitudes, il en aurait usé de la même sorte. J'ai eu tort de croire qu'il y eût un homme capable de cacher ce qui flatte sa gloire. C'est pourtant pour cet homme que j'ai cru si différent du reste des hommes, que je me trouve comme les autres femmes, étant si éloignée de leur ressembler. J'ai perdu le cœur et l'estime d'un mari qui devait faire ma félicité : je serai bientôt regardée de tout le monde comme une personne qui a une folle et violente passion. Celui pour qui je l'ai ne l'ignore plus, et c'est pour éviter ces malheurs que j'ai hasardé[1] tout mon repos et même ma vie.

Ces tristes réflexions étaient suivies d'un torrent de larmes : mais quelque douleur dont elle se trouvât accablée, elle sentait bien qu'elle aurait eu la force de les supporter, si elle avait été satisfaite de M. de Nemours.

---

1. **J'ai hasardé** : j'ai risqué.

Ce prince n'était pas dans un état plus tranquille. L'imprudence qu'il avait faite d'avoir parlé au vidame de Chartres et les cruelles suites de cette imprudence lui donnaient un déplaisir mortel. Il ne pouvait se représenter, sans être accablé, l'embarras, le trouble et l'affliction où il avait vu Mme de Clèves. Il était inconsolable de lui avoir dit des choses sur cette aventure, qui, bien que galantes par elles-mêmes, lui paraissaient dans ce moment grossières et peu polies, puisqu'elles avaient fait entendre[1] à Mme de Clèves qu'il n'ignorait pas qu'elle était cette femme qui avait une passion violente, et qu'il était celui pour qui elle l'avait. Tout ce qu'il eût pu souhaiter, eût été une conversation avec elle ; mais il trouvait qu'il la devait craindre plutôt que de la désirer.

Qu'aurais-je à lui dire, s'écriait-il ? Irai-je encore lui montrer ce que je ne lui ai déjà que trop fait connaître ? Lui ferai-je voir que je sais qu'elle m'aime, moi qui n'ai jamais seulement osé lui dire que je l'aimais ? Commencerai-je à lui parler ouvertement de ma passion, afin de lui paraître un homme devenu hardi par des espérances ? Puis-je penser seulement à l'approcher, et oserais-je lui donner l'embarras de soutenir ma vue ? Par où pourrais-je me justifier ? Je n'ai point d'excuse, je suis indigne d'être regardé de Mme de Clèves, et je n'espère pas aussi qu'elle me regarde jamais. Je lui ai donné, par ma faute, de meilleurs moyens pour se défendre contre moi que tous ceux qu'elle cherchait, et qu'elle eût peut-être cherchés inutilement. Je perds, par mon imprudence, le bonheur et la gloire d'être aimé de la plus aimable et de la plus estimable personne du monde, mais si j'avais perdu

---

1. Entendre : comprendre.

1235 ce bonheur sans qu'elle en eût souffert, et sans lui avoir donné une douleur mortelle, ce me serait une consolation, et je sens plus dans ce moment le mal que je lui ai fait, que celui que je me suis fait auprès d'elle.

M. de Nemours fut longtemps à s'affliger et à penser les
1240 mêmes choses. L'envie de parler à Mme de Clèves lui venait toujours dans l'esprit. Il songea à en trouver les moyens, il pensa à lui écrire, mais enfin, il trouva qu'après la faute qu'il avait faite, et de l'humeur dont elle était, le mieux qu'il pût faire était de lui témoigner un profond respect, par son affliction et par
1245 son silence, de lui faire voir même qu'il n'osait se présenter devant elle, et d'attendre ce que le temps, le hasard et l'inclination qu'elle avait pour lui pourraient faire en sa faveur. Il résolut aussi de ne point faire de reproches au vidame de Chartres de l'infidélité qu'il lui avait faite, de peur de fortifier ses soupçons.

1250 Les fiançailles de Madame, qui se faisaient le lendemain, et le mariage, qui se faisait le jour suivant, occupaient tellement toute la cour, que Mme de Clèves et M. de Nemours cachèrent aisément au public leur tristesse et leur trouble. Mme la dauphine ne parla même qu'en passant à Mme de Clèves de la
1255 conversation qu'elles avaient eue avec M. de Nemours, et M. de Clèves affecta de ne plus parler à sa femme de tout ce qui s'était passé, de sorte qu'elle ne se trouva pas dans un aussi grand embarras qu'elle l'avait imaginé.

Les fiançailles se firent au Louvre, et, après le festin et le bal,
1260 toute la maison royale alla coucher à l'Évêché, comme c'était la coutume. Le matin, le duc d'Albe, qui n'était jamais vêtu que fort simplement, mit un habit de drap d'or, mêlé de couleur de feu, de jaune et de noir, tout couvert de pierreries, et il avait une couronne fermée sur la tête. Le prince d'Orange,

1265 habillé aussi magnifiquement, avec ses livrées, et tous les
Espagnols suivis des leurs, vinrent prendre le duc d'Albe à
l'hôtel de Villeroy, où il était logé, et partirent, marchant
quatre à quatre, pour venir à l'Évêché. Sitôt qu'il fut arrivé,
on alla par ordre à l'église ; le roi menait Madame, qui avait
1270 aussi une couronne fermée, et sa robe portée par Mlles de
Montpensier[1] et de Longueville[2]. La reine marchait ensuite,
mais sans couronne. Après elle, venait la reine dauphine,
Madame, sœur du roi, Mme de Lorraine, et la reine de Navarre,
leurs robes portées par des princesses. Les reines et les prin-
1275 cesses avaient toutes leurs filles magnifiquement habillées des
mêmes couleurs qu'elles étaient vêtues, en sorte que l'on
connaissait à qui étaient les filles par la couleur de leurs habits.
On monta sur l'échafaud qui était préparé dans l'église, et l'on
fit la cérémonie des mariages. On retourna ensuite dîner à
1280 l'Évêché ; et, sur les cinq heures, on en partit pour aller au
palais, où se faisait le festin, et où le parlement, les cours souve-
raines et la maison de ville étaient priées d'assister. Le roi, les
reines, les princes et princesses mangèrent sur la table de
marbre dans la grande salle du palais, le duc d'Albe assis auprès
1285 de la nouvelle reine d'Espagne. Au-dessous des degrés[3] de la
table de marbre, et à la main droite du roi, était une table pour
les ambassadeurs, les archevêques et les chevaliers de l'ordre[4],
et de l'autre côté une table pour messieurs du parlement.

---

1. Mlle de Montpensier : Anne de Bourbon (1540-1572) est la deuxième fille
du duc de Montpensier.

2. Mlle de Longueville : Françoise d'Orléans (1549-1601) est la seconde épouse
du prince protestant Louis de Condé.

3. Degrés : escaliers.

4. Il s'agit de l'ordre de Saint-Michel.

Le duc de Guise, vêtu d'une robe de drap d'or frisé, servait
1290 le roi[3] de grand-maître[1] ; M. le prince de Condé, de panetier[2] ;
et le duc de Nemours, d'échanson[3]. Après que les tables furent
levées, le bal commença, il fut interrompu par des ballets et
par des machines[4] extraordinaires. On le reprit ensuite, et
enfin, après minuit, le roi et toute la cour s'en retournèrent au
1295 Louvre. Quelque triste que fût Mme de Clèves, elle ne laissa
pas[5] de paraître aux yeux de tout le monde, et surtout aux yeux
de M. de Nemours, d'une beauté incomparable. Il n'osa lui
parler, quoique l'embarras de cette cérémonie lui en donnât
plusieurs moyens, mais il lui fit voir tant de tristesse et une
1300 crainte si respectueuse de l'approcher, qu'elle ne le trouva plus
si coupable, quoiqu'il ne lui eût rien dit pour se justifier. Il eut
la même conduite les jours suivants, et cette conduite fit aussi
le même effet sur le cœur de Mme de Clèves.

Enfin, le jour du tournoi arriva. Les reines se rendirent dans
1305 les galeries et sur les échafauds[6] qui leur avaient été destinés.
Les quatre tenants parurent au bout de la lice, avec une quantité de chevaux et de livrées qui faisaient le plus magnifique
spectacle qui eût jamais paru en France.

Le roi n'avait point d'autres couleurs que le blanc et le noir[7],
1310 qu'il portait toujours à cause de Mme de Valentinois qui était
veuve. M. de Ferrare et toute sa suite avaient du jaune et du rouge.

---

1. **Grand-maître** : serveur.
2. **Panetier** : préposé au pain.
3. **Échanson** : préposé aux boissons.
4. **Machines** : spectacles.
5. **Elle ne laissa pas** : elle ne manqua pas.
6. **Échafauds** : estrades.
7. Ce sont les couleurs de Diane de Poitiers.

M. de Guise parut avec de l'incarnat[1] et du blanc ; on ne savait d'abord par quelle raison il avait ces couleurs, mais on se souvint que c'étaient celles d'une belle personne qu'il avait aimée pendant qu'elle était fille, et qu'il aimait encore, quoiqu'il n'osât plus le lui faire paraître. M. de Nemours avait du jaune et du noir, on en chercha inutilement la raison. Mme de Clèves n'eut pas de peine à la deviner : elle se souvint d'avoir dit devant lui qu'elle aimait le jaune, et qu'elle était fâchée d'être blonde, parce qu'elle n'en pouvait mettre. Ce prince crut pouvoir paraître avec cette couleur, sans indiscrétion, puisque Mme de Clèves n'en mettant point, on ne pouvait soupçonner que ce fût la sienne.

Jamais on n'a fait voir tant d'adresse que les quatre tenants en firent paraître. Quoique le roi fût le meilleur homme de cheval de son royaume, on ne savait à qui donner l'avantage. M. de Nemours avait un agrément[2] dans toutes ses actions qui pouvait faire pencher en sa faveur des personnes moins intéressées que Mme de Clèves. Sitôt qu'elle le vit paraître au bout de la lice, elle sentit une émotion extraordinaire et, à toutes les courses de ce prince, elle avait de la peine à cacher sa joie, lorsqu'il avait heureusement fourni sa carrière[3].

Sur le soir, comme tout était presque fini, et que l'on était près de se retirer, le malheur de l'État fit que le roi voulut encore rompre une lance[4]. Il manda au comte de Montgomery[5], qui

---

1. Incarnat : rouge clair et vif.

2. Agrément : grâce.

3. Lorsqu'il avait heureusement fourni sa carrière : lorsqu'il avait bien combattu.

4. Rompre une lance : se battre à nouveau.

5. Comte de Montgomery : Gabriel de Lorges, comte de Montgomery (1530-1574), était un brillant militaire, qui combattit par la suite du côté protestant, pendant les guerres de Religion.

1335 était extrêmement adroit, qu'il se mît sur la lice. Le comte
supplia le roi de l'en dispenser, et allégua toutes les excuses dont
il put s'aviser, mais le roi, quasi en colère, lui fit dire qu'il le
voulait absolument. La reine manda au roi qu'elle le conjurait
de ne plus courir, qu'il avait si bien fait qu'il devait être content,
1340 et qu'elle le suppliait de revenir auprès d'elle. Il répondit que
c'était pour l'amour d'elle qu'il allait courir encore, et entra
dans la barrière. Elle lui renvoya M. de Savoie pour le prier une
seconde fois de revenir, mais tout fut inutile. Il courut, les
lances se brisèrent, et un éclat de celle du comte de Montgomery
1345 lui donna dans l'œil et y demeura. Ce prince tomba du coup ;
ses écuyers et M. de Montmorency, qui était un des maréchaux
de camp, coururent à lui. Ils furent étonnés de le voir si blessé,
mais le roi ne s'étonna point. Il dit que c'était peu de chose, et
qu'il pardonnait au comte de Montgomery. On peut juger quel
1350 trouble et quelle affliction apporta un accident si funeste dans
une journée destinée à la joie. Sitôt que l'on eut porté le roi dans
son lit, et que les chirurgiens eurent visité sa plaie, ils la trouvèrent très considérable. M. le connétable se souvint dans ce
moment de la prédiction que l'on avait faite au roi[1], qu'il serait
1355 tué dans un combat singulier, et il ne douta point que la prédiction ne fût accomplie.

Le roi d'Espagne, qui était alors à Bruxelles, étant averti de
cet accident, envoya son médecin[2], qui était un homme d'une
grande réputation, mais il jugea le roi sans espérance.

1360 Une cour aussi partagée et aussi remplie d'intérêts opposés
n'était pas dans une médiocre agitation à la veille d'un si

---

1. Un astrologue avait prédit au roi qu'il mourrait en duel (tome II, p. 85).
2. Ambroise Paré était le médecin ordinaire de Henri II. Celui de Philippe II
était Andreas Vesalius, grand anatomiste de la Renaissance.

grand événement, néanmoins, tous les mouvements étaient cachés, et l'on ne paraissait occupé que de l'unique inquiétude de la santé du roi. Les reines, les princes et les princesses ne sortaient presque point de son antichambre.

Mme de Clèves, sachant qu'elle était obligée d'y être, qu'elle y verrait M. de Nemours, qu'elle ne pourrait cacher à son mari l'embarras que lui causait cette vue, connaissant aussi que la seule présence de ce prince le justifiait à ses yeux, et détruisait toutes ses résolutions, prit le parti de feindre d'être malade. La cour était trop occupée pour avoir de l'attention à sa conduite et pour démêler si son mal était faux ou véritable. Son mari seul pouvait en connaître la vérité, mais elle n'était pas fâchée qu'il la connût. Ainsi elle demeura chez elle, peu occupée du grand changement qui se préparait, et, remplie de ses propres pensées, elle avait toute la liberté de s'y abandonner. Tout le monde était chez le roi. M. de Clèves venait à de certaines heures lui en dire des nouvelles. Il conservait avec elle le même procédé qu'il avait toujours eu, hors que[1], quand ils étaient seuls, il y avait quelque chose d'un peu plus froid et de moins libre. Il ne lui avait point reparlé de tout ce qui s'était passé ; et elle n'avait pas eu la force, et n'avait pas même jugé à propos de reprendre cette conversation.

M. de Nemours, qui s'était attendu à trouver quelques moments à parler à Mme de Clèves, fut bien surpris et bien affligé de n'avoir pas seulement le plaisir de la voir. Le mal du roi se trouva si considérable que le septième jour il fut désespéré des médecins. Il reçut la certitude de sa mort avec une fermeté extraordinaire, et d'autant plus admirable qu'il perdait

---

1. Hors que : hormis que.

1390 la vie par un accident si malheureux, qu'il mourait à la fleur de son âge, heureux, adoré de ses peuples, et aimé d'une maîtresse qu'il aimait éperdument. La veille de sa mort, il fit faire le mariage de Madame, sa sœur, avec M. de Savoie, sans cérémonie. L'on peut juger en quel état était la duchesse de
1395 Valentinois. La reine ne permit point qu'elle vît le roi, et lui envoya demander les cachets[1] de ce prince, et les pierreries de la couronne qu'elle avait en garde. Cette duchesse s'enquit si le roi était mort; et, comme on lui eut répondu que non :

« Je n'ai donc point encore de maître, répondit-elle, et
1400 personne ne peut m'obliger à rendre ce que sa confiance m'a mis entre les mains. »

Sitôt qu'il fut expiré[2] au château des Tournelles, le duc de Ferrare, le duc de Guise et le duc de Nemours conduisirent au Louvre la reine mère, le roi et la reine sa femme[3]. M. de
1405 Nemours menait la reine mère. Comme ils commençaient à marcher, elle se recula de quelques pas et dit à la reine, sa belle-fille, que c'était à elle à passer la première[4] ; mais il fut aisé de voir qu'il y avait plus d'aigreur que de bienséance dans ce compliment.

FIN DU TROISIÈME TOME

---

1. Cachets : sceaux.

2. Henri II mourut le 10 juillet 1559.

3. La reine mère, le roi et la reine sa femme : il s'agit de Catherine de Médicis, de François II et de Marie Stuart.

4. Dès que le roi meurt, son successeur devient roi. Catherine de Médicis doit par conséquent céder la place de reine à la femme de François II, Marie Stuart.

Tome quatrième

Le cardinal de Lorraine s'était rendu maître absolu de l'esprit de la reine mère, le vidame de Chartres n'avait plus aucune part dans ses bonnes grâces, et l'amour qu'il avait pour Mme de Martigues et pour la liberté l'avait même empêché
5 de sentir cette perte autant qu'elle méritait d'être sentie. Ce cardinal, pendant les dix jours de la maladie du roi, avait eu le loisir de former ses desseins, et de faire prendre à la reine des résolutions conformes à ce qu'il avait projeté, de sorte que, sitôt que le roi fut mort, la reine ordonna au connétable[1] de
10 demeurer aux Tournelles auprès du corps du feu roi pour faire les cérémonies ordinaires. Cette commission l'éloignait de tout et lui ôtait la liberté d'agir. Il envoya un courrier au roi de Navarre pour le faire venir en diligence, afin de s'opposer ensemble à la grande élévation où il voyait que messieurs
15 de Guise allaient parvenir. On donna le commandement des armées au duc de Guise, et les finances au cardinal de Lorraine. La duchesse de Valentinois fut chassée de la cour ; on fit revenir le cardinal de Tournon, ennemi déclaré du conné-table, et le chancelier Olivier, ennemi déclaré de la duchesse
20 de Valentinois. Enfin la cour changea entièrement de face. Le duc de Guise prit le même rang que les princes du sang à porter le manteau du roi aux cérémonies des funérailles ; lui

---

1. Il s'agit du connétable de Montmorency.

et ses frères furent entièrement les maîtres, non seulement
par le crédit du cardinal sur l'esprit de la reine, mais parce
que cette princesse crut qu'elle pourrait les éloigner s'ils lui
donnaient de l'ombrage, et qu'elle ne pourrait éloigner le
connétable, qui était appuyé des princes du sang.

Lorsque les cérémonies du deuil furent achevées, le connétable vint au Louvre et fut reçu du roi avec beaucoup de froideur. Il voulut lui parler en particulier, mais le roi appela
messieurs de Guise, et lui dit devant eux qu'il lui conseillait
de se reposer; que les finances et le commandement des
armées étaient donnés; et que, lorsqu'il aurait besoin de ses
conseils, il l'appellerait auprès de sa personne. Il fut reçu de la
reine mère[1] encore plus froidement que du roi, et elle lui fit
même des reproches de ce qu'il avait dit au feu roi que ses
enfants ne lui ressemblaient point. Le roi de Navarre arriva et
ne fut pas mieux reçu. Le prince de Condé, moins endurant
que son frère, se plaignit hautement, ses plaintes furent
inutiles, on l'éloigna de la cour sous le prétexte de l'envoyer
en Flandre signer la ratification de la paix. On fit voir au roi
de Navarre une fausse lettre du roi d'Espagne qui l'accusait
de faire des entreprises sur ses places, on lui fit craindre pour
ses terres, enfin on lui inspira le dessein de s'en aller en Béarn.
La reine lui en fournit un moyen en lui donnant la conduite
de Mme Élisabeth, et l'obligea même à partir devant[2] cette
princesse, et ainsi il ne demeura personne à la cour qui pût
balancer[3] le pouvoir de la maison de Guise.

---

1. Catherine de Médicis est désormais la reine mère.
2. Devant: avant.
3. Balancer: menacer.

Quoique ce fût une chose fâcheuse pour M. de Clèves de ne
50   pas conduire Mme Élisabeth, néanmoins il ne put s'en
plaindre par la grandeur de celui qu'on lui préférait, mais il
regrettait moins cet emploi par l'honneur qu'il en eût reçu
que parce que c'était une chose qui éloignait sa femme de la
cour sans qu'il parût qu'il eût dessein de l'en éloigner.

55   Peu de jours après la mort du roi, on résolut d'aller à Reims
pour le sacre[1]. Sitôt qu'on parla de ce voyage, Mme de Clèves,
qui avait toujours demeuré chez elle, feignant d'être malade,
pria son mari de trouver bon qu'elle ne suivît point la cour et
qu'elle s'en allât à Coulommiers prendre l'air et songer à sa
60   santé. Il lui répondit qu'il ne voulait point pénétrer si c'était
la raison de sa santé qui l'obligeait à ne pas faire le voyage,
mais qu'il consentait qu'elle ne le fît point. Il n'eut pas de
peine à consentir à une chose qu'il avait déjà résolue. Quelque
bonne opinion qu'il eût de la vertu de sa femme, il voyait bien
65   que la prudence ne voulait pas qu'il l'exposât plus longtemps
à la vue d'un homme qu'elle aimait.

M. de Nemours sut bientôt que Mme de Clèves ne devait
pas suivre la cour, il ne put se résoudre à partir sans la voir ;
et, la veille du départ, il alla chez elle aussi tard que la bien-
70   séance le pouvait permettre afin de la trouver seule. La fortune
favorisa son intention. Comme il entra dans la cour, il trouva
Mme de Nevers et Mme de Martigues qui en sortaient, et qui
lui dirent qu'elles l'avaient laissée seule. Il monta avec une
agitation et un trouble qui ne se peut comparer qu'à celui
75   qu'eut Mme de Clèves, quand on lui dit que M. de Nemours
venait pour la voir. La crainte qu'elle eut qu'il ne lui parlât de

---

1. François II fut sacré le 21 septembre 1559.

sa passion, l'appréhension de lui répondre trop favorablement, l'inquiétude que cette visite pouvait donner à son mari, la peine de lui en rendre compte ou de lui cacher toutes ces

80 choses se présentèrent en un moment à son esprit, et lui firent un si grand embarras qu'elle prit la résolution d'éviter la chose du monde qu'elle souhaitait peut-être le plus. Elle envoya une de ses femmes à M. de Nemours, qui était dans son anti-chambre, pour lui dire qu'elle venait de se trouver mal et

85 qu'elle était bien fâchée de ne pouvoir recevoir l'honneur qu'il lui voulait faire. Quelle douleur pour ce prince de ne pas voir Mme de Clèves et de ne la pas voir parce qu'elle ne voulait pas qu'il la vît! Il s'en allait le lendemain, il n'avait plus rien à espérer du hasard. Il ne lui avait rien dit depuis cette conver-

90 sation de chez Mme la dauphine, et il avait lieu de croire que la faute d'avoir parlé au vidame avait détruit toutes ses espé-rances, enfin, il s'en allait avec tout ce qui peut aigrir une vive douleur.

Sitôt que Mme de Clèves fut un peu remise du trouble que

95 lui avait donné la pensée de la visite de ce prince, toutes les raisons qui la lui avaient fait refuser disparurent ; elle trouva même qu'elle avait fait une faute ; et, si elle eût osé, ou qu'il eût encore été assez à temps, elle l'aurait fait rappeler.

Mesdames de Nevers et de Martigues, en sortant de chez

100 elle, allèrent chez la reine dauphine ; M. de Clèves y était. Cette princesse leur demanda d'où elles venaient ; elles lui dirent qu'elles venaient de chez M. de Clèves, où elles avaient passé une partie de l'après-dînée avec beaucoup de monde, et qu'elles n'y avaient laissé que M. de Nemours. Ces paroles,

105 qu'elles croyaient si indifférentes, ne l'étaient pas pour M. de Clèves, quoiqu'il dût bien s'imaginer que M. de Nemours

pouvait trouver souvent des occasions de parler à sa femme. Néanmoins, la pensée qu'il était chez elle, qu'il y était seul, et qu'il lui pouvait parler de son amour, lui parut dans ce
110 moment une chose si nouvelle et si insupportable que la jalousie s'alluma dans son cœur avec plus de violence qu'elle n'avait encore fait. Il lui fut impossible de demeurer chez la reine, il s'en revint, ne sachant pas même pourquoi il revenait, et s'il avait dessein d'aller interrompre M. de Nemours. Sitôt
115 qu'il approcha de chez lui, il regarda s'il ne verrait rien qui lui pût faire juger si ce prince y était encore, il sentit du soulagement en voyant qu'il n'y était plus, et il trouva de la douceur à penser qu'il ne pouvait y avoir demeuré longtemps. Il s'imagina que ce n'était peut-être pas M. de Nemours dont il devait
120 être jaloux et, quoiqu'il n'en doutât point, il cherchait à en douter, mais tant de choses l'en auraient persuadé qu'il ne demeurait pas longtemps dans cette incertitude qu'il désirait. Il alla d'abord dans la chambre de sa femme ; et, après lui avoir parlé quelque temps de choses indifférentes, il ne
125 put s'empêcher de lui demander ce qu'elle avait fait, et qui elle avait vu ; elle lui en rendit compte. Comme il vit qu'elle ne lui nommait point M. de Nemours, il lui demanda en tremblant si c'était tout ce qu'elle avait vu, afin de lui donner lieu de nommer ce prince, et de n'avoir pas la douleur qu'elle
130 lui en fît une finesse. Comme elle ne l'avait point vu, elle ne le lui nomma point, et M. de Clèves reprenant la parole avec un ton qui marquait son affliction :

« Et M. de Nemours, lui dit-il, ne l'avez-vous point vu ou l'avez-vous oublié ?

135 — Je ne l'ai point vu, en effet, répondit-elle, je me trouvais mal et j'ai envoyé une de mes femmes lui faire des excuses.

— Vous ne vous trouviez donc mal que pour lui, reprit M. de Clèves, puisque vous avez vu tout le monde ? Pourquoi des distinctions pour M. de Nemours ? Pourquoi ne vous est-il pas comme un autre ? Pourquoi faut-il que vous craigniez sa vue ? Pourquoi lui laissez-vous voir que vous la craignez ? Pourquoi lui faites-vous connaître que vous vous servez du pouvoir que sa passion vous donne sur lui ? Oseriez-vous refuser de le voir si vous ne saviez bien qu'il distingue vos rigueurs de l'incivilité ? Mais pourquoi faut-il que vous ayez des rigueurs pour lui ? D'une personne comme vous, Madame, tout est des faveurs hors l'indifférence.

— Je ne croyais pas, reprit Mme de Clèves, quelque soupçon que vous ayez sur M. de Nemours, que vous pussiez me faire des reproches de ne l'avoir pas vu.

— Je vous en fais pourtant, Madame, répliqua-t-il, et ils sont bien fondés. Pourquoi ne le pas voir s'il ne vous a rien dit ? Mais, Madame, il vous a parlé ; si son silence seul vous avait témoigné sa passion, elle n'aurait pas fait en vous une si grande impression. Vous n'avez pu me dire la vérité tout entière, vous m'en avez caché la plus grande partie, vous vous êtes repentie même du peu que vous m'avez avoué et vous n'avez pas eu la force de continuer. Je suis plus malheureux que je ne l'ai cru et je suis le plus malheureux de tous les hommes. Vous êtes ma femme, je vous aime comme ma maîtresse et je vous en vois aimer un autre ! Cet autre est le plus aimable de la cour, et il vous voit tous les jours, il sait que vous l'aimez. Et j'ai pu croire, s'écria-t-il, que vous surmonteriez la passion que vous avez pour lui ! Il faut que j'aie perdu la raison, pour avoir cru qu'il fût possible.

— Je ne sais, reprit tristement Mme de Clèves, si vous avez eu tort de juger favorablement d'un procédé aussi extraordinaire que le mien, mais je ne sais si je ne me suis trompée d'avoir cru que vous me feriez justice ?

— N'en doutez pas, Madame, répliqua M. de Clèves, vous vous êtes trompée, vous avez attendu de moi des choses aussi impossibles que celles que j'attendais de vous. Comment pouviez-vous espérer que je conservasse de la raison ? Vous aviez donc oublié que je vous aimais éperdument et que j'étais votre mari ? L'un des deux peut porter aux extrémités, que ne peuvent point les deux ensemble ? Eh ! Que ne sont-ils point aussi ! continua-t-il. Je n'ai que des sentiments violents et incertains dont je ne suis pas le maître. Je ne me trouve plus digne de vous, vous ne me paraissez plus digne de moi. Je vous adore, je vous hais, je vous offense, je vous demande pardon, je vous admire, j'ai honte de vous admirer. Enfin, il n'y a plus en moi ni de calme ni de raison. Je ne sais comment j'ai pu vivre depuis que vous me parlâtes à Coulommiers, et depuis le jour que vous apprîtes de Mme la dauphine que l'on savait votre aventure. Je ne saurais démêler par où elle a été sue, ni ce qui se passa entre M. de Nemours et vous sur ce sujet : vous ne me l'expliquerez jamais, et je ne vous demande point de me l'expliquer. Je vous demande seulement de vous souvenir que vous m'avez rendu le plus malheureux homme du monde. »

M. de Clèves sortit de chez sa femme après ces paroles, et partit le lendemain sans la voir, mais il lui écrivit une lettre pleine d'affliction, d'honnêteté et de douceur. Elle y fit une réponse si touchante et si remplie d'assurances de sa conduite passée[1], et de celle qu'elle aurait à l'avenir que, comme ses assurances étaient fondées sur la vérité, et que c'était en effet

---

1. Si remplie d'assurances de sa conduite passée : où elle proclamait avec tant d'assurance sa bonne conduite passée.

195 ses sentiments, cette lettre fit de l'impression sur M. de Clèves, et lui donna quelque calme ; joint que[1] M. de Nemours allant trouver le roi, aussi bien que lui, il avait le repos de savoir qu'il ne serait pas au même lieu que Mme de Clèves. Toutes les fois que cette princesse parlait à son mari, la passion qu'il lui

200 témoignait, l'honnêteté de son procédé, l'amitié qu'elle avait pour lui, et ce qu'elle lui devait, faisaient des impressions dans son cœur qui affaiblissaient l'idée de M. de Nemours, mais ce n'était que pour quelque temps, et cette idée revenait bientôt plus vive et plus présente qu'auparavant.

205 Les premiers jours du départ de ce prince, elle ne sentit quasi pas son absence ; ensuite elle lui parut cruelle. Depuis qu'elle l'aimait, il ne s'était point passé de jour qu'elle n'eût craint ou espéré de le rencontrer, et elle trouva une grande peine à penser qu'il n'était plus au pouvoir du hasard de faire

210 qu'elle le rencontrât.

Elle s'en alla à Coulommiers, et, en y allant, elle eut soin d'y faire porter de grands tableaux qu'elle avait fait copier sur des originaux qu'avait fait faire Mme de Valentinois pour sa belle maison d'Anet. Toutes les actions remarquables qui

215 s'étaient passées du règne du roi étaient dans ces tableaux. Il y avait entre autres le siège de Metz[2], et tous ceux qui s'y étaient distingués étaient peints fort ressemblants. M. de Nemours était de ce nombre, et c'était peut-être ce qui avait donné envie à Mme de Clèves d'avoir ces tableaux.

220 Mme de Martigues, qui n'avait pu partir avec la cour, lui promit d'aller passer quelques jours à Coulommiers. La faveur

---

1. Joint que : en outre.
2. Lors du siège de Metz (1552), le chevalier de Guise dirigea les armées de Henri II contre celles de Charles Quint.

de la reine qu'elles partageaient ne leur avait point donné d'envie[1] ni d'éloignement l'une de l'autre ; elles étaient amies, sans néanmoins se confier leurs sentiments. Mme de Clèves

225 savait que Mme de Martigues aimait le vidame ; mais Mme de Martigues ne savait pas que Mme de Clèves aimât M. de Nemours, ni qu'elle en fût aimée. La qualité de nièce du vidame rendait Mme de Clèves plus chère à Mme de Martigues, et Mme de Clèves l'aimait aussi comme une

230 personne qui avait une passion aussi bien qu'elle, et qui l'avait pour l'ami intime de son amant[2].

Mme de Martigues vint à Coulommiers, comme elle l'avait promis à Mme de Clèves, elle la trouva dans une vie fort solitaire. Cette princesse avait même cherché le moyen d'être

235 dans une solitude entière, et de passer les soirs dans les jardins, sans être accompagnée de ses domestiques. Elle venait dans ce pavillon où M. de Nemours l'avait écoutée, elle entrait dans le cabinet qui était ouvert sur le jardin. Ses femmes et ses domestiques demeuraient dans l'autre cabinet ou sous le

240 pavillon, et ne venaient point à elle qu'elle ne les appelât. Mme de Martigues n'avait jamais vu Coulommiers : elle fut surprise de toutes les beautés qu'elle y trouva, et surtout de l'agrément[3] de ce pavillon. Mme de Clèves et elle y passaient tous les soirs. La liberté de se trouver seules, la nuit, dans le

245 plus beau lieu du monde, ne laissait pas finir la conversation entre deux jeunes personnes qui avaient des passions violentes dans le cœur ; et, quoiqu'elles ne s'en fissent point de confidence, elles trouvaient un grand plaisir à se parler. Mme de

---

1. Envie : jalousie.
2. Amant : celui qu'elle aime.
3. Agrément : confort, beauté.

Martigues aurait eu de la peine à quitter Coulommiers, si, en le quittant, elle n'eût dû aller dans un lieu où était le vidame. Elle partit pour aller à Chambord, où la cour était alors.

Le sacre avait été fait à Reims par le cardinal de Lorraine, et l'on devait passer le reste de l'été dans le château de Chambord, qui était nouvellement bâti. La reine témoigna une grande joie de revoir Mme de Martigues ; et, après lui en avoir donné plusieurs marques, elle lui demanda des nouvelles de Mme de Clèves et de ce qu'elle faisait à la campagne. M. de Nemours et M. de Clèves étaient alors chez cette reine. Mme de Martigues, qui avait trouvé Coulommiers admirable, en conta toutes les beautés, et elle s'étendit extrêmement sur la description de ce pavillon de la forêt, et sur le plaisir qu'avait Mme de Clèves de s'y promener seule une partie de la nuit. M. de Nemours, qui connaissait assez le lieu pour entendre ce qu'en disait Mme de Martigues, pensa qu'il n'était pas impossible qu'il y pût voir Mme de Clèves sans être vu que d'elle. Il fit quelques questions à Mme de Martigues, pour s'en éclaircir encore ; et M. de Clèves, qui l'avait toujours regardé pendant que Mme de Martigues avait parlé, crut voir dans ce moment ce qui lui passait dans l'esprit. Les questions que fit ce prince le confirmèrent encore dans cette pensée, en sorte qu'il ne douta point qu'il n'eût dessein d'aller voir sa femme. Il ne se trompait pas dans ses soupçons. Ce dessein entra si fortement dans l'esprit de M. de Nemours, qu'après avoir passé la nuit à songer aux moyens de l'exécuter, dès le lendemain matin, il demanda congé au roi pour aller à Paris, sur quelque prétexte qu'il inventa.

M. de Clèves ne douta point du sujet de ce voyage, mais il résolut de s'éclaircir de la conduite de sa femme, et de ne pas

demeurer dans une cruelle incertitude. Il eut envie de partir en
280 même temps que M. de Nemours, et de venir lui-même, caché,
découvrir quel succès aurait ce voyage, mais, craignant que son
départ ne parût extraordinaire, et que M. de Nemours, en étant
averti, ne prît d'autres mesures, il résolut de se fier à un
gentilhomme qui était à lui, dont il connaissait la fidélité et
285 l'esprit. Il lui conta dans quel embarras il se trouvait. Il lui dit
quelle avait été jusqu'alors la vertu de Mme de Clèves et lui
ordonna de partir sur les pas de M. de Nemours, de l'observer
exactement, de voir s'il n'irait point à Coulommiers, et s'il
n'entrerait point la nuit dans le jardin.

290 Le gentilhomme, qui était très capable d'une telle commission, s'en acquitta avec toute l'exactitude imaginable. Il suivit
M. de Nemours jusqu'à un village, à une demi-lieue de
Coulommiers, où ce prince s'arrêta, et le gentilhomme devina
aisément que c'était pour y attendre la nuit. Il ne crut pas à
295 propos de l'y attendre aussi, il passa le village, et alla dans la
forêt à l'endroit par où il jugeait que M. de Nemours pouvait
passer. Il ne se trompa point dans tout ce qu'il avait pensé.
Sitôt que la nuit fut venue, il entendit marcher, et, quoiqu'il
fît obscur, il reconnut aisément M. de Nemours. Il le vit faire
300 le tour du jardin, comme pour écouter s'il n'y entendrait
personne, et pour choisir le lieu par où il pourrait passer le
plus aisément. Les palissades étaient fort hautes, et il y en
avait encore derrière, pour empêcher qu'on ne pût entrer,
en sorte qu'il était assez difficile de se faire passage. M. de
305 Nemours en vint à bout néanmoins; sitôt qu'il fut dans ce
jardin, il n'eut pas de peine à démêler où était Mme de Clèves.
Il vit beaucoup de lumières dans le cabinet, toutes les fenêtres
en étaient ouvertes et, en se glissant le long des palissades, il

s'en approcha avec un trouble et une émotion qu'il est aisé
de se représenter. Il se rangea derrière une des fenêtres qui
servait de porte pour voir ce que faisait Mme de Clèves. Il vit
qu'elle était seule, mais il la vit d'une si admirable beauté,
qu'à peine fut-il maître du transport que lui donna cette vue.
Il faisait chaud, et elle n'avait rien sur sa tête et sur sa gorge
que ses cheveux confusément rattachés. Elle était sur un lit
de repos, avec une table devant elle, où il y avait plusieurs
corbeilles pleines de rubans, elle en choisit quelques-uns, et
M. de Nemours remarqua que c'étaient des mêmes couleurs
qu'il avait portées au tournoi. Il vit qu'elle en faisait des
nœuds à une canne des Indes fort extraordinaire, qu'il avait
portée quelque temps, et qu'il avait donnée à sa sœur, à qui
Mme de Clèves l'avait prise sans faire semblant de la reconnaître pour avoir été à M. de Nemours. Après qu'elle eut
achevé son ouvrage avec une grâce et une douceur que répan-
daient sur son visage les sentiments qu'elle avait dans le
cœur, elle prit un flambeau et s'en alla proche d'une grande
table, vis-à-vis du tableau du siège de Metz, où était le
portrait de M. de Nemours, elle s'assit et se mit à regarder ce
portrait avec une attention et une rêverie que la passion seule
peut donner.

On ne peut exprimer ce que sentit M. de Nemours dans ce
moment. Voir, au milieu de la nuit, dans le plus beau lieu du
monde, une personne qu'il adorait, la voir sans qu'elle sût
qu'il la voyait, et la voir tout occupée de choses qui avaient du
rapport à lui et à la passion qu'elle lui cachait, c'est ce qui n'a
jamais été goûté ni imaginé par nul autre amant.

Ce prince était aussi tellement hors de lui-même, qu'il
demeurait immobile à regarder Mme de Clèves, sans songer

Des clés
pour vous guider

La rêverie au pavillon de Coulommiers
de « Le gentilhomme »
à « amant », l. 290 à l. 336

Depuis l'aveu de Mme de Clèves à son mari, ce dernier est dévoré par la jalousie. Il soupçonne M. de Nemours et le fait suivre alors que le duc se rend à Coulommiers où Mme de Clèves s'est réfugiée.

1 À quel type de personnage littéraire M. de Nemours fait-il penser au début de la scène ?

2 Comment le regard est-il exploité par Mme de Lafayette dans cette scène ?

3 Dans quelle mesure peut-on dire que cette scène est un second aveu de la part de Mme de Clèves ? Qu'est-ce qui a changé par rapport au premier ?

> *pour vous aider* Demandez-vous ce qui est avoué, à qui, comment, par quels gestes et au moyen de quels objets.

4 GRAMMAIRE • « Voir au milieu de la nuit [...] n'a jamais été goûté ni imaginé par nul autre amant » (l. 332-336) : Comment cette phrase est-elle construite ?

> *pour vous aider*
> Demandez-vous ce que reprend le pronom « c' ».

POUR ALLER *plus loin*

PROLONGEMENTS ARTISTIQUES ET CULTURELS • Voir et être vu : recherchez, au cinéma, dans la peinture, en littérature, des scènes où un personnage en espionne un autre.

> *pour vous aider* Précisez qui est l'espion et qui est l'espionné ?
> Cette surveillance est-elle due à la jalousie ou à la curiosité ?

que les moments lui étaient précieux. Quand il fut un peu

340 remis, il pensa qu'il devait attendre à lui parler[1] qu'elle allât dans le jardin, il crut qu'il le pourrait faire avec plus de sûreté, parce qu'elle serait plus éloignée de ses femmes, mais, voyant qu'elle demeurait dans le cabinet, il prit la résolution d'y entrer. Quand il voulut l'exécuter, quel trouble n'eut-il point !

345 Quelle crainte de lui déplaire ! Quelle peur de faire changer ce visage où il y avait tant de douceur et de le voir devenir plein de sévérité et de colère !

Il trouva qu'il y avait eu de la folie, non pas à venir voir Mme de Clèves sans être vu, mais à penser de s'en faire voir ; il

350 vit tout ce qu'il n'avait point encore envisagé. Il lui parut de l'extravagance dans sa hardiesse de venir surprendre, au milieu de la nuit, une personne à qui il n'avait encore jamais parlé de son amour. Il pensa qu'il ne devait pas prétendre qu'elle le voulût écouter, et qu'elle aurait une juste colère du péril où il

355 l'exposait par les accidents qui pouvaient arriver. Tout son courage l'abandonna et il fut prêt plusieurs fois à prendre la résolution de s'en retourner sans se faire voir. Poussé néanmoins par le désir de lui parler, et rassuré par les espérances que lui donnait tout ce qu'il avait vu, il avança quelques pas, mais

360 avec tant de trouble, qu'une écharpe qu'il avait s'embarrassa dans la fenêtre, en sorte qu'il fit du bruit. Mme de Clèves tourna la tête, et, soit qu'elle eût l'esprit rempli de ce prince, ou qu'il fût dans un lieu où la lumière donnait assez pour qu'elle le pût distinguer, elle crut le reconnaître ; et, sans

365 balancer ni se retourner du côté où il était, elle entra dans le lieu où étaient ses femmes[2]. Elle y entra avec tant de trouble,

---

1. À lui parler : pour lui parler.

2. Ses femmes : les jeunes femmes constituant sa compagnie la plus proche.

qu'elle fut contrainte, pour le cacher, de dire qu'elle se trouvait mal ; et elle le dit aussi pour occuper tous ses gens, et pour donner le temps à M. de Nemours de se retirer. Quand elle eut
370 fait quelque réflexion, elle pensa qu'elle s'était trompée et que c'était un effet de son imagination d'avoir cru voir M. de Nemours. Elle savait qu'il était à Chambord, elle ne trouvait nulle apparence qu'il eût entrepris une chose si hasardeuse, elle eut envie plusieurs fois de rentrer dans le cabinet, et d'aller voir
375 dans le jardin s'il y avait quelqu'un. Peut-être souhaitait-elle, autant qu'elle le craignait, d'y trouver M. de Nemours, mais enfin, la raison et la prudence l'emportèrent sur tous ses autres sentiments, et elle trouva qu'il valait mieux demeurer dans le doute où elle était que de prendre le hasard de s'en éclaircir.
380 Elle fut longtemps à se résoudre à sortir d'un lieu dont elle pensait que ce prince était peut-être si proche, et il était quasi jour quand elle revint au château.

M. de Nemours était demeuré dans le jardin tant qu'il avait vu de la lumière, il n'avait pu perdre l'espérance de revoir
385 Mme de Clèves, quoiqu'il fût persuadé qu'elle l'avait reconnu, et qu'elle n'était sortie que pour l'éviter, mais, voyant qu'on fermait les portes, il jugea bien qu'il n'avait plus rien à espérer. Il vint reprendre son cheval tout proche du lieu où attendait le gentilhomme de M. de Clèves. Ce gentilhomme
390 le suivit jusqu'au même village d'où il était parti le soir. M. de Nemours se résolut d'y passer tout le jour, afin de retourner la nuit à Coulommiers pour voir si Mme de Clèves aurait encore la cruauté de le fuir, ou celle de ne se pas exposer à être vue. Quoiqu'il eût une joie sensible de l'avoir trouvée si
395 remplie de son idée, il était néanmoins très affligé de lui avoir vu un mouvement si naturel de le fuir.

La passion n'a jamais été si tendre et si violente qu'elle l'était alors en ce prince. Il s'en alla sous des saules, le long d'un petit ruisseau qui coulait derrière la maison où il était caché. Il s'éloigna le plus qu'il lui fut possible, pour n'être vu ni entendu de personne ; il s'abandonna aux transports de son amour et son cœur en fut tellement pressé qu'il fut contraint de laisser couler quelques larmes, mais ces larmes n'étaient pas de celles que la douleur seule fait répandre, elles étaient mêlées de douceur et de ce charme qui ne se trouve que dans l'amour.

Il se mit à repasser toutes les actions de Mme de Clèves depuis qu'il en était amoureux, quelle rigueur honnête et modeste elle avait toujours eue pour lui, quoiqu'elle l'aimât.

« Car, enfin, elle m'aime, disait-il, elle m'aime, je n'en saurais douter ; les plus grands engagements et les plus grandes faveurs ne sont pas des marques si assurées que celles que j'en ai eues. Cependant je suis traité avec la même rigueur que si j'étais haï. J'ai espéré au temps[1], je n'en dois plus rien attendre, je la vois toujours se défendre également contre moi et contre elle-même. Si je n'étais point aimé, je songerais à plaire, mais je plais, on m'aime, et on me le cache. Que puis-je donc espérer, et quel changement dois-je attendre dans ma destinée ? Quoi ! Je serai aimé de la plus aimable personne du monde, et je n'aurai cet excès d'amour que donnent les premières certitudes d'être aimé que pour mieux sentir la douleur d'être maltraité ! Laissez-moi voir que vous m'aimez, belle princesse, s'écria-t-il, laissez-moi voir vos sentiments pourvu que je les connaisse par vous une fois en ma vie, je consens que vous repreniez pour

---

1. **J'ai espéré au temps** : j'ai espéré que le temps viendrait à bout de ses rigueurs.

425 toujours ces rigueurs dont vous m'accabliez. Regardez-moi du moins avec ces mêmes yeux dont je vous ai vue cette nuit regarder mon portrait. Pouvez-vous l'avoir regardé avec tant de douceur, et m'avoir fui moi-même si cruellement ? Que craignez-vous ? Pourquoi mon amour vous est-il si redoutable ?

430 Vous m'aimez, vous me le cachez inutilement ; vous-même m'en avez donné des marques involontaires. Je sais mon bonheur, laissez m'en jouir, et cessez de me rendre malheureux. Est-il possible, reprenait-il, que je sois aimé de Mme de Clèves, et que je sois malheureux ? Qu'elle était belle cette nuit !

435 Comment ai-je pu résister à l'envie de me jeter à ses pieds ? Si je l'avais fait, je l'aurais peut-être empêchée de me fuir, mon respect l'aurait rassurée, mais peut-être elle ne m'a pas reconnu, je m'afflige plus que je ne dois, et la vue d'un homme à une heure si extraordinaire l'a effrayée. »

440 Ces mêmes pensées occupèrent tout le jour M. de Nemours. Il attendit la nuit avec impatience, et quand elle fut venue, il reprit le chemin de Coulommiers. Le gentilhomme de M. de Clèves, qui s'était déguisé afin d'être moins remarqué, le suivit jusqu'au lieu où il l'avait suivi le soir d'auparavant, et le vit

445 entrer dans le même jardin. Ce prince connut bientôt que Mme de Clèves n'avait pas voulu hasarder qu'il essayât encore de la voir : toutes les portes étaient fermées. Il tourna de tous les côtés pour découvrir s'il ne verrait point de lumières, mais ce fut inutilement.

450 Mme de Clèves, s'étant doutée que M. de Nemours pourrait revenir, était demeurée dans sa chambre ; elle avait appréhendé de n'avoir pas toujours la force de le fuir, et elle n'avait pas voulu se mettre au hasard de lui parler d'une manière si peu conforme à la conduite qu'elle avait eue jusqu'alors.

455 Quoique M. de Nemours n'eût aucune espérance de la voir, il ne put se résoudre à sortir sitôt d'un lieu où elle était si souvent. Il passa la nuit entière dans le jardin, et trouva quelque consolation à voir du moins les mêmes objets qu'elle voyait tous les jours. Le soleil était levé devant qu'il[1] pensât à se retirer,
460 mais enfin la crainte d'être découvert l'obligea à s'en aller.

Il lui fut impossible de s'éloigner sans voir Mme de Clèves, et il alla chez Mme de Mercœur, qui était alors dans cette maison qu'elle avait proche de Coulommiers. Elle fut extrêmement surprise de l'arrivée de son frère. Il inventa une cause
465 de son voyage assez vraisemblable pour la tromper, et enfin il conduisit si habilement son dessein qu'il l'obligea à lui proposer d'elle-même d'aller chez Mme de Clèves. Cette proposition fut exécutée dès le même jour, et M. de Nemours dit à sa sœur qu'il la quitterait à Coulommiers pour s'en
470 retourner en diligence trouver le roi. Il fit ce dessein de la quitter à Coulommiers, dans la pensée de l'en laisser partir la première, et il crut avoir trouvé un moyen infaillible de parler à Mme de Clèves.

Comme ils arrivèrent, elle se promenait dans une grande
475 allée qui borde le parterre. La vue de M. de Nemours ne lui causa pas un médiocre trouble, et ne lui laissa plus douter que ce ne fût lui qu'elle avait vu la nuit précédente. Cette certitude lui donna quelque mouvement de colère par la hardiesse et l'imprudence qu'elle trouvait dans ce qu'il avait entrepris. Ce
480 prince remarqua une impression de froideur sur son visage qui lui donna une sensible douleur. La conversation fut de choses indifférentes, et néanmoins il trouva l'art d'y faire paraître tant

---

1. Devant qu'il : avant qu'il.

d'esprit, tant de complaisance, et tant d'admiration pour Mme de Clèves, qu'il dissipa malgré elle une partie de la froideur
485 qu'elle avait eue d'abord.

Lorsqu'il se sentit rassuré de sa première crainte, il témoigna une extrême curiosité d'aller voir le pavillon de la forêt. Il en parla comme du plus agréable lieu du monde, et en fit même une description si particulière que Mme de Mercœur lui dit
490 qu'il fallait qu'il y eût été plusieurs fois pour en connaître si bien toutes les beautés.

« Je ne crois pourtant pas, reprit Mme de Clèves, que M. de Nemours y ait jamais entré, c'est un lieu qui n'est achevé que depuis peu.

495 — Il n'y a pas longtemps aussi que j'y ai été, reprit M. de Nemours en la regardant, et je ne sais si je ne dois point être bien aise que vous ayez oublié de m'y avoir vu. »

Mme de Mercœur, qui regardait la beauté des jardins, n'avait point d'attention à ce que disait son frère. Mme de Clèves
500 rougit, et, baissant les yeux sans regarder M. de Nemours :

« Je ne me souviens point, lui dit-elle, de vous y avoir vu, et si vous y avez été, c'est sans que je l'aie su.

— Il est vrai, Madame, répliqua M. de Nemours, que j'y ai été sans vos ordres, et j'y ai passé les plus doux et les plus
505 cruels moments de ma vie. »

Mme de Clèves entendait[1] trop bien tout ce que disait ce prince ; mais elle n'y répondit point, elle songea à empêcher Mme de Mercœur d'aller dans ce cabinet, parce que le portrait de M. de Nemours y était et qu'elle ne voulait pas qu'elle l'y
510 vît. Elle fit si bien que le temps se passa insensiblement, et

---

1. **Entendait** : comprenait.

Mme de Mercœur parla de s'en retourner; mais quand Mme de Clèves vit que M. de Nemours et sa sœur ne s'en allaient pas ensemble, elle jugea bien à quoi elle allait être exposée : elle se trouva dans le même embarras où elle s'était trouvée à Paris, et elle prit aussi le même parti. La crainte que cette visite ne fût encore une confirmation des soupçons qu'avait son mari ne contribua pas peu à la déterminer; et, pour éviter que M. de Nemours ne demeurât seul avec elle, elle dit à Mme de Mercœur qu'elle l'allait conduire jusques au bord de la forêt, et elle ordonna que son carrosse la suivît. La douleur qu'eut ce prince de trouver toujours cette même continuation des rigueurs en Mme de Clèves fut si violente qu'il en pâlit dans le même moment. Mme de Mercœur lui demanda s'il se trouvait mal, mais il regarda Mme de Clèves, sans que personne s'en aperçût, et il lui fit juger, par ses regards, qu'il n'avait d'autre mal que son désespoir. Cependant il fallut qu'il les laissât partir sans oser les suivre; et, après ce qu'il avait dit, il ne pouvait plus retourner avec sa sœur; ainsi, il revint à Paris, et en partit le lendemain.

Le gentilhomme de M. de Clèves l'avait toujours observé, il revint aussi à Paris et, comme il vit M. de Nemours parti pour Chambord, il prit la poste, afin d'y arriver devant lui, et de rendre compte de son voyage. Son maître attendait son retour comme ce qui allait décider du malheur de toute sa vie.

Sitôt qu'il le vit, il jugea, par son visage et par son silence, qu'il n'avait que des choses fâcheuses à lui apprendre. Il demeura quelque temps saisi d'affliction, la tête baissée sans pouvoir parler; enfin, il lui fit signe de la main de se retirer.

« Allez, lui dit-il, je vois ce que vous avez à me dire, mais je n'ai pas la force de l'écouter.

— Je n'ai rien à vous apprendre, lui répondit le gentilhomme, sur quoi on puisse faire de jugement assuré. Il est vrai que M. de Nemours a entré deux nuits de suite dans le jardin de la forêt, et qu'il a été le jour d'après à Coulommiers avec Mme de Mercœur.

545 — C'est assez, répliqua M. de Clèves, c'est assez, en lui faisant encore signe de se retirer, et je n'ai pas besoin d'un plus grand éclaircissement. »

Le gentilhomme fut contraint de laisser son maître abandonné à son désespoir. Il n'y en a peut-être jamais eu un plus

550 violent, et peu d'hommes d'un aussi grand courage et d'un cœur aussi passionné que M. de Clèves ont ressenti en même temps la douleur que cause l'infidélité d'une maîtresse, et la honte d'être trompé par une femme.

M. de Clèves ne put résister à l'accablement où il se trouva.

555 La fièvre lui prit dès la nuit même, et avec de si grands accidents[1] que dès ce moment sa maladie parut très dangereuse. On en donna avis à Mme de Clèves ; elle vint en diligence[2]. Quand elle arriva, il était encore plus mal, elle lui trouva quelque chose de si froid et de si glacé pour elle, qu'elle en fut

560 extrêmement surprise et affligée. Il lui parut même qu'il recevait avec peine les services qu'elle lui rendait, mais enfin elle pensa que c'était peut-être un effet de sa maladie.

D'abord qu'elle[3] fut à Blois, où la cour était alors, M. de Nemours ne put s'empêcher d'avoir de la joie de savoir qu'elle

565 était dans le même lieu que lui. Il essaya de la voir, et alla tous les jours chez M. de Clèves, sur le prétexte de savoir de ses nouvelles, mais ce fut inutilement. Elle ne sortait point de la

---

1. De si grands accidents : de si grands effets.

2. En diligence : rapidement.

3. D'abord qu'elle : dès qu'elle.

chambre de son mari et avait une douleur violente de l'état où elle le voyait. M. de Nemours était désespéré qu'elle fût si

570 affligée ; il jugeait aisément combien cette affliction renouvelait l'amitié qu'elle avait pour M. de Clèves, et combien cette amitié faisait une diversion dangereuse à la passion qu'elle avait dans le cœur. Ce sentiment lui donna un chagrin mortel pendant quelque temps, mais l'extrémité du mal de M. de Clèves lui

575 ouvrit de nouvelles espérances. Il vit que Mme de Clèves serait peut-être en liberté de suivre son inclination et qu'il pourrait trouver dans l'avenir une suite de bonheur et de plaisirs durables. Il ne pouvait soutenir cette pensée, tant elle lui donnait de trouble et de transports, et il en éloignait son esprit par la crainte

580 de se trouver trop malheureux, s'il venait à perdre ses espérances.

Cependant M. de Clèves était presque abandonné des médecins. Un des derniers jours de son mal, après avoir passé une nuit très fâcheuse, il dit, sur le matin[1], qu'il voulait reposer. Mme de Clèves demeura seule dans sa chambre. Il lui parut

585 qu'au lieu de reposer, il avait beaucoup d'inquiétude. Elle s'approcha, et se vint mettre à genoux devant son lit, le visage tout couvert de larmes. M. de Clèves avait résolu de ne lui point témoigner le violent chagrin qu'il avait contre elle, mais les soins qu'elle lui rendait, et son affliction, qui lui paraissait

590 quelquefois véritable, et qu'il regardait aussi quelquefois comme des marques de dissimulation et de perfidie, lui causaient des sentiments si opposés et si douloureux, qu'il ne les put renfermer en lui-même.

« Vous versez bien des pleurs, Madame, lui dit-il, pour une

595 mort que vous causez, et qui ne vous peut donner la douleur

---

1. Sur le matin : au matin.

que vous faites paraître. Je ne suis plus en état de vous faire des reproches, continua-t-il avec une voix affaiblie par la maladie et par la douleur, mais je meurs du cruel déplaisir que vous m'avez donné. Fallait-il qu'une action aussi extraordinaire que celle que vous aviez faite de me parler à Coulommiers eût si peu de suite ? Pourquoi m'éclairer sur la passion que vous aviez pour M. de Nemours, si votre vertu n'avait pas plus d'étendue pour y résister ? Je vous aimais jusqu'à être bien aise d'être trompé, je l'avoue à ma honte, j'ai regretté ce faux repos dont vous m'avez tiré. Que ne me laissiez-vous dans cet aveuglement tranquille dont jouissent tant de maris ? J'eusse, peut-être, ignoré, toute ma vie, que vous aimiez M. de Nemours. Je mourrai, ajouta-t-il, mais sachez que vous me rendez la mort agréable, et qu'après m'avoir ôté l'estime et la tendresse que j'avais pour vous, la vie me ferait horreur. Que ferais-je de la vie, reprit-il, pour la passer avec une personne que j'ai tant aimée, et dont j'ai été si cruellement trompé, ou pour vivre séparé de cette même personne, et en venir à un éclat et à des violences si opposées à mon humeur et à la passion que j'avais pour vous ? Elle a été au-delà de ce que vous en avez vu, Madame, je vous en ai caché la plus grande partie, par la crainte de vous importuner, ou de perdre quelque chose de votre estime, par des manières qui ne convenaient pas à un mari. Enfin je méritais votre cœur, encore une fois, je meurs sans regret, puisque je n'ai pu l'avoir, et que je ne puis plus le désirer. Adieu, Madame. Vous regretterez quelque jour un homme qui vous aimait d'une passion véritable et légitime. Vous sentirez le chagrin que trouvent les personnes raisonnables dans ces engagements, et vous connaîtrez la différence d'être aimée comme je vous aimais, à l'être par des gens qui, en vous témoignant de l'amour, ne cherchent que l'honneur de vous séduire. Mais ma mort vous laissera en liberté, ajouta-t-il, et vous pourrez rendre M. de Nemours heureux, sans qu'il vous en coûte des crimes. Qu'importe, reprit-il, ce qui arrivera quand je ne serai plus, et faut-il que j'aie la faiblesse d'y jeter les yeux ! »

Mme de Clèves était si éloignée de s'imaginer que son mari pût avoir des soupçons contre elle qu'elle écouta toutes ces paroles sans les comprendre, et sans avoir d'autre idée, sinon qu'il lui reprochait son inclination pour M. de Nemours ; enfin, sortant tout d'un coup de son aveuglement :

« Moi, des crimes ! s'écria-t-elle. La pensée même m'en est inconnue. La vertu la plus austère ne peut inspirer d'autre conduite que celle que j'ai eue, et je n'ai jamais fait d'action dont je n'eusse souhaité que vous eussiez été témoin.

— Eussiez-vous souhaité, répliqua M. de Clèves, en la regardant avec dédain, que je l'eusse été des nuits que vous avez passées avec M. de Nemours ? Ah ! Madame, est-ce vous dont je parle, quand je parle d'une femme qui a passé des nuits avec un homme ?

— Non, monsieur, reprit-elle, non, ce n'est pas de moi dont vous parlez : je n'ai jamais passé ni de nuits ni de moments avec M. de Nemours. Il ne m'a jamais vue en particulier, je ne l'ai jamais souffert ni écouté, et j'en ferais tous les serments...

— N'en dites pas davantage, interrompit M. de Clèves, de faux serments ou un aveu me feraient peut-être une égale peine. »

Mme de Clèves ne pouvait répondre, ses larmes et sa douleur lui ôtaient la parole ; enfin, faisant un effort :

« Regardez-moi, du moins ; écoutez-moi, lui dit-elle. S'il n'y allait que de mon intérêt, je souffrirais ces reproches, mais il y va de votre vie. Écoutez-moi pour l'amour de vous-même, il est impossible qu'avec tant de vérité, je ne vous persuade mon innocence.

660 — Plût à Dieu que vous me la puissiez persuader, s'écria-t-il, mais que me pouvez-vous dire ? M. de Nemours n'a-t-il pas été à Coulommiers avec sa sœur ? Et n'avait-il pas passé les deux nuits précédentes avec vous dans le jardin de la forêt ?

— Si c'est là mon crime, répliqua-t-elle, il m'est aisé de me justifier. Je ne vous demande point de me croire, mais croyez
665 tous vos domestiques, et sachez si j'allai dans le jardin de la forêt la veille que M. de Nemours vint à Coulommiers, et si je n'en sortis pas le soir d'auparavant deux heures plus tôt que je n'avais accoutumé. »

Elle lui conta ensuite comme elle avait cru voir quelqu'un
670 dans ce jardin. Elle lui avoua qu'elle avait cru que c'était M. de Nemours. Elle lui parla avec tant d'assurance, et la vérité se persuade si aisément, lors même qu'elle n'est pas vraisemblable, que M. de Clèves fut presque convaincu de son innocence.

675 « Je ne sais, lui dit-il, si je me dois laisser aller à vous croire ? Je me sens si proche de la mort que je ne veux rien voir de ce qui me pourrait faire regretter la vie. Vous m'avez éclairci trop tard, mais ce me sera toujours un soulagement d'emporter la pensée que vous êtes digne de l'estime que j'aie
680 eue pour vous. Je vous prie que je puisse encore avoir la consolation de croire que ma mémoire vous sera chère, et que, s'il eût dépendu de vous, vous eussiez eu pour moi les sentiments que vous avez pour un autre. »

Il voulut continuer ; mais une faiblesse lui ôta la parole. Mme
685 de Clèves fit venir les médecins, ils le trouvèrent presque sans

vie. Il languit néanmoins encore quelques jours, et mourut enfin avec une constance admirable.

Mme de Clèves demeura dans une affliction si violente, qu'elle perdit quasi l'usage de la raison. La reine la vint voir avec soin, et la mena dans un couvent, sans qu'elle sût où on la conduisait. Ses belles-sœurs la ramenèrent à Paris, qu'elle n'était pas encore en état de sentir distinctement sa douleur. Quand elle commença d'avoir la force de l'envisager, et qu'elle vit quel mari elle avait perdu, qu'elle considéra qu'elle était la cause de sa mort, et que c'était par la passion qu'elle avait eue pour un autre qu'elle en était cause, l'horreur qu'elle eut pour elle-même et pour M. de Nemours ne se peut représenter.

Ce prince n'osa, dans ces commencements[1], lui rendre d'autres soins que ceux que lui ordonnait la bienséance. Il connaissait assez Mme de Clèves pour croire qu'un plus grand empressement lui serait désagréable, mais ce qu'il apprit ensuite lui fit bien voir qu'il devait avoir longtemps la même conduite.

Un écuyer qu'il avait lui conta que le gentilhomme de M. de Clèves, qui était son ami intime, lui avait dit, dans sa douleur de la perte de son maître, que le voyage de M. de Nemours à Coulommiers était cause de sa mort. M. de Nemours fut extrêmement surpris de ce discours ; mais, après y avoir fait réflexion, il devina une partie de la vérité, et il jugea bien quels seraient d'abord les sentiments de Mme de Clèves, et quel éloignement elle aurait de lui, si elle croyait que le mal de son mari eût été causé par la jalousie. Il crut qu'il ne fallait pas même la faire sitôt souvenir de son nom, et il suivit cette conduite, quelque pénible qu'elle lui parût.

---

1. **Dans ces commencements :** dans ce début du deuil.

Il fit un voyage à Paris, et ne put s'empêcher néanmoins
d'aller à sa porte pour apprendre de ses nouvelles. On lui
dit que personne ne la voyait, et qu'elle avait même défendu
qu'on lui rendît compte de ceux qui l'iraient chercher. Peut-
être que ces ordres si exacts étaient donnés en vue de ce prince,
et pour ne point entendre parler de lui. M. de Nemours était
trop amoureux pour pouvoir vivre si absolument privé de la
vue de Mme de Clèves. Il résolut de trouver des moyens,
quelque difficiles qu'ils pussent être, de sortir d'un état qui
lui paraissait si insupportable.

La douleur de cette princesse passait les bornes de la raison.
Ce mari mourant, et mourant à cause d'elle et avec tant de
tendresse pour elle, ne lui sortait point de l'esprit. Elle repassait[1] incessamment tout ce qu'elle lui devait, et elle se faisait
un crime de n'avoir pas eu de la passion pour lui, comme si
c'eût été une chose qui eût été en son pouvoir. Elle ne trouvait
de consolation qu'à penser qu'elle le regrettait autant qu'il
méritait d'être regretté, et qu'elle ne ferait, dans le reste de sa
vie, que ce qu'il aurait été bien aise qu'elle eût fait, s'il avait
vécu.

Elle avait pensé plusieurs fois[2] comment il avait su que
M. de Nemours était venu à Coulommiers : elle ne soupçonnait
pas ce prince de l'avoir conté, et il lui paraissait même indifférent qu'il l'eût redit, tant elle se croyait guérie et éloignée de la
passion qu'elle avait eue pour lui. Elle sentait néanmoins une
douleur vive de s'imaginer qu'il était cause de la mort de son
mari, et elle se souvenait avec peine de la crainte que M. de
Clèves lui avait témoignée en mourant qu'elle ne l'épousât,

---

1. **Elle repassait** : elle repensait à.
2. **Elle avait pensé plusieurs fois** : elle s'était demandé plusieurs fois.

mais toutes ces douleurs se confondaient dans celle de la perte de son mari, et elle croyait n'en avoir point d'autre.

Après que plusieurs mois furent passés, elle sortit de cette violente affliction où elle était, et passa dans un état de tristesse et de langueur. Mme de Martigues fit un voyage à Paris, et la vit avec soin pendant le séjour qu'elle y fit. Elle l'entretint de la cour et de tout ce qui s'y passait ; et, quoique Mme de Clèves ne parût pas y prendre intérêt, Mme de Martigues ne laissait pas de lui en parler pour la divertir.

Elle lui conta des nouvelles du vidame, de M. de Guise, et de tous les autres qui étaient distingués par leur personne ou par leur mérite.

« Pour M. de Nemours, dit-elle, je ne sais si les affaires ont pris dans son cœur la place de la galanterie, mais il a bien moins de joie qu'il n'avait accoutumé d'en avoir, il paraît fort retiré du commerce[1] des femmes, il fait souvent des voyages à Paris, et je crois même qu'il y est présentement. »

Le nom de M. de Nemours surprit Mme de Clèves, et la fit rougir : elle changea de discours, et Mme de Martigues ne s'aperçut point de son trouble.

Le lendemain, cette princesse, qui cherchait des occupations conformes à l'état où elle était, alla, proche de chez elle, voir un homme qui faisait des ouvrages de soie d'une façon particulière ; et elle y fut dans le dessein d'en faire faire de semblables. Après qu'on les lui eut montrés, elle vit la porte d'une chambre où elle crut qu'il y en avait encore ; elle dit qu'on la lui ouvrît. Le maître répondit qu'il n'en avait pas la clef, et qu'elle était occupée par un homme qui y venait quelquefois, pendant le

---

1. Commerce : présence.

770 jour, pour dessiner de belles maisons et des jardins que l'on voyait de ses fenêtres.

« C'est l'homme du monde le mieux fait, ajouta-t-il, il n'a guère la mine d'être réduit à gagner sa vie. Toutes les fois qu'il vient céans[1], je le vois toujours regarder les maisons et les 775 jardins, mais je ne le vois jamais travailler. »

Mme de Clèves écoutait ce discours avec une grande attention. Ce que lui avait dit Mme de Martigues, que M. de Nemours était quelquefois à Paris, se joignit, dans son imagination, à cet homme bien fait qui venait proche de chez 780 elle, et lui fit une idée de M. de Nemours, et de M. de Nemours appliqué à la voir, qui lui donna un trouble confus dont elle ne savait pas même la cause. Elle alla vers les fenêtres pour voir où elles donnaient, elle trouva qu'elles voyaient tout son jardin et la face de son appartement. Et, lorsqu'elle fut dans sa chambre, 785 elle remarqua aisément cette même fenêtre où l'on lui avait dit que venait cet homme. La pensée que c'était M. de Nemours changea entièrement la situation de son esprit ; elle ne se trouva plus dans un certain triste repos qu'elle commençait à goûter, elle se sentit inquiète et agitée ; enfin, ne pouvant demeurer 790 avec elle-même, elle sortit, et alla prendre l'air dans un jardin hors des faubourgs, où elle pensait être seule. Elle crut, en y arrivant, qu'elle ne s'était pas trompée : elle ne vit aucune apparence qu'il y eût quelqu'un, et elle se promena assez longtemps.

Après avoir traversé un petit bois, elle aperçut au bout 795 d'une allée, dans l'endroit le plus reculé du jardin, une manière de cabinet ouvert de tous côtés, où elle adressa ses pas. Comme elle en fut proche, elle vit un homme couché sur

1. Céans : ici.

des bancs, qui paraissait enseveli dans une rêverie profonde, et elle reconnut que c'était M. de Nemours. Cette vue l'arrêta

800 tout court, mais ses gens, qui la suivaient, firent quelque bruit, qui tira M. de Nemours de sa rêverie. Sans regarder qui avait causé le bruit qu'il avait entendu, il se leva de sa place pour éviter la compagnie qui venait vers lui, et tourna dans une autre allée, en faisant une révérence fort basse, qui l'em-

805 pêcha même de voir ceux qu'il saluait.

S'il eût su ce qu'il évitait, avec quelle ardeur serait-il retourné sur ses pas! Mais il continua à suivre l'allée, et Mme de Clèves le vit sortir par une porte de derrière où l'attendait son carrosse. Quel effet produisit cette vue d'un moment dans

810 le cœur de Mme de Clèves! Quelle passion endormie se ralluma dans son cœur, et avec quelle violence! Elle s'alla asseoir dans le même endroit d'où venait de sortir M. de Nemours, elle y demeura comme accablée. Ce prince se présenta à son esprit, aimable au-dessus de tout ce qui était au

815 monde, l'aimant depuis longtemps avec une passion pleine de respect et de fidélité, méprisant tout pour elle, respectant même jusqu'à sa douleur, songeant à la voir sans songer à en être vu, quittant la cour, dont il faisait les délices, pour aller regarder les murailles qui la renfermaient, pour venir rêver

820 dans des lieux où il ne pouvait prétendre de la rencontrer, enfin un homme digne d'être aimé par son seul attachement, et pour qui elle avait une inclination si violente, qu'elle l'aurait aimé quand il ne l'aurait pas aimée, mais de plus, un homme d'une qualité élevée et convenable à la sienne. Plus de devoir, plus de

825 vertu, qui s'opposassent à ses sentiments : tous les obstacles étaient levés, et il ne restait de leur état passé que la passion de M. de Nemours pour elle, et que celle qu'elle avait pour lui.

Toutes ces idées furent nouvelles à cette princesse. L'affliction de la mort de M. de Clèves l'avait assez occupée pour avoir
830 empêché qu'elle n'y eût jeté les yeux. La présence de M. de Nemours les amena en foule dans son esprit, mais, quand il en eut été pleinement rempli, et qu'elle se souvint aussi que ce même homme qu'elle regardait comme pouvant l'épouser, était celui qu'elle avait aimé du vivant de son mari, et qui était la cause
835 de sa mort ; que même, en mourant, il lui avait témoigné de la crainte qu'elle ne l'épousât, son austère vertu était si blessée de cette imagination, qu'elle ne trouvait guère moins de crime à épouser M. de Nemours, qu'elle en avait trouvé à l'aimer pendant la vie de son mari. Elle s'abandonna à ces réflexions si contraires
840 à son bonheur ; elle les fortifia encore de plusieurs raisons qui regardaient son repos et les maux qu'elle prévoyait en épousant ce prince. Enfin, après avoir demeuré deux heures dans le lieu où elle était, elle s'en revint chez elle, persuadée qu'elle devait fuir sa vue comme une chose entièrement opposée à son devoir.

845 Mais cette persuasion, qui était un effet de sa raison et de sa vertu, n'entraînait pas son cœur. Il demeurait attaché à M. de Nemours avec une violence qui la mettait dans un état digne de compassion, et qui ne lui laissa plus de repos. Elle passa une des plus cruelles nuits qu'elle eût jamais passées. Le
850 matin, son premier mouvement fut d'aller voir s'il n'y aurait personne à la fenêtre qui donnait chez elle, elle y alla, elle y vit M. de Nemours. Cette vue la surprit, et elle se retira avec une promptitude qui fit juger à ce prince qu'il avait été reconnu. Il avait souvent désiré de l'être, depuis que sa passion
855 lui avait fait trouver ces moyens de voir Mme de Clèves ; et, lorsqu'il n'espérait pas d'avoir ce plaisir, il allait rêver dans le même jardin où elle l'avait trouvé.

Lassé enfin d'un état si malheureux et si incertain, il résolut de tenter quelque voie d'éclaircir sa destinée.

860 « Que veux-je attendre ? disait-il. Il y a longtemps que je sais que j'en suis aimé ; elle est libre, elle n'a plus de devoir à m'opposer. Pourquoi me réduire à la voir sans en être vu et sans lui parler ? Est-il possible que l'amour m'ait si absolument ôté la raison et la hardiesse, et qu'il m'ait rendu si différent

865 de ce que j'ai été dans les autres passions de ma vie ? J'ai dû respecter la douleur de Mme de Clèves, mais je la respecte trop longtemps, et je lui donne le loisir d'éteindre l'inclination qu'elle a pour moi.

Après ces réflexions, il songea aux moyens dont il devait se

870 servir pour la voir. Il crut qu'il n'y avait plus rien qui l'obligeât à cacher sa passion au vidame de Chartres. Il résolut de lui en parler, et de lui dire le dessein qu'il avait pour sa nièce.

Le vidame était alors à Paris ; tout le monde y était venu donner ordre à son équipage et à ses habits, pour suivre le roi,

875 qui devait conduire la reine d'Espagne. M. de Nemours alla donc chez le vidame, et lui fit un aveu sincère de tout ce qu'il lui avait caché jusques alors, à la réserve des sentiments de Mme de Clèves, dont il ne voulut pas paraître instruit.

Le vidame reçut tout ce qu'il lui dit avec beaucoup de joie, et

880 l'assura que, sans savoir ses sentiments, il avait souvent pensé, depuis que Mme de Clèves était veuve, qu'elle était la seule personne digne de lui. M. de Nemours le pria de lui donner les moyens de lui parler, et de savoir quelles étaient ses dispositions.

Le vidame lui proposa de le mener chez elle, mais M. de

885 Nemours crut qu'elle en serait choquée, parce qu'elle ne voyait encore personne. Ils trouvèrent qu'il fallait que M. le vidame la priât de venir chez lui, sur quelque prétexte, et que M. de

Nemours y vînt par un escalier dérobé, afin de n'être vu de personne. Cela s'exécuta comme ils l'avaient résolu ; Mme de
890 Clèves vint, le vidame l'alla recevoir, et la conduisit dans un grand cabinet, au bout de son appartement. Quelque temps après, M. de Nemours entra comme si le hasard l'eût conduit. Mme de Clèves fut extrêmement surprise de le voir ; elle rougit, et essaya de cacher sa rougeur. Le vidame parla d'abord
895 de choses différentes, et sortit, supposant qu'il avait quelque ordre à donner. Il dit à Mme de Clèves qu'il la priait de faire les honneurs de chez lui, et qu'il allait rentrer dans un moment.

L'on ne peut exprimer ce que sentirent M. de Nemours et Mme de Clèves, de se trouver seuls et en état de se parler pour
900 la première fois. Ils demeurèrent quelque temps sans rien dire, enfin, M. de Nemours rompant le silence :

« Pardonnerez-vous à M. de Chartres, Madame, lui dit-il, de m'avoir donné l'occasion de vous voir, et de vous entretenir, que vous m'avez toujours si cruellement ôtée ?

905 — Je ne lui dois pas pardonner, répondit-elle, d'avoir oublié l'état où je suis et à quoi il expose ma réputation. »

En prononçant ces paroles elle voulut s'en aller, et M. de Nemours la retenant :

« Ne craignez rien, Madame, répliqua-t-il, personne ne sait
910 que je suis ici, et aucun hasard n'est à craindre. Écoutez-moi, Madame, écoutez-moi, si ce n'est par bonté, que ce soit du moins pour l'amour de vous-même, et pour vous délivrer des extravagances où m'emporterait infailliblement une passion dont je ne suis plus le maître. »

915 Mme de Clèves céda pour la première fois au penchant qu'elle avait pour M. de Nemours, et le regardant avec des yeux pleins de douceur et de charmes :

« Mais qu'espérez-vous, lui dit-elle, de la complaisance que vous me demandez ? Vous vous repentirez peut-être, de l'avoir obtenue, et je me repentirai infailliblement de vous l'avoir accordée. Vous méritez une destinée plus heureuse que celle que vous avez eue jusques ici, et que celle que vous pouvez trouver à l'avenir, à moins que vous ne la cherchiez ailleurs.

— Moi, Madame, lui dit-il, chercher du bonheur ailleurs ! Et y en a-t-il d'autre que d'être aimé de vous ! Quoique je ne vous aie jamais parlé, je ne saurais croire, Madame, que vous ignoriez ma passion, et que vous ne la connaissiez pour la plus véritable et la plus violente qui sera jamais. À quelle épreuve a-t-elle été par des choses qui vous sont inconnues ? Et à quelle épreuve l'avez-vous mise par vos rigueurs ?

— Puisque vous voulez que je vous parle, et que je m'y résous, répondit Mme de Clèves, en s'asseyant, je le ferai avec une sincérité que vous trouverez malaisément dans les personnes de mon sexe. Je ne vous dirai point que je n'aie pas vu l'attache-ment que vous avez eu pour moi, peut-être ne me croiriez-vous pas quand je vous le dirais. Je vous avoue donc, non seulement que je l'ai vu, mais que je l'ai vu tel que vous pouvez souhaiter qu'il m'ait paru.

— Et si vous l'avez vu, Madame, interrompit-il, est-il possible que vous n'en ayez point été touchée ? Et oserais-je vous demander s'il n'a fait aucune impression dans votre cœur ?

— Vous en avez dû juger par ma conduite, lui répliqua-t-elle, mais je voudrais bien savoir ce que vous en avez pensé.

— Il faudrait que je fusse dans un état plus heureux pour vous l'oser dire, répondit-il, et ma destinée a trop peu de rapport à ce que je vous dirais. Tout ce que je puis vous apprendre,

Madame, c'est que j'ai souhaité ardemment que vous n'eussiez pas avoué à M. de Clèves ce que vous me cachiez, et que vous lui eussiez caché ce que vous m'eussiez laissé voir.

— Comment avez-vous pu découvrir, reprit-elle en rougissant, que j'aie avoué quelque chose à M. de Clèves ?

— Je l'ai su par vous-même, Madame, répondit-il, mais, pour me pardonner la hardiesse que j'ai eue de vous écouter, souvenez-vous si j'ai abusé de ce que j'ai entendu, si mes espérances en ont augmenté, et si j'ai eu plus de hardiesse à vous parler. »

Il commença à lui conter comme il avait entendu sa conversation avec M. de Clèves, mais elle l'interrompit avant qu'il eût achevé.

« Ne m'en dites pas davantage, lui dit-elle, je vois présentement par où vous avez été si bien instruit, vous ne me le parûtes déjà que trop chez Mme la dauphine, qui avait su cette aventure par ceux à qui vous l'aviez confiée. »

M. de Nemours lui apprit alors de quelle sorte la chose était arrivée.

« Ne vous excusez point, reprit-elle, il y a longtemps que je vous ai pardonné, sans que vous m'ayez dit de raison, mais, puisque vous avez appris par moi-même ce que j'avais eu dessein de vous cacher toute ma vie, je vous avoue que vous m'avez inspiré des sentiments qui m'étaient inconnus devant que[1] de vous avoir vu, et dont j'avais même si peu d'idée qu'ils me donnèrent d'abord une surprise qui augmentait encore le trouble qui les suit toujours. Je vous fais cet aveu avec moins de honte, parce que je le fais dans un temps où je le puis faire

---

1. Devant que : avant que.

sans crime, et que vous avez vu que ma conduite n'a pas été réglée par mes sentiments.

— Croyez-vous, Madame, lui dit M. de Nemours, en se jetant à ses genoux, que je n'expire pas à vos pieds de joie et de transport.

— Je ne vous apprends, lui répondit-elle en souriant, que ce que vous ne saviez déjà que trop.

— Ah ! Madame, répliqua-t-il, quelle différence de le savoir par un effet du hasard, ou de l'apprendre par vous-même, et de voir que vous voulez bien que je le sache !

— Il est vrai, lui dit-elle, que je veux bien que vous le sachiez, et que je trouve de la douceur à vous le dire. Je ne sais même si je ne vous le dis point plus pour l'amour de moi que pour l'amour de vous. Car, enfin, cet aveu n'aura point de suite, et je suivrai les règles austères que mon devoir m'impose.

— Vous n'y songez pas, Madame, répondit M. de Nemours, il n'y a plus de devoir qui vous lie, vous êtes en liberté, et si j'osais, je vous dirais même qu'il dépend de vous de faire en sorte que votre devoir vous oblige un jour à conserver les sentiments que vous avez pour moi.

— Mon devoir, répliqua-t-elle, me défend de penser jamais à personne, et moins à vous qu'à qui que ce soit au monde, par des raisons qui vous sont inconnues.

— Elles ne me le sont peut-être pas, Madame, reprit-il, mais ce ne sont point de véritables raisons. Je crois savoir que M. de Clèves m'a cru plus heureux que je n'étais, et qu'il s'est imaginé que vous aviez approuvé des extravagances que la passion m'a fait entreprendre sans votre aveu[1].

---

1. Sans votre aveu : sans votre approbation.

— Ne parlons point de cette aventure, lui dit-elle, je n'en saurais soutenir la pensée, elle me fait honte, et elle m'est aussi trop douloureuse par les suites qu'elle a eues. Il n'est que trop véritable que vous êtes cause de la mort de M. de Clèves ; les soupçons que lui a donnés votre conduite inconsidérée lui ont coûté la vie, comme si vous la lui aviez ôtée de vos propres mains. Voyez ce que je devrais faire, si vous en étiez venus ensemble à ces extrémités, et que le même malheur en fût arrivé. Je sais bien que ce n'est pas la même chose à l'égard du monde ; mais, au mien, il n'y a aucune différence, puisque je sais que c'est par vous qu'il est mort, et que c'est à cause de moi.

— Ah ! Madame, lui dit M. de Nemours, quel fantôme de devoir opposez-vous à mon bonheur ! Quoi, Madame, une pensée vaine et sans fondement vous empêchera de rendre heureux un homme que vous ne haïssez pas ? Quoi ! J'aurais pu concevoir l'espérance de passer ma vie avec vous, ma destinée m'aurait conduit à aimer la plus estimable personne du monde, j'aurais vu en elle tout ce qui peut faire une adorable maîtresse, elle ne m'aurait pas haï, et je n'aurais trouvé dans sa conduite que tout ce qui peut être à désirer dans une femme ! Car enfin, Madame, vous êtes peut-être la seule personne en qui ces deux choses se soient jamais trouvées au degré qu'elles sont en vous. Tous ceux qui épousent des maîtresses dont ils sont aimés, tremblent en les épousant, et regardent avec crainte, par rapport aux autres, la conduite qu'elles ont eue avec eux, mais en vous, Madame, rien n'est à craindre, et on ne trouve que des sujets d'admiration. N'aurais-je envisagé, dis-je, une si grande félicité, que pour vous y voir apporter vous-même des obstacles ? Ah ! Madame,

vous oubliez que vous m'avez distingué du reste des hommes,
1035 ou plutôt vous ne m'en avez jamais distingué, vous vous êtes
trompée, et je me suis flatté.

— Vous ne vous êtes point flatté, lui répondit-elle, les
raisons de mon devoir ne me paraîtraient peut-être pas si
fortes sans cette distinction dont vous vous doutez, et c'est
1040 elle qui me fait envisager des malheurs à m'attacher à vous.

— Je n'ai rien à répondre, Madame, reprit-il, quand vous
me faites voir que vous craignez des malheurs, mais je vous
avoue qu'après tout ce que vous avez bien voulu me dire, je
ne m'attendais pas à trouver une si cruelle raison.

1045 — Elle est si peu offensante pour vous, reprit Mme de
Clèves, que j'ai même beaucoup de peine à vous l'apprendre.

— Hélas ! Madame, répliqua-t-il, que pouvez-vous craindre
qui me flatte trop, après ce que vous venez de me dire ?

— Je veux vous parler encore avec la même sincérité que j'ai
1050 déjà commencé, reprit-elle, et je vais passer par-dessus toute
la retenue et toutes les délicatesses que je devrais avoir dans
une première conversation ; mais je vous conjure de m'écouter
sans m'interrompre.

Je crois devoir à votre attachement la faible récompense de
1055 ne vous cacher aucun de mes sentiments, et de vous les laisser
voir tels qu'ils sont. Ce sera apparemment la seule fois de ma
vie que je me donnerai la liberté de vous les faire paraître ;
néanmoins, je ne saurais vous avouer sans honte que la certitude de n'être plus aimée de vous comme je le suis me paraît
1060 un si horrible malheur, que, quand je n'aurais point des
raisons de devoir insurmontables, je doute si je pourrais me
résoudre à m'exposer à ce malheur. Je sais que vous êtes libre,
que je le suis, et que les choses sont d'une sorte que le public

n'aurait peut-être pas sujet de vous blâmer, ni moi non plus,
1065 quand nous nous engagerions ensemble pour jamais ; mais les
hommes conservent-ils de la passion dans ces engagements
éternels ? Dois-je espérer un miracle en ma faveur ? Et puis-je
me mettre en état de voir certainement finir cette passion
dont je ferais toute ma félicité ? M. de Clèves était peut-être
1070 l'unique homme du monde capable de conserver de l'amour
dans le mariage. Ma destinée n'a pas voulu que j'aie pu
profiter de ce bonheur, peut-être aussi que sa passion n'avait
subsisté que parce qu'il n'en aurait pas trouvé en moi ; mais je
n'aurais pas le même moyen de conserver la vôtre, je crois
1075 même que les obstacles ont fait votre constance ; vous en avez
assez trouvé pour vous animer à vaincre ; et mes actions involontaires, ou les choses que le hasard vous a apprises, vous ont
donné assez d'espérance pour ne vous pas rebuter.

— Ah ! Madame, reprit M. de Nemours, je ne saurais garder
1080 le silence que vous m'imposez, vous me faites trop d'injustice,
et vous me faites trop voir combien vous êtes éloignée d'être
prévenue en ma faveur.

— J'avoue, répondit-elle, que les passions peuvent me
conduire, mais elles ne sauraient m'aveugler. Rien ne me peut
1085 empêcher de connaître que vous êtes né avec toutes les dispositions pour la galanterie[1] et toutes les qualités qui sont
propres à y donner des succès heureux. Vous avez déjà eu
plusieurs passions, vous en auriez encore, je ne ferais plus
votre bonheur, je vous verrais pour une autre comme vous
1090 auriez été pour moi. J'en aurais une douleur mortelle, et je ne
serais pas même assurée de n'avoir point le malheur de la

---

1. Galanterie : séduction.

jalousie. Je vous en ai trop dit pour vous cacher que vous me l'avez fait connaître, et que je souffris de si cruelles peines le soir que la reine me donna cette lettre de Mme de Thémines, que l'on disait qui s'adressait à vous, qu'il m'en est demeuré une idée qui me fait croire que c'est le plus grand de tous les maux.

Par vanité ou par goût, toutes les femmes souhaitent de vous attacher. Il y en a peu à qui vous ne plaisiez, mon expérience me ferait croire qu'il n'y en a point à qui vous ne puissiez plaire. Je vous croirais toujours amoureux et aimé, et je ne me tromperais pas souvent. Dans cet état, néanmoins, je n'aurais d'autre parti à prendre que celui de la souffrance, je ne sais même si j'oserais me plaindre. On fait des reproches à un amant, mais en fait-on à un mari quand on n'a qu'à lui reprocher de n'avoir plus d'amour ? Quand je pourrais m'accoutumer à cette sorte de malheur, pourrais-je m'accoutumer à celui de croire voir toujours M. de Clèves vous accuser de sa mort, me reprocher de vous avoir aimé, de vous avoir épousé, et me faire sentir la différence de son attachement au vôtre ? Il est impossible, continua-t-elle, de passer par-dessus des raisons si fortes, il faut que je demeure dans l'état où je suis, et dans les résolutions que j'ai prises de n'en sortir jamais.

– Hé ! Croyez-vous le pouvoir, Madame ? s'écria M. de Nemours. Pensez-vous que vos résolutions tiennent contre un homme qui vous adore, et qui est assez heureux pour vous plaire ? Il est plus difficile que vous ne pensez, Madame, de résister à ce qui nous plaît, et à ce qui nous aime. Vous l'avez fait par une vertu austère, qui n'a presque point d'exemple, mais cette vertu ne s'oppose plus à vos sentiments, et j'espère que vous les suivrez malgré vous.

— Je sais bien qu'il n'y a rien de plus difficile que ce que j'entreprends, répliqua Mme de Clèves, je me défie de mes forces, au milieu de mes raisons. Ce que je crois devoir à la
1125 mémoire de M. de Clèves serait faible, s'il n'était soutenu par l'intérêt de mon repos, et les raisons de mon repos ont besoin d'être soutenues de celles de mon devoir. Mais, quoique je me défie de moi-même, je crois que je ne vaincrai jamais mes scrupules, et je n'espère pas aussi de surmonter l'inclination que j'ai
1130 pour vous. Elle me rendra malheureuse, et je me priverai de votre vue, quelque violence qu'il m'en coûte. Je vous conjure, par tout le pouvoir que j'ai sur vous, de ne chercher aucune occasion de me voir. Je suis dans un état qui me fait des crimes de tout ce qui pourrait être permis dans un autre temps, et la
1135 seule bienséance interdit tout commerce[1] entre nous. »

M. de Nemours se jeta à ses pieds, et s'abandonna à tous les divers mouvements dont il était agité. Il lui fit voir, et par ses paroles et par ses pleurs, la plus vive et la plus tendre passion dont un cœur ait jamais été touché. Celui de Mme de Clèves
1140 n'était pas insensible, et, regardant ce prince avec des yeux un peu grossis par les larmes :

« Pourquoi faut-il, s'écria-t-elle, que je vous puisse accuser de la mort de M. de Clèves ? Que n'ai-je commencé à vous connaître depuis que je suis libre, ou pourquoi ne vous ai-je
1145 pas connu devant que[2] d'être engagée ? Pourquoi la destinée nous sépare-t-elle par un obstacle si invincible ?

— Il n'y a point d'obstacle, Madame, reprit M. de Nemours, vous seule vous opposez à mon bonheur, vous seule vous imposez une loi que la vertu et la raison ne vous sauraient imposer.

---

1. Commerce : rapport.
2. Devant que : avant de.

Des clés
pour vous guider

**Un dénouement tragique
et pessimiste**
de « Je veux vous parler »
à « entre nous », l. 1049 à 1135

M. de Clèves, persuadé que sa femme le trompe avec M. de Nemours et accablé par la jalousie, tombe malade. Il meurt non sans avoir reproché à sa femme de lui avoir tu le nom de son amant. Devenue veuve, la princesse ne vit pas pour autant librement son amour.

1 **Qu'est-ce qui fait de la princesse de Clèves une héroïne tragique ?**

> *pour vous aider* Relevez les motifs tragiques du roman : l'exigence morale, le sens de l'honneur, la mort, le destin, le malheur, la souffrance.

2 **Quels sont les arguments avancés par Mme de Clèves pour refuser d'épouser M. de Nemours ?**

3 **En quoi ce passage est-il une illustration du combat entre la raison et la passion ?**

> *pour vous aider*
> Relevez les tournures antithétiques.

4 GRAMMAIRE • **Quelle est la valeur de la proposition temporelle : « quand nous nous engagerions ensemble pour jamais » (l. 1065) ?**

> *pour vous aider* Transformez cette proposition en changeant la conjonction de subordination et le mode du verbe, sans en modifier le sens.

POUR ALLER *plus loin*

LECTURE ORALISÉE • Faites une lecture à haute voix du passage afin d'en dégager le côté théâtral.

1150 — Il est vrai, répliqua-t-elle, que je sacrifie beaucoup à un devoir qui ne subsiste que dans mon imagination. Attendez ce que le temps pourra faire. M. de Clèves ne fait encore que d'expirer, et cet objet funeste est trop proche pour me laisser des vues claires et distinctes. Ayez cependant le plaisir

1155 de vous être fait aimer d'une personne qui n'aurait rien aimé, si elle ne vous avait jamais vu, croyez que les sentiments que j'ai pour vous seront éternels, et qu'ils subsisteront également, quoi que je fasse. Adieu, lui dit-elle, voici une conversation qui me fait honte, rendez-en compte à M. le vidame,

1160 j'y consens, et je vous en prie. »

Elle sortit, en disant ces paroles, sans que M. de Nemours pût la retenir. Elle trouva M. le vidame dans la chambre la plus proche. Il la vit si troublée qu'il n'osa lui parler, et il la remit en son carrosse sans lui rien dire. Il revint trouver M. de

1165 Nemours, qui était si plein de joie, de tristesse, d'étonnement et d'admiration, enfin, de tous les sentiments que peut donner une passion pleine de crainte et d'espérance, qu'il n'avait pas l'usage de la raison. Le vidame fut longtemps à obtenir qu'il lui rendît compte de sa conversation. Il le fit enfin, et M. de

1170 Chartres, sans être amoureux, n'eut pas moins d'admiration pour la vertu, l'esprit et le mérite de Mme de Clèves, que M. de Nemours en avait lui-même. Ils examinèrent ce que ce prince devait espérer de sa destinée ; et, quelques craintes que son amour lui pût donner, il demeura d'accord avec M. le

1175 vidame qu'il était impossible que Mme de Clèves demeurât dans les résolutions où elle était. Ils convinrent néanmoins qu'il fallait suivre ses ordres, de crainte que, si le public s'apercevait de l'attachement qu'il avait pour elle, elle ne fît des déclarations et ne prît engagements vers le monde, qu'elle

1180 soutiendrait dans la suite, par la peur qu'on ne crût qu'elle l'eût aimé du vivant de son mari.

M. de Nemours se détermina à suivre le roi. C'était un voyage dont il ne pouvait aussi bien se dispenser, et il résolut à s'en aller, sans tenter même de revoir Mme de Clèves du lieu

1185 où il l'avait vue quelquefois. Il pria M. le vidame de lui parler. Que ne lui dit-il point pour lui dire[1]! Quel nombre infini de raisons pour la persuader de vaincre ses scrupules! Enfin, une partie de la nuit était passée devant que M. de Nemours songeât à le laisser en repos.

1190 Mme de Clèves n'était pas en état d'en trouver; ce lui était une chose si nouvelle d'être sortie de cette contrainte qu'elle s'était imposée, d'avoir souffert, pour la première fois de sa vie, qu'on lui dît qu'on était amoureux d'elle, et d'avoir dit elle-même qu'elle aimait, qu'elle ne se connaissait plus. Elle

1195 fut étonnée de ce qu'elle avait fait, elle s'en repentit, elle en eut de la joie, tous ses sentiments étaient pleins de trouble et de passion. Elle examina encore les raisons de son devoir, qui s'opposaient à son bonheur, elle sentit de la douleur de les trouver si fortes, et elle se repentit de les avoir si bien

1200 montrées à M. de Nemours. Quoique la pensée de l'épouser lui fût venue dans l'esprit sitôt qu'elle l'avait revu dans ce jardin, elle ne lui avait pas fait la même impression que venait de faire la conversation qu'elle avait eue avec lui, et il y avait des moments où elle avait de la peine à comprendre qu'elle

1205 pût être malheureuse en l'épousant. Elle eût bien voulu se pouvoir dire qu'elle était mal fondée, et dans ses scrupules du passé, et dans ses craintes de l'avenir. La raison et son devoir

---

1. **Que ne lui dit-il point pour lui dire** : que ne lui dit-il point pour qu'il lui transmette!

lui montraient, dans d'autres moments, des choses tout opposées, qui l'emportaient rapidement à la résolution de ne se
point remarier, et de ne voir jamais M. de Nemours, mais
c'était une résolution bien violente à établir dans un cœur
aussi touché que le sien, et aussi nouvellement abandonné
aux charmes de l'amour. Enfin, pour se donner quelque calme,
elle pensa qu'il n'était point encore nécessaire qu'elle se fît la
violence de prendre des résolutions ; la bienséance lui donnait
un temps considérable à se déterminer, mais elle résolut de
demeurer ferme à n'avoir aucun commerce[1] avec M. de
Nemours. Le vidame la vint voir, et servit ce prince avec tout
l'esprit et l'application imaginables. Il ne la put faire changer
sur sa conduite, ni sur celle qu'elle avait imposée à M. de
Nemours. Elle lui dit que son dessein était de demeurer dans
l'état où elle se trouvait, qu'elle connaissait que ce dessein
était difficile à exécuter, mais qu'elle espérait d'en avoir la
force. Elle lui fit si bien voir à quel point elle était touchée de
l'opinion que M. de Nemours avait causé la mort à son mari,
et combien elle était persuadée qu'elle ferait une action contre
son devoir en l'épousant, que le vidame craignit qu'il ne fût
malaisé de lui ôter cette impression. Il ne dit pas à ce prince
ce qu'il pensait ; et, en lui rendant compte de sa conversation,
il lui laissa toute l'espérance que la raison doit donner à un
homme qui est aimé.

Ils partirent le lendemain, et allèrent joindre le roi. M. le
vidame écrivit à Mme de Clèves, à la prière de M. de Nemours,
pour lui parler de ce prince ; et, dans une seconde lettre qui
suivit bientôt la première, M. de Nemours y mit quelques

---

1. Commerce : entretien.

lignes de sa main. Mais Mme de Clèves, qui ne voulait pas sortir des règles qu'elle s'était imposées, et qui craignait les accidents qui peuvent arriver par les lettres, manda[1] au vidame qu'elle ne recevrait plus les siennes, s'il continuait à lui parler de M. de Nemours, et elle lui manda si fortement, que ce prince le pria même de ne le plus nommer.

La cour alla conduire la reine d'Espagne jusqu'en Poitou. Pendant cette absence, Mme de Clèves demeura à elle-même, et, à mesure qu'elle était éloignée de M. de Nemours, et de tout ce qui l'en pouvait faire souvenir, elle rappelait la mémoire de M. de Clèves, qu'elle se faisait un honneur de conserver. Les raisons qu'elle avait de ne point épouser M. de Nemours lui paraissaient fortes du côté de son devoir, et insurmontables du côté de son repos. La fin de l'amour de ce prince, et les maux de la jalousie, qu'elle croyait infaillibles dans un mariage, lui montraient un malheur certain où elle s'allait jeter, mais elle voyait aussi qu'elle entreprenait une chose impossible, que de résister en présence au plus aimable[2] homme du monde, qu'elle aimait, et dont elle était aimée, et de lui résister sur une chose qui ne choquait ni la vertu ni la bienséance. Elle jugea que l'absence seule et l'éloignement pouvaient lui donner quelque force. Elle trouva qu'elle en avait besoin, non seulement pour soutenir la résolution de ne se pas engager, mais même pour se défendre de voir M. de Nemours, et elle résolut de faire un assez long voyage, pour passer tout le temps que la bienséance l'obligeait à vivre dans la retraite. De grandes terres qu'elle avait vers les Pyrénées lui parurent le lieu le plus

1. **Manda**: fit dire.
2. **Aimable**: propre à être aimé.

propre qu'elle pût choisir. Elle partit peu de jours avant que
1265 la cour revînt, et, en partant, elle écrivit à M. le vidame, pour
le conjurer que l'on ne songeât point à avoir de ses nouvelles,
ni à lui écrire.

M. de Nemours fut affligé de ce voyage, comme un autre
l'aurait été de la mort de sa maîtresse. La pensée d'être privé
1270 pour longtemps de la vue de Mme de Clèves lui était une
douleur sensible, et surtout dans un temps où il avait senti le
plaisir de la voir, et de la voir touchée de sa passion. Cependant
il ne pouvait faire autre chose que s'affliger, mais son affliction
augmenta considérablement. Mme de Clèves, dont l'esprit
1275 avait été si agité, tomba dans une maladie violente sitôt
qu'elle fut arrivée chez elle ; cette nouvelle vint à la cour.
M. de Nemours était inconsolable, sa douleur allait au désespoir et à l'extravagance. Le vidame eut beaucoup de peine à
l'empêcher de faire voir sa passion au public ; il en eut beau-
1280 coup aussi à le retenir, et à lui ôter le dessein d'aller lui-même
apprendre de ses nouvelles. La parenté et l'amitié de M. le
vidame fut un prétexte à y envoyer plusieurs courriers ; on sut
enfin qu'elle était hors de cet extrême péril où elle avait été,
mais elle demeura dans une maladie de langueur, qui ne lais-
1285 sait guère d'espérance de sa vie.

Cette vue si longue et si prochaine de la mort fit paraître à
Mme de Clèves les choses de cette vie de cet œil si différent dont
on les voit dans la santé. La nécessité de mourir, dont elle se
voyait si proche, l'accoutuma à se détacher de toutes choses, et
1290 la longueur de sa maladie lui en fit une habitude. Lorsqu'elle
revint de cet état, elle trouva néanmoins que M. de Nemours
n'était pas effacé de son cœur, mais elle appela à son secours,
pour se défendre contre lui, toutes les raisons qu'elle croyait

avoir pour ne l'épouser jamais. Il se passa un assez grand combat
en elle-même. Enfin elle surmonta les restes de cette passion, qui
était affaiblie par les sentiments que sa maladie lui avait donnés.
Les pensées de la mort lui avaient reproché la mémoire de M. de
Clèves. Ce souvenir, qui s'accordait à son devoir, s'imprima
fortement dans son cœur. Les passions et les engagements du
monde lui parurent tels qu'ils paraissent aux personnes qui ont
des vues plus grandes et plus éloignées. Sa santé, qui demeura
considérablement affaiblie, lui aida à conserver ses sentiments,
mais comme elle connaissait ce que peuvent les occasions sur les
résolutions les plus sages, elle ne voulut pas s'exposer à détruire
les siennes, ni revenir dans les lieux où était ce qu'elle avait aimé.
Elle se retira, sur le prétexte de changer d'air, dans une maison
religieuse, sans faire paraître un dessein arrêté de renoncer à la
cour.

À la première nouvelle qu'en eut M. de Nemours, il sentit le
poids de cette retraite, et il en vit l'importance. Il crut, dans ce
moment, qu'il n'avait plus rien à espérer. La perte de ses espérances ne l'empêcha pas de mettre tout en usage pour faire
revenir Mme de Clèves. Il fit écrire la reine, il fit écrire le
vidame, il l'y fit aller, mais tout fut inutile. Le vidame la vit,
elle ne lui dit point qu'elle eût pris de résolution. Il jugea néanmoins qu'elle ne reviendrait jamais. Enfin, M. de Nemours y
alla lui-même, sur le prétexte d'aller à des bains. Elle fut extrêmement troublée et surprise d'apprendre sa venue. Elle lui fit
dire par une personne de mérite qu'elle aimait, et qu'elle avait
alors auprès d'elle, qu'elle le priait de ne pas trouver étrange si
elle ne s'exposait point au péril de le voir, et de détruire par sa
présence, des sentiments qu'elle devait conserver ; qu'elle
voulait bien qu'il sût, qu'ayant trouvé que son devoir et son

repos s'opposaient au penchant qu'elle avait d'être à lui, les
1325 autres choses du monde lui avaient paru si indifférentes qu'elle
y avait renoncé pour jamais, qu'elle ne pensait plus qu'à celles
de l'autre vie, et qu'il ne lui restait aucun sentiment que le désir
de le voir dans les mêmes dispositions où elle était.

M. de Nemours pensa expirer de douleur en présence de
1330 celle qui lui parlait. Il la pria vingt fois de retourner à Mme de
Clèves, afin de faire en sorte qu'il la vît, mais cette personne
lui dit que Mme de Clèves lui avait non seulement défendu
de lui aller redire aucune chose de sa part, mais même de lui
rendre compte de leur conversation. Il fallut enfin que ce
1335 prince repartît, aussi accablé de douleur que le pouvait être
un homme qui perdait toutes sortes d'espérances de revoir
jamais une personne qu'il aimait d'une passion la plus
violente, la plus naturelle et la mieux fondée qui ait jamais
été. Néanmoins il ne se rebuta point encore, et il fit tout ce
1340 qu'il put imaginer de capable de la faire changer de dessein.
Enfin, des années entières s'étant passées, le temps et l'absence
ralentirent sa douleur et éteignirent sa passion. Mme de
Clèves vécut d'une sorte qui ne laissa pas d'apparence qu'elle
pût jamais revenir[1]. Elle passait une partie de l'année dans
1345 cette maison religieuse, et l'autre chez elle ; mais dans une
retraite et dans des occupations plus saintes que celles des
couvents les plus austères ; et sa vie, qui fut assez courte, laissa
des exemples de vertu inimitables.

FIN DU QUATRIÈME ET DERNIER TOME

---

1. Comprendre : Mme de Clèves vécut avec une telle austérité que personne
n'aurait pu croire qu'elle reviendrait un jour dans le monde.

parcours
LITTÉRAIRE

Individu, morale et société

Étymologiquement, le mot **individu** désigne ce qui ne peut être divisé et qui, par là même, constitue une unité. Lorsqu'on parle d'un être humain, un individu est une personne qui se définit comme un **sujet singulier**, conscient de lui-même et capable d'autonomie.

Penser l'être humain comme un individu, c'est donc le rattacher à sa **liberté** d'être lui-même.

Or, un être humain ne vit pas seul, il vit dans une **société** dont les règles du « vivre-ensemble » contraignent nécessairement sa façon de penser et de vivre.

La **morale** représente un volet important de ces règles car elle guide la conduite des individus en fonction du bien et du mal. En mettant en scène des individus de fiction, les personnages, la littérature interroge pleinement les problèmes que rencontrent les individus face à la morale et à la société de leur temps.

La société impose des **règles de vie** qui contraignent la liberté de l'individu (● TEXTES 1 à 3).

De plus, aux XVIIe et XVIIIe siècles, la morale et la religion ont un poids considérable sur l'individu, ce qui peut le conduire à vouloir **s'en affranchir** (● TEXTES 4 à 5).

Mais ce poids est si important qu'il peut mener l'individu à la souffrance de ne pouvoir vivre librement ses **passions** (● TEXTES 7 à 9).

L'individu face aux conventions sociales

La société repose sur un contrat qui oblige les individus à renoncer à une part de leur liberté pour vivre ensemble. Ce renoncement prend la forme d'une obéissance à des lois.

Mais si des lois fondamentales sont indispensables pour éviter qu'un état de guerre règne entre les individus, il est des règles qui relèvent d'une comédie sociale pouvant paraître superflue et procéder d'un mensonge généralisé qui empêche d'être soi-même (● TEXTE 1).

De plus, la société peut produire une éducation qui formate l'individu dès l'enfance, au point de transformer un collège en prison (● TEXTE 2).

Enfin, aux femmes, la société des XVIe et XVIIe siècles n'offre qu'un destin extrêmement contraint qui prend la forme du mariage, véritable carcan liberticide (● TEXTE 3).

● L'impossible sincérité de la vie sociale

Alceste incarne un misanthrope, c'est-dire un individu qui méprise et l'homme et la vie sociale.

TEXTE 1 **Molière** (1622-1673),
Le Misanthrope (1666), acte I, scène 1, vers 8-64

Le Misanthrope est une pièce de théâtre qui met en scène Alceste, un homme appartenant à l'élite sociale de son temps mais totalement déçu par le comportement de ses semblables en société. Il le manifeste, avec emportement, à son ami Philinte, au tout début de la pièce. Celui-ci vient en effet de le décevoir car il a osé saluer avec des marques d'affection très démonstratives un parfait inconnu.

ALCESTE, *se levant brusquement.*

Moi, votre ami ? Rayez cela de vos papiers.
J'ai fait jusques ici profession de l'être ;
Mais, après ce qu'en vous je viens de voir paraître,
Je vous déclare net que je ne le suis plus,
5 Et ne veux nulle place en des cœurs corrompus.

PHILINTE

Je suis donc bien coupable, Alceste, à votre compte ?

ALCESTE

Allez, vous devriez mourir de pure honte ;
Une telle action ne saurait s'excuser,
Et tout homme d'honneur s'en doit scandaliser.

10 Je vous vois accabler un homme de caresses,
    Et témoigner pour lui les dernières tendresses ;
    De protestations, d'offres, et de serments,
    Vous chargez la fureur de vos embrassements ;
    Et quand je vous demande après quel est cet homme,
15 À peine pouvez-vous dire comme il se nomme ;
    Votre chaleur pour lui tombe en vous séparant,
    Et vous me le traitez, à moi, d'indifférent !
    Morbleu ! c'est une chose indigne, lâche, infâme,
    De s'abaisser ainsi jusqu'à trahir son âme ;
20 Et si, par un malheur, j'en avais fait autant,
    Je m'irais, de regret, pendre tout à l'instant.

PHILINTE

    Je ne vois pas, pour moi, que le cas soit pendable ;
    Et je vous supplierai d'avoir pour agréable,
    Que je me fasse un peu grâce sur votre arrêt,
25 Et ne me pende pas pour cela, s'il vous plaît.

ALCESTE

    Que la plaisanterie est de mauvaise grâce !

PHILINTE

    Mais, sérieusement, que voulez-vous qu'on fasse ?

ALCESTE

    Je veux qu'on soit sincère, et qu'en homme d'honneur
    On ne lâche aucun mot qui ne parte du cœur.

PHILINTE

30 Lorsqu'un homme vous vient embrasser avec joie,
    Il faut bien le payer de la même monnoie[1],
    Répondre, comme on peut, à ses empressements,
    Et rendre offre pour offre, et serments pour serments.

---

1. **Monnoie** : monnaie.

ALCESTE

Non, je ne puis souffrir[1] cette lâche méthode
35 Qu'affectent la plupart de vos gens à la mode ;
Et je ne hais rien tant que les contorsions
De tous ces grands faiseurs de protestations,
Ces affables donneurs d'embrassades frivoles,
Ces obligeants diseurs d'inutiles paroles,
40 Qui de civilités avec tous font combat,
Et traitent du même air l'honnête homme et le fat[2].
Quel avantage a-t-on qu'un homme vous caresse,
Vous jure amitié, foi, zèle, estime, tendresse,
Et vous fasse de vous un éloge éclatant,
45 Lorsque au premier faquin[3] il court en faire autant ?
Non, non, il n'est point d'âme un peu bien située[4]
Qui veuille d'une estime ainsi prostituée ;
Et la plus glorieuse a des régals peu chers
Dès qu'on voit qu'on nous mêle avec tout l'univers :
50 Sur quelque préférence une estime se fonde,
Et c'est n'estimer rien qu'estimer tout le monde.
Puisque vous y donnez, dans ces vices du temps,
Morbleu ! vous n'êtes pas pour être de mes gens[5] ;
Je refuse d'un cœur la vaste complaisance
55 Qui ne fait de mérite aucune différence ;
Je veux qu'on me distingue ; et, pour le trancher net,
L'ami du genre humain n'est point du tout mon fait.

◗ La dure loi du collège

À travers les aventures de Francion, aristocrate désargenté, le roman de Charles Sorel, parfois qualifié de « réaliste », offre un tableau très vivant de la société du début du XVIIe siècle.

---

1. Souffrir : tolérer, supporter.
2. Fat : prétentieux et sot.
3. Faquin : individu sans valeur, sot et impertinent.

4. Bien située : bien née.
5. Mes gens : mes amis.

Charles Sorel (vers 1600-1674),
Histoire comique de Francion (1623), livre III

Au XVIIᵉ siècle, passé la petite enfance, les enfants des élites sociales ne sont pas élevés par leurs parents. Pour les filles l'éducation se fera au couvent, et pour les garçons à l'internat du collège. C'est cette entrée au collège que raconte le protagoniste de ce roman, Francion, ainsi que la découverte d'un microcosme liberticide et cruel qui annonce la société des adultes.

J'étois alors[1] plus enfermé qu'un religieux dans son cloître, et étois obligé de me trouver au service divin, au repas et à la leçon, à de certaines heures, au son de la cloche, par qui toutes choses étoient là compassées[2]. Au lieu de mon
5 curé, qui ne me disoit pas un mot plus haut que l'autre, j'avois un régent[3] à l'aspect terrible, qui se promenoit toujours avec un fouet à la main, dont il se savoit aussi bien escrimer qu'homme de sa sorte. Je ne pense pas que Denis le Tyran[4], après le misérable revers de sa fortune, s'étant
10 fait maître d'école afin de commander toujours, gardât une gravité de monarque beaucoup plus grande.

La loi qui m'étoit la plus fâcheuse à observer sous son empire étoit qu'il ne falloit jamais parler autrement que latin, et je ne me pouvois désaccoutumer de lâcher quelques
15 mots de ma langue maternelle ; de sorte qu'on me donnoit toujours ce que l'on appelle le signe[5], qui me faisoit encourir une punition. Pour moi, je pensai qu'il falloit que je fisse comme les disciples de Pythagore[6], dont j'entendois assez discourir, et que je fusse sept ans à garder le silence comme
20 eux, puisque, sitôt que j'ouvrois la bouche, l'on m'accusoit

---

1. Alors : une fois arrivé au collège.
2. Compassées : très précisément réglées.
3. Régent : professeur titulaire d'une chaire dans un collège.
4. Denis : tyran de Syracuse (ive siècle av. J.-C.).

5. Signe : plaque ronde en cuivre que le surveillant donnait à l'élève surpris en train de parler français.
6. Pythagore : philosophe et mathématicien grec du vie siècle av. J.-C.

avec des paroles aussi atroces que si j'eusse été le plus grand
scélérat du monde ; mais il eût été besoin de me couper la
langue, car, en étant bien pourvu, je n'avois garde de la
laisser moisir. À la fin donc, pour contenter l'envie qu'elle
25   avoit de caqueter, force me fut de lui faire prononcer tous les
beaux mots de latin que j'avois appris, auxquels j'en ajou-
tois d'autres de françois écorché, pour faire mes discours.

   Mon maître de chambre[1] étoit un jeune homme, glorieux
et impertinent au possible ; il se faisoit appeler Horten-
30   sius par excellence, comme s'il fût descendu de cet ancien
orateur qui vivoit à Rome du temps de Cicéron, ou comme
si son éloquence eût été pareille à la sienne. Son nom étoit,
je pense, le Heurteur ; mais il l'avoit voulu déguiser, afin
qu'il eût quelque chose de romain et que l'on crût que la
35   langue latine lui étoit comme maternelle. Ainsi plusieurs
auteurs de notre siècle ont sottement habillé leurs noms à
la romanesque, et les ont fait terminer en us, afin que leurs
livres aient plus d'éclat et que les ignorants les croient être
composés par des anciens personnages. Je ne veux point
40   nommer ces pédants-là ; il ne faut qu'aller à la rue Saint-
Jacques[2], l'on y verra leurs œuvres, et l'on y apprendra qui
ils sont.

   Mais, encore que notre maître commît une semblable
sottise, et qu'il eût beaucoup de vices insupportables, tout
45   ce que nous étions d'écoliers nous n'en recevions point
d'affliction, comme de voir sa très étroite chicheté[3], qui
lui faisoit épargner la plus grande partie de notre pension
pour ne nous nourrir que de regardeaux[4]. J'appris alors, à
mon grand regret, que toutes les paroles qui expriment

---

1. Maître de chambre : étudiant chargé
de surveiller les pensionnaires.
2. Rue Saint-Jacques : rue où se trouve l'une
des entrées de l'université de la Sorbonne,
à Paris.

3. Chicheté : avarice.
4. Regardeaux : regards ; autrement dit, ils ne se
nourrissent que du regard et n'ont rien à manger.

les malheurs qui arrivent aux écoliers se commencent par
un P, avec une fatalité très remarquable ; car il y a pédant[1],
peine, peur, punition, prison, pauvreté, petite portion,
poux, puces et punaises, avec encore bien d'autres, pour
lesquelles rechercher il faudroit avoir un dictionnaire et
bien du loisir.

La dure loi du mariage social

Premier roman de Mme de Lafayette, *La Princesse de Montpensier*,
annonce *La Princesse de Clèves*, en exploitant déjà le thème de la fatalité
de l'amour condamné par la société ou non partagé. L'histoire se déroule
durant la seconde moitié du XVIe siècle, sous le règne de Charles IX.

TEXTE 3

Mme de Lafayette (1634-1693)
La Princesse de Montpensier (1662), incipit

*Au XVIe comme au XVIIe siècle, les femmes ont un statut de personne
mineure. La fille est sous l'autorité de son père, l'épouse sous celle
de son mari. L'incipit du roman présente en quelques phrases le destin
prédéterminé de son héroïne qui doit épouser un homme dont elle
n'est pas amoureuse.*

Pendant que la guerre civile déchirait la France sous le
règne de Charles IX[2], l'amour ne laissait pas de[3] trouver sa
place parmi tant de désordres, et d'en causer beaucoup dans
son empire[4]. La fille unique du marquis de Mézières, héritière
très considérable et par ses grands biens et par l'illustre maison
d'Anjou[5] dont elle était descendue, était comme accordée[6] au

---

1. Pédant : maître d'école.
2. Charles IX, deuxième fils d'Henri II et de
Catherine de Médicis, régna sur la France de 1574
à 1589. Quand le récit commence, en 1563, il est
encore mineur. C'est donc sa mère qui dirige le
royaume, en tant que régente.
3. Ne laissait pas de : ne manquait pas de.

4. Dans son empire : dans l'empire de l'amour. La
métaphore compare les pouvoirs de l'amour à un
empire géopolitique.
5. La maison d'Anjou : la famille d'Anjou, issue de
la famille royale des Capétiens.
6. Comme accordée : promise en mariage de
façon presque certaine.

duc du Maine, cadet du duc de Guise[1], que l'on appela depuis le Balafré. Ils étaient tous deux dans une extrême jeunesse[2] et le duc de Guise, voyant souvent cette prétendue belle-sœur, en qui paraissaient déjà les commencements d'une grande beauté, en devint amoureux et en fut aimé.

Ils cachèrent leur intelligence[3] avec beaucoup de soin, et le duc de Guise, qui n'avait pas encore tant d'ambition qu'il en eut depuis[4], souhaitait ardemment[5] de l'épouser ; mais la crainte du cardinal de Lorraine[6] son oncle, qui lui tenait lieu de père, l'empêchait de se déclarer[7].

Les choses étaient en cet état lorsque la maison de Bourbon[8], qui ne pouvait voir qu'avec envie[9] l'élévation[10] de celle de Guise, s'apercevant de l'avantage[11] qu'elle recevrait de ce mariage, se résolut de le lui ôter et de se le procurer à elle-même, en faisant épouser cette grande héritière au jeune prince de Montpensier[12], que l'on appelait quelquefois le prince dauphin[13].

---

1. Cadet : frère cadet ; **duc de Guise** : Henri Iᵉʳ de Lorraine, dit « le Balafré », chef de la Ligue, confédération de catholiques qui joua un rôle essentiel durant les guerres de religion e.
2. Mademoiselle de Mézières et le duc de Guise ont alors treize ans.
3. Leur intelligence : leur complicité amoureuse.
4. Allusion à l'ambition du duc de Guise de monter sur le trône royal en 1588 à la place d'Henri III, qui le fera assassiner en décembre de la même année.
5. Ardemment : intensément, fortement. Métaphore du feu appliquée au sentiment amoureux.
6. La maison de Lorraine a donné plusieurs cardinaux. Il était d'usage dans les grandes familles que le fils cadet choisisse une carrière ecclésiastique, puisque seul le fils aîné héritait du titre et des terres de la famille. Henri et son frère étant orphelins, c'est donc leur oncle qui décide de leur destin tant qu'ils sont mineurs.
7. L'empêchait de se déclarer : lui interdisait de dire ouvertement à sa famille son amour pour Mlle de Mézières et de la demander en mariage à la place de son frère cadet.

8. La maison de Bourbon est une des branches cadettes des Capétiens. Les Bourbons succéderont aux Valois sur le trône de France avec le futur roi Henri IV.
9. Avec envie : avec jalousie.
10. L'élévation : désigne le degré de noblesse, d'honneur et de richesse auquel peuvent prétendre les grandes familles aristocratiques, qui entrent en rivalité sur ce point.
La maison de Bourbon est une des branches cadettes des Capétiens. Les Bourbons succéderont aux Valois sur le trône de France avec le futur roi Henri IV.
11. L'avantage : l'intérêt qu'apporte le mariage qui, en alliant les grandes familles, fait les prospérer en augmentant leurs biens et leurs terres.
12. Les Montpensier sont issus d'une branche cadette des Bourbons.
13. Prince dauphin : désigne le prince de Montpensier, qui portait le titre de dauphin d'Auvergne, c'est-à-dire prince héritier, par l'héritage de son grand-oncle, le connétable (grand officier) de la maison des Bourbons.

L'on travailla à cette affaire avec tant de succès que les parents, contre les paroles[1] qu'ils avaient données au cardinal
25 de Guise, se résolurent de donner leur nièce[2] au prince de Montpensier. Ce procédé surprit extrêmement toute la maison de Guise, mais le duc en fut accablé de douleur, et l'intérêt de son amour[3] lui fit voir ce changement comme un affront insupportable.

30 Son ressentiment[4] éclata bientôt malgré les réprimandes[5] du cardinal de Guise et du duc d'Aumale, ses oncles, qui ne voulaient point s'opiniâtrer à une chose qu'ils voyaient ne pouvoir empêcher[6]. Il s'emporta avec tant de violence, même en présence du jeune prince de Montpensier, qu'il en naquit
35 une haine entre eux qui ne finit qu'avec leur vie.

Mlle de Mézières, tourmentée par ses parents, voyant qu'elle ne pouvait épouser M. de Guise et connaissant par sa vertu[7] qu'il était dangereux d'avoir pour beau-frère un homme qu'elle souhaitait pour mari, se résolut enfin d'obéir
40 à ses parents et conjura[8] M. de Guise de ne plus apporter d'empêchements et oppositions à son mariage. Elle épousa donc le jeune prince de Montpensier qui, peu de temps après, l'emmena à Champigny (séjour ordinaire des princes de sa maison) pour l'ôter de Paris[9], où apparemment tout l'effort
45 de la guerre allait tomber[10].

---

1. **Paroles** : on donne sa parole quand on s'engage à faire quelque chose.
2. **Nièce** : a sans doute ici le sens latin de «descendante».
3. **L'intérêt de son amour** : le besoin de protéger son amour pour Mlle de Mézières.
4. **Ressentiment** : colère pleine de frustration.
5. **Réprimandes** : reproches.

6. **S'opiniâtrer à une chose qu'ils voyaient ne pouvoir empêcher** : s'entêter à poursuivre une chose qu'ils ne pouvaient empêcher.
7. **Connaissant par sa vertu** : son sens moral lui indiquant que.
8. **Conjura** : supplia et fit promettre.
9. **L'ôter de Paris** : éloigner sa femme de Paris.
10. Allusion à la deuxième guerre de religion, qui commence à l'automne 1567.

L'individu face au poids de la morale et de la religion

La morale est un ensemble de principes que se donnent un individu ou une collectivité pour diriger leur façon d'agir en fonction du bien et du mal. Comme le montre l'étymologie du mot, la morale concerne aussi les mœurs (*mores* en latin), c'est-à-dire les habitudes de vie. Elle pèse donc sur la façon de vivre et dépend des traditions et coutumes d'une communauté. Aux XVIIe et XVIIIe siècles, la morale est fortement dépendante de la religion chrétienne qui est la religion dominante en France. Malgré cette domination, il existe un esprit de contestation et d'affranchissement, le libertinage, qui vise à libérer l'individu de cette aliénation vis-à-vis de la morale ambiante.

Le libertinage érudit est une attitude rationaliste qui critique, notamment, la vision du monde proposée par la religion chrétienne (● TEXTE 4).

Le libertinage des mœurs veut affranchir l'individu de tout ce qui limite ses désirs (● TEXTE 5).

Le libertinage peut être également un instrument de libération et d'émancipation sociale pour les femmes (● TEXTE 6).

● Une explication matérialiste[1] du monde

Célèbre à son époque pour son esprit libre et anticonformiste, Savinien de Cyrano de Bergerac met en scène, dans un conte philosophique intitulé *Histoire comique des États et Empires de la Lune et du Soleil*, les aventures extraterrestres d'un personnage qui, grâce à une machine de son invention, effectue un voyage sur la Lune et le Soleil.

---

1. Matérialiste : relatif au *matérialisme*, conception philosophique d'après laquelle il n'existe d'autre substance dans l'univers que la matière et qui exclut toute explication religieuse du monde.

Cyrano de Bergerac (1619-1655)
Les États et Empires de la Lune et du Soleil (1657-1662)

*Sur la Lune, le narrateur découvre un autre monde, un «monde renversé»,
peuplé d'hommes quadrupèdes qui, parce qu'il est bipède, le prennent pour
un animal et le mettent en cage. Un «démon» originaire du Soleil, espèce
de bon génie, vient toutefois plaider sa cause et parvient à le faire libérer.
Les deux personnages rencontrent deux professeurs habitants de la Lune,
avec lesquels ils ont de nombreuses conversations philosophiques.
L'un d'eux livre sa conception matérialiste du monde, produit du hasard
et de la nécessité et non d'une intelligence divine.*

Puisque nous sommes contraints quand nous voulons
remonter à l'origine de ce grand Tout, d'encourir trois ou quatre
absurdités, il est bien raisonnable de prendre le chemin qui
nous fait moins broncher : le premier obstacle qui nous arrête,
5 c'est l'éternité du monde ; et l'esprit des hommes n'étant pas
assez fort pour la concevoir, et ne pouvant non plus s'imaginer
que ce grand univers si beau, si bien réglé, peut s'être fait de
soi-même, ils ont eu recours à la Création. Mais, semblables à
celui qui s'enfoncerait dans la rivière de peur d'être mouillé de
10 la pluie, ils se sauvent des bras d'un nain à la miséricorde d'un
géant. Encore ne s'en sauvent-ils pas, car cette éternité, qu'ils
ôtent au monde pour ne l'avoir pu comprendre, ils la donnent à
Dieu, comme s'il leur était plus aisé de l'imaginer dedans l'un
que dedans l'autre. Cette absurdité donc, ou ce géant duquel
15 j'ai parlé, est la Création, car, dites-moi, en vérité, a-t-on jamais
conçu comment de rien il se peut faire quelque chose ? Hélas !
entre rien et un atome seulement, il y a des disproportions tellement infinies que la cervelle la plus aiguë n'y saurait pénétrer ;
il faudra donc, pour échapper à ce labyrinthe inexplicable, que
20 vous admettiez une matière éternelle avec Dieu, et alors il ne
sera plus besoin d'admettre un Dieu, puisque le monde aura
pu être sans lui. Mais, me direz-vous, quand je vous accorde-
rais la matière éternelle, comment ce chaos s'est-il arrangé de

soi-même ? Ha ! je vous le vais expliquer. Il faut, ô mon petit
25 animal[1] ! après avoir séparé mentalement chaque petit corps
visible en une infinité de petits corps invisibles, s'imaginer que
l'Univers infini n'est composé d'autre chose que de ces atomes
infinis, très solides, très incorruptibles et très simples, dont les
uns sont cubiques, d'autres parallélogrammes, d'autres angu-
30 laires, d'autres ronds, d'autres pointus, d'autres pyramidaux,
d'autres hexagones, d'autres ovales, qui tous agissent diverse-
ment chacun selon sa figure. [...] Mais, me direz-vous, comment
le hasard peut-il avoir assemblé en un lieu toutes les choses qui
étaient nécessaires à produire ce chêne ? Je réponds que ce n'est
35 pas merveille que la matière ainsi disposée n'eût pas formé un
chêne, mais que la merveille eût été bien grande si, la matière
ainsi disposée, le chêne n'eût pas été formé ; un peu moins de
certaines figures, c'eût été un orme, un peuplier, un saule, un
sureau, de la bruyère, de la mousse ; un peu plus de certaines
40 autres figures, c'eût été la plante sensitive, une huître à l'écaille,
un ver, une mouche, une grenouille, un moineau, un singe, un
homme. Quand, ayant jeté trois dés sur une table, il arrive une
rafle de deux[2], ou bien trois, quatre et cinq, ou bien deux, six et
un, direz-vous : « Ô le grand miracle ! » À chaque dé il est arrivé
45 même point, tant d'autres points pouvant arriver ! Ô le grand
miracle ! il est arrivé en trois dés trois points qui se suivent. Ô
le grand miracle ! il est arrivé justement deux six, et le dessous
de l'autre six ! Je suis très assuré qu'étant homme d'esprit, vous
ne ferez point ces exclamations ; car puisqu'il n'y a sur les dés
50 qu'une certaine quantité de nombres, il est impossible qu'il
n'en arrive quelqu'un. Vous vous étonnez comme cette matière,
brouillée pêle-mêle, au gré du hasard, peut avoir constitué un
homme, vu qu'il y avait tant de choses nécessaires à la construction de son être, mais vous ne savez pas que cent millions de

---

1. Petit animal : les hommes quadrupèdes de la
Lune sont beaucoup plus grands que les hommes
bipèdes (animaux pour eux) de la Terre.

2. Rafle de deux : jet de dés qui fait apparaître
trois fois le chiffre deux.

55 fois cette matière, s'acheminant au dessein d'un homme, s'est arrêtée à former tantôt une pierre, tantôt du plomb, tantôt du corail, tantôt une fleur, tantôt une comète, pour le trop ou trop peu de certaines figures qu'il fallait ou ne fallait pas à désigner un homme ? Si bien que ce n'est pas merveille qu'entre
60 une infinie quantité de matière qui change et se remue incessamment, elle ait rencontré à faire le peu d'animaux, de végétaux, de minéraux que nous voyons ; non plus que ce n'est pas merveille qu'en cent coups de dés il arrive un rafle.

🠾 Une profession de foi libertine

Dom Juan est l'un des personnages les plus célèbres de Molière (même si ce n'est pas lui qui l'a inventé). Il incarne le libertinage à la fois intellectuel, moral, social et sentimental.

TEXTE 5

Molière (1622-1673), *Dom Juan* (1665)
extrait de la scène 2 de l'acte I

Dom Juan explique à son valet Sganarelle quelle est sa conception de l'amour et du mariage et fait un éloge de l'inconstance et de la liberté d'aimer sans entrave d'aucune sorte, même pas celle de la fidélité.

DOM JUAN

Quoi ! tu veux qu'on se lie à[1] demeurer au premier objet qui nous prend, qu'on renonce au monde pour lui, et qu'on n'ait plus d'yeux pour personne ? La belle chose de vouloir se piquer[2] d'un faux honneur d'être fidèle, de s'ensevelir pour toujours
5 dans une passion, et d'être mort dès sa jeunesse à toutes les autres beautés qui nous peuvent frapper les yeux ! Non, non, la constance n'est bonne que pour des ridicules[3] ; toutes les belles ont droit de nous charmer, et l'avantage d'être rencontrée la

---

1. Qu'on se lie à : qu'on s'oblige à.
2. Se piquer de : prétendre à.

3. Des ridicules : des hommes ridicules.

première ne doit point dérober aux autres les justes préten-
10 tions qu'elles ont toutes sur nos cœurs. Pour moi, la beauté
me ravit partout où je la trouve, et je cède facilement à cette
douce violence dont elle nous entraîne. J'ai beau être engagé,
l'amour que j'ai pour une belle n'engage point mon âme à faire
injustice aux autres ; je conserve des yeux pour voir le mérite
15 de toutes, et rends à chacune les hommages et les tributs où la
nature nous oblige. Quoi qu'il en soit, je ne puis refuser mon
cœur à tout ce que je vois d'aimable ; et, dès qu'un beau visage
me le demande, si j'en avais dix mille, je les donnerais tous.
Les inclinations[1] naissantes, après tout, ont des charmes inex-
20 plicables, et tout le plaisir de l'amour est dans le changement.
On goûte une douceur extrême à réduire, par cent hommages, le cœur d'une jeune beauté, à voir de jour en jour les petits progrès qu'on y fait, à combattre, par des transports[2], par
des larmes et des soupirs, l'innocente pudeur d'une âme qui a
25 peine à rendre les armes, à forcer pied à pied toutes les petites
résistances qu'elle nous oppose, à vaincre les scrupules dont
elle se fait un honneur, et la mener doucement où nous avons
envie de la faire venir. Mais lorsqu'on en est maître une fois, il
n'y a plus rien à dire ni plus rien à souhaiter ; tout le beau de
30 la passion est fini, et nous nous endormons dans la tranquillité
d'un tel amour, si quelque objet nouveau ne vient réveiller nos
désirs, et présenter à notre cœur les charmes attrayants d'une
conquête à faire. Enfin il n'est rien de si doux que de triompher
de la résistance d'une belle personne ; et j'ai, sur ce sujet, l'am-
35 bition des conquérants, qui volent perpétuellement de victoire
en victoire, et ne peuvent se résoudre à borner leurs souhaits.
Il n'est rien qui puisse arrêter l'impétuosité de mes désirs : je
me sens un cœur à aimer toute la terre ; et, comme Alexandre,
je souhaiterais qu'il y eût d'autres mondes pour y pouvoir
40 étendre mes conquêtes amoureuses.

---

1. Inclinations : mouvements affectifs.   **2. Transports** : sentiments passionnés.

Vertu de ma vie, comme vous débitez ! Il semble que vous ayez appris cela par cœur, et vous parlez tout comme un livre.

DOM JUAN

Qu'as-tu à dire là-dessus ?

SGANARELLE

Ma foi ! j'ai à dire, et je ne sais que dire ; car vous tournez les
45   choses d'une manière¹, qu'il semble que vous avez raison ; et cependant il est vrai que vous ne l'avez pas. J'avais les plus belles pensées du monde, et vos discours m'ont brouillé tout cela. Laissez faire ; une autre fois je mettrai mes raisonnements par écrit, pour disputer² avec vous.

DOM JUAN

50   Tu feras bien.

SGANARELLE

Mais, Monsieur, cela serait-il de la permission que vous m'avez donnée, si je vous disais que je suis tant soit peu scandalisé de la vie que vous menez ?

DOM JUAN

Comment ! quelle vie est-ce que je mène ?

SGANARELLE

55   Fort bonne. Mais, par exemple, de vous voir tous les mois vous marier comme vous faites…

DOM JUAN

Y a-t-il rien de plus agréable ?

SGANARELLE

Il est vrai. Je conçois que cela est fort agréable et fort divertissant, et je m'en accommoderais assez, moi, s'il n'y avait

---

1. D'une manière : d'une telle manière.   **2. Disputer** : discuter.

60 point de mal ; mais, Monsieur, se jouer ainsi d'un mystère sacré[1], et…

DOM JUAN

Va, va, c'est une affaire entre le Ciel et moi, et nous la démêlerons bien ensemble sans que tu t'en mettes en peine.

▸ Le libertinage comme revanche sociale

Dans son roman épistolaire, Choderlos de Laclos met en scène le personnage de la marquise de Merteuil, parfaite libertine, cynique, intelligente et manipulatrice, qui cherche à se venger d'un amant ingrat à l'aide de son complice, le vicomte de Valmont.

TEXTE 6 **Pierre Choderlos de Laclos** (1741-1803)
Les Liaisons dangereuses (1782), extrait de la lettre 105

Pour se venger de l'un ses amants, le comte de Gercourt, qui doit épouser la jeune Cécile de Volanges, la marquise de Merteuil jette l'ingénue dans les bras de Valmont, à charge pour lui de la pervertir. Face aux regrets de la jeune fille, la marquise lui conseille de conduire sa vie comme elle l'a fait, elle : se soumettre aux ordres de sa mère et être en façade une épouse vertueuse, mais dans l'intimité se laisser aller aux plaisirs du corps dans l'adultère, avec ses deux amants, Danceny et Valmont.

Ce qui pour tout le monde serait un plaisir, et pourrait n'être que cela, devient dans votre situation un véritable bonheur. En effet, placée entre une mère dont il vous importe d'être aimée, et un Amant[2] dont vous désirez de l'être toujours, comment ne
5 voyez-vous pas que le seul moyen d'obtenir ces succès opposés, est de vous occuper d'un tiers ? Distraite par cette nouvelle aventure, tandis que vis-à-vis de votre maman vous aurez l'air de sacrifier à votre soumission pour elle un goût qui lui déplaît, vous acquerrez vis-à-vis de votre Amant l'honneur d'une belle

---

1. Mystère sacré : le mariage.

2. Amant : le jeune Danceny, dont Cécile est amoureuse.

10 défense. En l'assurant sans cesse de votre amour, vous ne lui en accorderez pas les dernières preuves. Ces refus, si peu pénibles dans le cas où vous serez, il ne manquera pas de les mettre sur le compte de votre vertu ; il s'en plaindra peut-être, mais il
15 vous en aimera davantage ; et pour avoir le double mérite, aux yeux de l'un de sacrifier l'amour, à ceux de l'autre d'y résister, il ne vous en coûtera que d'en goûter les plaisirs. Oh ! combien de femmes ont perdu leur réputation, qui l'eussent conservée avec soin, si elles avaient pu la soutenir par de pareils moyens.

20   Ce parti que je vous propose ne vous paraît-il pas le plus raisonnable, comme le plus doux ? Savez-vous ce que vous avez gagné à celui que vous avez pris ? c'est que votre maman a attribué votre redoublement de tristesse à un redoublement d'amour, qu'elle en est outrée, et que pour vous en punir elle
25 n'attend que d'en être plus sûre. Elle vient de m'en écrire ; elle tentera tout pour obtenir cet aveu de vous-même. Elle ira peut-être, me dit-elle, jusqu'à vous proposer Danceny pour époux ; et cela, pour vous engager à parler. Et si, vous laissant séduire par cette trompeuse tendresse, vous répon-
30 diez selon votre cœur, bientôt renfermée pour longtemps, peut-être pour toujours, vous pleureriez à loisir votre aveugle crédulité.

    Cette ruse qu'elle veut employer contre vous, il faut la combattre par une autre. Commencez donc, en montrant moins
35 de tristesse, à lui faire croire que vous songez moins à Danceny. Elle se le persuadera d'autant plus facilement, que c'est l'effet ordinaire de l'absence ; et elle vous en saura d'autant plus de gré, qu'elle y trouvera une occasion de s'applaudir de sa prudence, qui lui a suggéré ce moyen. Mais si, conservant quelque doute,
40 elle persistait pourtant à vous éprouver, et qu'elle vînt à vous parler de mariage, renfermez-vous, en fille bien née, dans une parfaite soumission. Au fait, qu'y risquez-vous ? Pour ce qu'on fait d'un mari, l'un vaut toujours bien l'autre ; et le plus incommode est encore moins gênant qu'une mère.

45   Une fois plus contente de vous, votre maman vous mariera
       enfin ; et alors, plus libre dans vos démarches, vous pourrez, à
       votre choix, quitter Valmont pour prendre Danceny, ou même
       les garder tous deux. Car, prenez-y garde, votre Danceny est
       gentil : mais c'est un de ces hommes qu'on a quand on veut et
50   tant qu'on veut ; on peut donc se mettre à l'aise avec lui. Il n'en
       est pas de même de Valmont : on le garde difficilement ; et il
       est dangereux de le quitter. Il faut avec lui beaucoup d'adresse
       ou, quand on n'en a pas, beaucoup de docilité. Mais aussi, si
       vous pouviez parvenir à vous l'attacher comme ami ! ce serait
55   là un bonheur ! il vous mettrait tout de suite au premier rang
       de nos femmes à la mode. C'est comme cela qu'on acquiert
       une consistance dans le monde, et non pas à rougir et à pleurer,
       comme quand vos religieuses vous faisaient dîner à genoux.

Passion, morale et société

Le XVIIe siècle condamne les passions, vues comme des obstacles insurmontables qui s'opposent à la liberté et ne font que nourrir l'amour-pro-
pre. Dans ce cadre, la passion amoureuse est clairement considérée
comme dévastatrice (● TEXTE 7). Pourtant, au siècle suivant, les passions
sont réhabilitées. L'amour peut être vu comme un sentiment empreint de
sincérité et d'innocence que seule la société vient entraver (● TEXTE 8). La
passion, malgré les risques qu'elle fait courir à l'individu, peut, *in fine*, être
considérée comme la force indispensable à toute vie humaine (● TEXTE 9).

● Aimer et souffrir

Au moment de leur publication, tout le monde crut en l'authenticité de
ces cinq lettres d'amour, écrites par une religieuse du Portugal à un
gentilhomme français dont elle était tombée éperdument amoureuse.
Aujourd'hui, on sait avec certitude qu'elles ont été inventées de toutes
pièces par le comte de Guilleragues, secrétaire ordinaire de la Chambre du roi, qui ne dévoila jamais la supercherie.

Guilleragues (1628-1695),
Lettres d'une religieuse portugaise (1669)
extrait de la lettre I

L'auteur, partageant le pessimisme de ses contemporains à l'égard de l'amour, campe, à travers ces lettres, le portrait d'une religieuse, Mariane, séduite puis abandonnée par un officier français, prisonnière de sa passion et torturée par le désir amoureux.

Considère, mon amour, jusqu'à quel excès tu as manqué de prévoyance. Ah! malheureux, tu as été trahi, et tu m'as trahie par des espérances trompeuses. Une passion sur laquelle tu avais fait tant de projets de plaisirs ne te cause présentement qu'un
5 mortel désespoir, qui ne peut être comparé qu'à la cruauté de l'absence qui le cause. Quoi? cette absence, à laquelle ma douleur, tout ingénieuse qu'elle est, ne peut donner un nom assez funeste, me privera donc pour toujours de regarder ces yeux, dans lesquels je voyais tant d'amour, et qui me faisaient
10 connaître des mouvements qui me comblaient de joie, qui me tenaient lieu de toutes choses, et qui enfin me suffisaient? Hélas! les miens sont privés de la seule lumière qui les animait, il ne leur reste que des larmes, et je ne les ai employés à aucun usage qu'à pleurer sans cesse, depuis que j'appris que vous étiez
15 enfin résolu à un éloignement, qui m'est si insupportable qu'il me fera mourir en peu de temps. Cependant il me semble que j'ai quelque attachement pour des malheurs dont vous êtes la seule cause : je vous ai destiné ma vie aussitôt que je vous ai vu, et je sens quelque plaisir en vous la sacrifiant. J'envoie
20 mille fois le jour mes soupirs vers vous, ils vous cherchent en tous lieux, et ils ne me rapportent, pour toute récompense de tant d'inquiétudes, qu'un avertissement trop sincère, que me donne ma mauvaise fortune[1], qui a la cruauté de ne souffrir pas

---

1. Fortune : destinée.

que je me flatte[1], et qui me dit à tous moments: cesse, cesse,
25 Mariane infortunée, de te consumer vainement, et de chercher
un amant que tu ne verras jamais, qui a passé les mers pour
te fuir, qui est en France au milieu des plaisirs, qui ne pense
pas un seul moment à tes douleurs, et qui te dispense de tous
ces transports, desquels il ne te sait aucun gré? Mais non, je ne
30 puis me résoudre à juger si injurieusement[2] de vous, et je suis
trop intéressée à vous justifier. Je ne veux point m'imaginer
que vous m'avez oubliée. Ne suis-je pas assez malheureuse, sans
me tourmenter par de faux soupçons? Et pourquoi ferais-je des
efforts pour ne me plus souvenir de tous les soins que vous avez
35 pris de me témoigner de l'amour? J'ai été si charmée de tous
ces soins, que je serais bien ingrate si je ne vous aimais avec
les mêmes emportements que ma passion me donnait quand
je jouissais des témoignages de la vôtre. Comment se peut-il
faire que les souvenirs de moments si agréables, soient devenus
40 si cruels? et faut-il que contre leur nature ils ne servent qu'à
tyranniser mon cœur? Hélas! votre dernière lettre le réduisit
en un étrange état: il eut des mouvements si sensibles[3], qu'il
fit, ce semble, des efforts pour se séparer de moi et pour vous
aller trouver. Je fus si accablée de toutes ces émotions violentes,
45 que je demeurai plus de trois heures abandonnée de tous mes
sens. Je me défendis de revenir à une vie que je dois perdre
pour vous, puisque je ne puis la conserver pour vous. Je revis
enfin, malgré moi, la lumière; je me flattais[4] de sentir que je
mourais d'amour; et d'ailleurs j'étais bien aise de n'être plus
50 exposée à voir mon cœur déchiré par la douleur de votre
absence. Après ces accidents, j'ai eu beaucoup de différentes
indispositions; mais puis-je jamais être sans maux tant que je
ne vous verrai pas? Je les supporte cependant sans murmurer,
puisqu'ils viennent de vous. Quoi? est-ce là la récompense, que

---

1. Que je me flatte: que je me trompe en déguisant la réalité.
2. Injurieusement: injustement.

3. Sensibles: évidents, saisissants.
4. Je me flattais: ici, je me félicitais.

⁵⁵ vous me donnez pour vous avoir si tendrement aimé ? Mais il
n'importe, je suis résolue à vous adorer toute ma vie, et à ne
voir jamais personne ; et je vous assure que vous ferez bien aussi
de n'aimer personne. Pourriez-vous être content d'une passion
moins ardente que la mienne ? Vous trouverez peut-être plus
⁶⁰ de beauté (vous m'avez pourtant dit autrefois que j'étais assez
belle), mais vous ne trouverez jamais tant d'amour, et tout
le reste n'est rien. Ne remplissez plus vos lettres de choses
inutiles, et ne m'écrivez plus de me souvenir de vous. Je ne
puis vous oublier, et je n'oublie pas aussi que vous m'avez
⁶⁵ fait espérer que vous viendrez passer quelque temps avec
moi. Hélas ! pourquoi n'y voulez-vous pas passer toute votre
vie ? S'il m'était possible de sortir de ce malheureux cloître,
je n'attendrais pas en Portugal l'effet de vos promesses : j'irais,
sans garder aucune mesure, vous chercher, vous suivre, et vous
⁷⁰ aimer par tout le monde.

● Projet de mariage dans le Nouveau Monde

Bien que ce récit soit raconté par le chevalier des Grieux qui en est le
personnage principal, c'est Manon Lescaut que la postérité consacra
comme la figure mythique de ce roman de l'amour fou.

TEXTE 8 **Abbé Prévost** (1697-1763)
Manon Lescaut (1731), deuxième partie

*Des Grieux, jeune homme de bonne famille, est tombé amoureux de
Manon, jeune fille frivole et dévergondée. Bien qu'elle le trahisse et
le trompe à plusieurs reprises, il ne peut s'empêcher de l'aimer. Il la
retrouve en Amérique où elle a été déportée et lui renouvelle son amour
avec l'espoir de tout recommencer dans ce nouveau monde, loin des
contraintes de la société française. C'est le mythe d'un amour naturel,
sans entrave morale ou sociale, qui se joue ici. Manon, de son côté, a
changé et déclare à son amant un amour sincère.*

Je me couchai avec ces charmantes idées, qui changèrent ma cabane en un palais digne du premier roi du monde. L'Amérique me parut un lieu de délices après cela. « C'est à la Nouvelle-Orléans qu'il faut venir, disais-je souvent
5 à Manon, quand on veut goûter les vraies douceurs de l'amour : c'est ici qu'on s'aime sans intérêt, sans jalousie, sans inconstance. Nos compatriotes y viennent chercher de l'or ; ils ne s'imaginent pas que nous y avons trouvé des trésors bien plus estimables. »
10 Nous cultivâmes soigneusement l'amitié du gouverneur. Il eut la bonté, quelques semaines après notre arrivée, de me donner un petit emploi qui vint à vaquer[1] dans le fort. Quoiqu'il ne fût pas distingué, je l'acceptai comme une faveur du ciel : il me mettait en état de vivre sans être à
15 charge à personne. Je pris un valet pour moi, et une servante pour Manon. Notre petite fortune s'arrangea ; j'étais réglé dans ma conduite, Manon ne l'était pas moins. Nous ne laissions point échapper l'occasion de rendre service et de faire du bien à nos voisins. Cette disposition officieuse[2]
20 et la douceur de nos manières nous attirèrent la confiance et l'affection de toute la colonie ; nous fûmes en peu de temps si considérés, que nous passions pour les premières personnes de la ville après le gouverneur.

L'innocence de nos occupations et la tranquillité où
25 nous étions continuellement servirent à nous faire rappeler insensiblement des idées de religion. Manon n'avait jamais été une fille impie[3] ; je n'étais pas non plus de ces libertins outrés qui font la gloire d'ajouter l'irréligion à la dépravation des mœurs : l'amour et la jeunesse avaient causé tous nos désordres.
30 L'expérience commençait à nous tenir lieu d'âge ; elle fit sur nous le même effet que les années. Nos conversations, qui

---

1. Vaquer : être libre, vacant.
2. Cette disposition officieuse : cette manière de rendre service.

3. Impie : qui n'a pas de religion, irréligieuse.

étaient toujours réfléchies, nous mirent insensiblement dans le goût d'un amour vertueux. Je fus le premier qui proposait ce changement à Manon. Je connaissais les principes de son
35 cœur : elle était droite et naturelle dans tous ses sentiments, qualité qui dispose toujours à la vertu. Je lui fis comprendre qu'il manquait une chose à notre bonheur : « C'est, lui dis-je, de le faire approuver du ciel. Nous avons l'âme trop belle et le cœur trop bien fait l'un et l'autre pour vivre volontairement
40 dans l'oubli du devoir. Passe d'y avoir vécu en France, où il nous était également impossible de nous aimer et de nous satisfaire par une voie légitime ; mais en Amérique, où nous ne dépendons que de nous-mêmes, où nous n'avons plus à ménager les lois arbitraires du sang et de la bienséance, où
45 l'on nous croit même mariés, qui empêche que nous ne le soyons bientôt effectivement, et que nous n'ennoblissions notre amour par des serments que la religion autorise ? Pour moi, ajoutai-je, je ne vous offre rien de nouveau en vous offrant mon cœur et ma main ; mais je suis prêt à vous en renouveler
50 le don au pied d'un autel. »

● Réhabilitation de la passion

La Nouvelle Héloïse, roman par lettres, constitue le plus grand succès romanesque du XVIIIe siècle.

TEXTE 9 **Jean-Jacques Rousseau** (1712-1778)
La Nouvelle Héloïse (1761), VI, 8

Saint Preux et Julie s'aiment depuis leur jeunesse (19 et 17 ans). Mais la vie et la société les séparent. Julie, aristocrate, ne peut épouser Saint Preux, roturier. Les deux amants se retrouvent au bout de quatre ans de séparation. Julie est mariée et mère de deux enfants, mais son amour pour Saint Preux n'est pas mort et elle revendique, sans regret, son droit à chercher dans l'amour une alternative à un bonheur moral trop paisible.

Dans le règne des passions, elles[1] aident à supporter les tourments qu'elles donnent; elles tiennent l'espérance à côté du désir. Tant qu'on désire on peut se passer d'être heureux; on s'attend à le devenir : si le bonheur ne vient point, l'espoir se
5 prolonge, et le charme de l'illusion dure autant que la passion qui le cause. Ainsi cet état se suffit à lui-même, et l'inquiétude qu'il donne est une sorte de jouissance qui supplée à la réalité, qui vaut mieux peut-être. Malheur à qui n'a plus rien à désirer! il perd pour ainsi dire tout ce qu'il possède. On jouit
10 moins de ce qu'on obtient que de ce qu'on espère et l'on n'est heureux qu'avant d'être heureux. En effet, l'homme, avide et borné, fait pour tout vouloir et peu obtenir, a reçu du ciel une force consolante qui rapproche de lui tout ce qu'il désire, qui le soumet à son imagination, qui le lui rend présent et
15 sensible, qui le lui livre en quelque sorte, et, pour lui rendre cette imaginaire propriété plus douce, le modifie au gré de sa passion. Mais tout ce prestige disparaît devant l'objet même; rien n'embellit plus cet objet aux yeux du possesseur; on ne se figure point ce qu'on voit; l'imagination ne pare plus rien de
20 ce qu'on possède, l'illusion cesse où commence la jouissance. Le pays des chimères[2] est en ce monde le seul digne d'être habité, et tel est le néant des choses humaines, qu'hors l'Être existant par lui-même il n'y a rien de beau que ce qui n'est pas.

Si cet effet n'a pas toujours lieu sur les objets particuliers
25 de nos passions, il est infaillible dans le sentiment commun qui les comprend toutes. Vivre sans peine n'est pas un état d'homme; vivre ainsi c'est être mort. Celui qui pourrait tout sans être Dieu serait une misérable créature; il serait privé du plaisir de désirer; toute autre privation serait plus supportable.
30 Voilà ce que j'éprouve en partie depuis mon mariage et depuis votre retour. Je ne vois partout que sujets de contentement,

---

1. Elles : les passions.   **2. Chimères** : fantasmes, illusions.

et je ne suis pas contente ; une langueur[1] secrète s'insinue au
fond de mon cœur ; je le sens vide et gonflé, comme vous disiez
autrefois du vôtre ; l'attachement que j'ai pour tout ce qui m'est
35 cher ne suffit pas pour l'occuper ; il lui reste une force inutile
dont il ne sait que faire. Cette peine est bizarre, j'en conviens ;
mais elle n'est pas moins réelle. Mon ami, je suis trop heureuse ;
le bonheur m'ennuie.

Concevez-vous quelque remède à ce dégoût du bien-être ?
40 Pour moi, je vous avoue qu'un sentiment si peu raisonnable
et si peu volontaire a beaucoup ôté du prix que je donnais
à la vie ; et je n'imagine pas quelle sorte de charme on y
peut trouver, qui me manque ou qui me suffise. Une autre
sera-t-elle plus sensible que moi ? Aimera-t-elle mieux son
45 père, son mari, ses enfants, ses amis, ses proches ? En sera-t-
elle mieux aimée ? Mènera-t-elle une vie plus de son goût ?
Sera-t-elle plus libre d'en choisir une autre ? Jouira-t-elle
d'une meilleure santé ? Aura-t-elle plus de ressources contre
l'ennui, plus de liens qui l'attachent au monde ? Et toutefois
50 j'y vis inquiète ; mon cœur ignore ce qui lui manque ; il
désire sans savoir quoi.

Ne trouvant donc rien ici-bas qui lui suffise, mon âme avide
cherche ailleurs de quoi la remplir : en s'élevant à la source du
sentiment et de l'être, elle y perd sa sécheresse et sa langueur ; elle
55 y renaît, elle s'y ranime, elle y trouve un nouveau ressort, elle y
puise une nouvelle vie ; elle y prend une autre existence qui ne
tient point aux passions du corps ; ou plutôt elle n'est plus en
moi-même, elle est toute dans l'Être immense qu'elle contemple
et, dégagée un moment de ses entraves, elle se console d'y rentrer
60 par cet essai d'un état plus sublime qu'elle espère être un jour
le sien.

---

1. Langueur : mélancolie.

DOS SIER

La structure de l'œuvre

La Princesse de Clèves propose une action simple et resserrée où la vie d'une très jeune femme bascule en peu de temps vers une destinée tragique. Le roman se concentre sur la courte vie de l'héroïne éponyme avec deux temps forts, le bal et l'aveu, qui font basculer sa vie dans une nouvelle direction.

Une structure d'ensemble en trois temps[1]

① La découverte de la cour et du monde : l'entrée dans la vie

• La vie de l'héroïne commence à seize ans, lorsque sa mère « voulut la mener à la cour » pour organiser son mariage. La jeune fille découvre cette cour qualifiée de « très agréable » mais aussi de « très dangereuse » (p. 37) par la narratrice.

• Les manœuvres matrimoniales de sa mère sont en partie un échec car la jeune fille doit se contenter de la main du prince de Clèves, un cadet de famille. Mais il est fou d'amour pour elle. Désormais mariée, la princesse peut profiter pleinement de sa vie à la cour. C'est au cours du bal organisé pour les fiançailles de la fille du roi avec le duc de Lorraine, qu'a lieu la première rencontre entre Mme de Clèves et le duc de Nemours.

② La découverte de l'amour : troubles et combats

• À partir de ce moment, Mme de Clèves est prise dans le filet de la passion amoureuse car, à chaque nouvelle rencontre avec le duc de Nemours, son trouble augmente et la chimie amoureuse progresse. Par une multitude de signes et d'échanges indirects, les deux « amants » décryptent leurs sentiments mutuels.

---

1. Les quatre « tomes » du roman correspondent aux volumes de l'édition originale et n'ont pas de signification structurelle.

• Mme de Chartres, de son côté, comprend avant et mieux que sa fille le bouleversement sentimental qu'elle est en train de vivre. Elle tente vainement de l'en préserver et meurt, non sans avertir une dernière fois sa fille des malheurs qui la guettent si elle se laisse prendre par la passion.

• Livrée à elle-même, la jeune femme doit affronter seule la progression de son amour et les souffrances de la jalousie. Prise dans un tel étau, ne se sentant plus maîtresse d'elle-même, elle choisit de s'éloigner de la cour. Poussée par son mari, qui ne comprend pas une telle décision, elle finit par lui avouer qu'elle en aime un autre, sans le nommer.

③ L'acte final : mécanique tragique de la destruction des êtres par l'amour

• Loin d'avoir l'effet escompté par l'héroïne, son aveu agit sur les deux hommes de sa vie de façon opposée. Nemours, qui a assisté en secret à la scène, se sait clairement aimé au point de s'en enorgueillir imprudemment auprès de ses proches.

• Clèves se sait trompé, au moins par le cœur et l'âme, et n'a de cesse de connaître l'identité de son rival. Cette affaire le mine et finit par le détruire : il tombe malade, rongé par la jalousie, et meurt en accusant à demi-mots sa femme d'en être responsable.

• Mme de Clèves est à son tour complètement accablée et décide de renoncer définitivement à l'amour et au monde. C'est dans cette retraite qu'elle meurt au bout d'une « courte vie », écrit la narratrice.

Les épisodes hétérogènes

Contrairement aux romans baroques et précieux, il n'y a qu'une seule intrigue dans *La Princesse de Clèves*. Cependant, l'auteure a gardé quelques éléments extérieurs à cette intrigue tout en leur donnant une fonction et une signification importantes.

① L'incipit historique : un prologue grandiose

• L'incipit de *La Princesse de Clèves* transporte le lecteur à la cour d'Henri II. Ces quelques pages retardent l'apparition de l'héroïne et donc de la fiction, au point que lecteur peut se croire dans un roman historique. Cet incipit apporte au roman un cadre à la fois grandiose et signifiant.

② Les quatre récits enchâssés : des histoires en miroir

• Reprenant une habitude des romans précieux, Mme de Lafayette insère quatre récits dans l'intrigue principale. Le premier et le troisième sont **historiques**. Le deuxième et le quatrième sont **romanesques**. À chaque fois, il est question d'amour et chaque récit répète ou annonce les souffrances et les émois amoureux de la princesse.

Les moments forts, effets d'écho et de symétrie

① Les deux incipit

• Après le prologue historique initial, un deuxième incipit fait entrer le lecteur dans le cadre fictionnel avec la phrase : « Il parut alors une beauté à la cour » (p. 29). L'arrivée de la princesse dans le récit apparaît donc comme un cas particulier dans l'univers qui vient d'être décrit, comme si l'intrigue était une illustration de tout ce qui se joue à la cour en termes d'intrigues galantes.

② Les deux scènes de première rencontre

• Mlle de Chartres rencontre pour la première fois M. de Clèves chez un joaillier, par hasard. C'est un véritable coup de foudre pour le prince, mais pas pour la jeune fille qui ressent plutôt un sentiment de gêne.

• L'héroïne, désormais mariée, rencontre pour la première fois M. de Nemours au bal du Louvre à l'occasion des fiançailles de la fille du roi. Chacun a entendu parler de l'autre et s'est préparé à aller à ce bal. Le hasard ne joue donc pas dans cette rencontre. Pourtant, le choc visuel opère cette fois à double sens : les deux personnages tombent amoureux l'un de l'autre au premier regard.

③ Les deux moments de trouble en public

• Par deux fois, en plus de la scène du bal, la princesse laisse transparaître le trouble de sa passion en public.

• D'abord lorsqu'elle voit M. de Nemours voler son portrait chez elle alors que la Dauphine s'y trouve avec toutes ses dames. Heureusement pour elle, seul M. de Nemours perçoit son trouble.

• Ensuite, en vue du tournoi organisé pour célébrer la paix avec l'Espagne, Nemours essaie des chevaux et tombe. Mme de Clèves ne peut s'empêcher de montrer un «trouble qu'elle ne song[e] pas à cacher» (p. 00), lorsqu'elle croit que M. de Nemours est blessé. Cette fois, M. de Guise «remarque aisément» l'émotion de la jeune femme.

④ Les deux scènes d'aveu

• La scène de l'aveu de Mme de Clèves à son mari est l'un des moments clés du roman et sans doute le plus célèbre. Cet aveu est double puisque M. de Nemours assiste à la scène.

• Mais un second aveu a lieu, plus indirect et ne passant pas par la parole, lorsque la jeune femme, seule dans son pavillon de Coulommiers, contemple rêveusement un tableau représentant le siège de Metz dans lequel figure M. de Nemours, ce qui constitue un aveu involontaire. Nemours, qui l'espionne une fois encore, goûte avec délice le fait de «la voir tout occupée de choses qui [ont] du rapport à lui et à la passion qu'elle lui cach[e]» (p. 189).

⑤ Les deux disparitions

• Mme de Clèves perd les deux êtres qui lui sont chers et qui l'aimaient de l'amour le plus sincère et le plus entier : sa mère, puis son mari. Dans les deux cas, au moment de mourir, chacun lui fait un discours qui l'ébranle profondément. Mais si le discours de Mme de Chartres restera sans effet face à la force de la passion, celui de M. de Clèves aura un rôle plus décisif sur la volonté finale de l'héroïne de se soustraire à la passion amoureuse.

PREMIER TEMPS NARRATIF	SÉQUENCES	LIEUX	TEMPS FICTIF	TEMPS HISTORIQUE	PERSONNAGES	ACTIONS
L'entrée dans la vie	Prologue historique, p. 17-29	Paris, Cercamp		Règne d'Henri II. Octobre 1558: projet de négociations de paix à Cercamp. 17 novembre: mort de Marie d'Angleterre.	Le roi Henri II, sa favorite, son épouse, les principaux membres de la cour, dont le vidame de Chartres et le duc de Nemours.	Présentation de la cour, de ses fêtes, de ses intrigues amoureuses. Tractations de paix et projets de mariages princiers.
	L'arrivée de Mlle de Chartres, p. 29-48	Paris	De fin novembre 1558 à début 1559 (date non précisée)	Noces du duc de Lorraine et de Mme Claude de France prévues pour février 1559 (en réalité le mariage a lieu le 22 janvier).	Mlle de Chartres et sa mère, M. de Clèves, le chevalier de Guise, Mme la Dauphine (épouse de François, fils aîné du roi), M. de Nemours.	Portrait social, moral et physique de l'héroïne. Tractations matrimoniales de sa mère. Rivalités de ses prétendants. Échec du premier projet de mariage de sa mère. M. de Clèves déçu par le manque d'amour de sa promise. Mariage avec M. de Clèves. Projet de mariage entre Nemours et la reine d'Angleterre.
	Le bal: naissance de la passion amoureuse, p. 48-50	Le Louvre à Paris	Février 1559 (date non précisée)	Fiançailles du duc de Lorraine et de Claude de France.	La cour, Mme de Clèves, M. de Nemours	Rencontre-coup de foudre au bal.

DEUXIÈME TEMPS NARRATIF	SÉQUENCES	LIEUX	TEMPS FICTIF	TEMPS HISTORIQUE	PERSONNAGES	ACTIONS
La découverte de l'amour : troubles et combats	Double progression du sentiment amoureux, p. 52	Paris	Le lendemain du bal et les jours suivants	Célébrations des noces princières.	La cour, Mme de Clèves, M. de Nemours.	M. de Nemours, fou d'amour, cherche à voir la princesse dès qu'il le peut.
	Le récit de Mme de Chartres, p. 52-60	Chez la Princesse de Clèves			Mme de Clèves, Mme de Chartres.	Récit de Mme de Chartres sur les amours du roi et de la duchesse de Valentinois.
	Transformation du duc de Nemours, p. 60-66	À la cour	Les jours suivants		M. de Nemours, Mme de Clèves, Mme la Dauphine, le Maréchal de Saint André.	M. de Nemours n'est plus le même homme et néglige ses projets de mariage royal. Mme de Clèves ne se confie pas à sa mère sur ses sentiments pour Nemours. Refus de Mme de Clèves d'aller au bal du maréchal de Saint-André car Nemours n'y assiste pas. Sa mère comprend tout.

DEUXIÈME TEMPS NARRATIF	SÉQUENCES	LIEUX	TEMPS FICTIF	TEMPS HISTORIQUE	PERSONNAGES	ACTIONS
La découverte de l'amour : troubles et combats (suite)	Derniers combats et mort de Mme de Chartres, p. 66-72	À la cour	Les jours suivants	Fin février 1559 : reprise des négociations de paix avec l'Espagne à Cateau-Cambrésis.	Mme de Chartres, Mme de Clèves.	Mme de Chartres révèle la relation entre Nemours et la Dauphine. Naissance de la jalousie. Maladie et mort de Mme de Chartres.
	Les combats de l'héroïne, p. 72-103	À la cour et chez Mme de Clèves.			La princesse, Nemours, M de Clèves, la Dauphine.	Mme de Clèves tente d'éviter Nemours. Mort de Mme de Tournon. Récit de son histoire par M. de Clèves. Nemours renonce à la reine d'Angleterre et avoue, à demi-mots, son amour à Mme de Clèves. Récit de la Dauphine sur Anne de Boulen.
	Les failles et les défaites de l'héroïne, p. 103-119	Chez Mme de Clèves. À la lice, près de la Bastille		Signature du traité de paix de Cateau-Cambrésis (3 avril 1559). Annonce du tournoi du 15 juin pour célébrer la paix.	La cour, Nemours, la princesse, Guise.	Le portrait dérobé. Nemours blessé en essayant des chevaux. Émotion visible de la princesse. L'affaire de la lettre perdue accroît sa jalousie.

DEUXIÈME TEMPS NARRATIF	SÉQUENCES	LIEUX	TEMPS FICTIF	TEMPS HISTORIQUE	PERSONNAGES	ACTIONS
La découverte de l'amour: troubles et combats (suite)	La scène de la lettre à quatre mains, p. 119-139	Chez Mme de Clèves			Le vidame de Chartres, Nemours, la princesse.	Récit du vidame de Chartres à Nemours qui met au jour le secret de la lettre. Nemours et Mme de Clèves réécrivent à deux la lettre dans un moment de complicité amoureuse.
	L'aveu, p. 140-152	Paris, puis Coulommiers			La princesse, Clèves, Nemours.	Prise de remords, la princesse se retire à Coulommiers et avoue son infidélité sentimentale à son mari. Nemours assiste à la scène.

TROISIÈME TEMPS NARRATIF	SÉQUENCES	LIEUX	TEMPS FICTIF	TEMPS HISTORIQUE	PERSONNAGES	ACTIONS
Mécanique tragique de la destruction des êtres par l'amour	L'enquête de M. de Clèves, p. 152-157	Paris			La princesse, Clèves, Nemours, la cour.	Nemours raconte au vidame de Chartres l'aveu auquel il a assisté, sans nommer les protagonistes. Clèves cherche à savoir qui est l'amant de sa femme et l'épie. Une rumeur sur l'aveu court à la cour.

TROISIÈME TEMPS NARRATIF	SÉQUENCES	LIEUX	TEMPS FICTIF	TEMPS HISTORIQUE	PERSONNAGES	ACTIONS
Mécanique tragique de la destruction des êtres par l'amour (suite)	Le tournoi et la mort du roi, p. 157-180	Paris, le Louvre		14 et 15 juin 1559 : fiançailles et mariage de Madame, fille du roi, avec Philippe II d'Espagne. 30 juin, blessure du roi ; 10 juillet, mort du roi.	La princesse, Nemours, la cour.	Mariage de Madame : tournoi pour célébrer le mariage. Nemours porte du jaune, couleur de Mme de Clèves. Mort du roi d'un éclat de lance dans l'œil.
	L'enquête fatale, p. 180-197	Paris, Reims, Coulommiers	La princesse, Clèves, Nemours, la cour.	Mme de Clèves cherche à fuir Nemours et augmente ainsi les soupçons de son mari, qui devient plus pressant. Il suit la cour à Reims pour le sacre. Mme de Clèves se réfugie à Coulommiers. Son mari charge un homme de suivre Nemours. Nemours surprend Mme de Clèves dans son pavillon de Coulommiers.		

Troisième temps narratif	Séquences	Lieux	Temps fictif	Temps historique	Personnages	Actions
Mécanique tragique de la destruction des êtres par l'amour (suite)	Mort de M. de Clèves, p. 197-203	Paris			La princesse, M. de Clèves.	Le rapport de l'espion génère une jalousie mortifère chez M. de Clèves. Sur son lit de mort, Clèves reproche à sa femme de lui avoir tu le nom de Nemours et ne parvient pas à lui pardonner son attitude, même s'il croit à son innocence.
	Le renoncement de Mme de Clèves, p. 203-221		Plusieurs mois		La princesse, Nemours, Mme de Martigues, sœur de Nemours.	Deuil et souffrance de Mme de Clèves. Elle aperçoit Nemours dans son jardin, ce qui ravive sa flamme. Dernière rencontre entre les deux amants. Longue discussion. Mme de Clèves refuse l'amour de Nemours.

TROISIÈME TEMPS NARRATIF	SÉQUENCES	LIEUX	TEMPS FICTIF	TEMPS HISTORIQUE	PERSONNAGES	ACTIONS
Mécanique tragique de la destruction des êtres par l'amour (suite)	Épilogue : fin de la vie de Mme de Clèves, p. 221-226		Plusieurs années	La cour conduit la reine d'Espagne en Poitou (novembre 1559).	Le vidame de Chartres, Nemours, la princesse.	Le vidame de Chartres tente de parler à la princesse, vainement. Nemours suit la cour. Mme de Clèves se retire dans ses terres des Pyrénées, puis dans une maison religieuse et interdit toute visite de Nemours. Mort de Mme de Clèves après une vie « assez courte ».

FICHE

2

Les personnages

Malgré sa petite taille, le roman de Mme de Lafayette présente
une galerie de personnages à la fois très remplie et très homogène.
Dans cet ensemble, certains personnages ne sont que des silhouettes,
d'autres sont des figures très fouillées.

Les protagonistes

Sur la centaine de personnages du roman, la quasi-totalité est constituée
de personnages historiques. Seules l'héroïne et sa mère sont des personnages de pure fiction. Cependant, la romancière prend des libertés avec la
réalité, en transformant certains personnages historiques comme le duc
de Nemours ou le prince de Clèves.

1 La princesse de Clèves, une victime de l'amour

• L'héroïne éponyme n'a que seize ans au début du roman. On sait peu
de choses de son physique, si ce n'est qu'elle est blonde, au teint blanc
et aux «traits réguliers». Ce qui importe, c'est qu'elle est d'une «grande
beauté», pleine de «grâce et de charmes». Prévenue par sa mère des
ravages destructeurs de l'amour, elle est habitée par un grand sens moral et se montre très soucieuse d'être vertueuse. Elle sait parfaitement
quelle est sa condition de femme et à quels devoirs une jeune femme de
son rang doit s'astreindre. Elle est sincère et honnête avec sa mère et
avec son mari.

• Tout fait d'elle une épouse parfaite au regard des codes sociaux et
moraux de l'époque, jusqu'à sa rencontre avec Nemours. Une autre
femme apparaît alors. Mme de Lafayette met tout en œuvre pour révé-
ler le caractère destructeur de la passion amoureuse qui transforme
l'héroïne. Son calme, son contrôle, sa lucidité, sa morale cèdent peu à
peu aux assauts de l'amour. Le lecteur assiste ainsi à la défaite de la
volonté de l'héroïne, malgré ses résolutions et ses précautions pour ne
pas faillir.

FICHES

PROLONGEMENTS

OBJECTIF BAC

DOSSIER • 265

• Héroïne de l'amour involontaire et non assumé, la princesse de Clèves se perd et perd son mari dans son désir impossible et contradictoire d'aimer malgré soi.

2 Mme de Chartres, une mère lucide, mais impuissante

• Ayant perdu son mari, Mme de Chartres élève sa fille seule. Elle fait le choix, inhabituel, de lui parler de l'amour au lieu de la laisser dans l'ignorance. Elle incarne ainsi les opinions de l'auteure dont elle est une sorte de double, du moins partiellement.

• Elle est convaincue que l'amour n'apporte que souffrance et dépossession de soi. **Cartésienne**, elle pense que par la raison on peut maîtriser les passions. Mais elle est aussi **pascalienne**, quand elle décrit la faiblesse des hommes et constate que sa propre fille lui cache ses sentiments réels et qu'elle est une nouvelle victime de l'amour.

• Cependant, **Mme de Chartres n'est pas sans défaut**. D'abord, elle fait preuve d'orgueil dans ses ambitions matrimoniales pour sa fille. Et surtout, en voulant l'écarter de l'amour, en la manipulant, comme lorsqu'elle cherche à l'attacher à son mari ou qu'elle lui décrit le caractère volage de Nemours, elle commet l'erreur d'empêcher sa fille de découvrir l'amour par elle-même. *In fine,* l'éducation qu'elle lui dispense s'avérera un échec. Sa mort laisse la princesse seule face à ses désirs et oriente le roman vers le tragique.

3 M. de Clèves, mari et amant

• L'**originalité** de M. de Clèves est soulignée à plusieurs reprises dans le roman : il est à la fois un mari et un amant. Cette singularité ne peut se comprendre que si l'on se souvient qu'au XVIIe comme au XVIIIe siècle, le mariage n'est pas l'aboutissement d'une histoire d'amour mais un **contrat social et économique**.

• Or, M. de Clèves tombe fou amoureux de sa femme au premier regard – il n'est pas le seul : Guise et Nemours succombent également aux charmes de la princesse. Mais, chez M. de Clèves, non seulement cet amour perdure dans et après le mariage, mais il doit aussi être réciproque. Il ne peut se contenter du respect et du dévouement de sa femme. Il attend d'elle, dès le début de leur relation, plus qu'un attachement conjugal, ce que souligne une remarque signifiante de la romancière : « **Il eût préféré** le bonheur de lui plaire à la certitude de l'épouser sans en être aimé.» (p. 42-43). Aussi M. de Clèves est-il un personnage fondamentalement inquiet et torturé, en quête d'un bonheur que sa femme ne peut lui procurer.

• La **contradiction** du personnage, qui veut mélanger la norme sociale du mariage avec la norme romanesque de l'amour, est la **source du drame**. Ivre d'amour et terrassé par la jalousie, il ne se contentera pas de la fidélité physique de sa femme. Possessif, il aurait voulu qu'elle lui appartienne totalement, corps et âme. Finalement, aux yeux de Mme de Lafayette, il est lui aussi une **victime de l'amour**.

4) M. de Nemours, l'amant romanesque

• Le duc de Nemours est le personnage **le plus romanesque** de *La Princesse de Clèves* et, sans doute, pour le lecteur moderne, **le moins réaliste**. Initialement décrit comme un «chef-d'œuvre de la nature» (p. 22), il est le **pendant masculin de l'héroïne**. Cette beauté hyperbolique fait de lui un personnage romanesque. Il est aussi **le plus galant des galants**, c'est-à-dire un homme expérimenté dans l'art de la séduction, qui a et a eu plusieurs maîtresses. C'est enfin un **ambitieux**, prêt à épouser la reine d'Angleterre (fait inventé par Mme de Lafayette).

• Or, sa rencontre avec Mme de Clèves le **métamorphose** en un amant digne des romans pastoraux ou précieux, c'est-à-dire un chevalier ou un berger prêt à tout pour conquérir sa belle et qui renonce à son mode de vie galant pour un amour exclusif et total.

La cour

La cour est un personnage collectif à part entière, composée de la plus haute aristocratie de l'époque: le roi Henri II, sa femme Catherine de Médicis, sa maîtresse depuis plus de vingt ans, la duchesse de Valentinois, et leurs nombreux courtisans. Parmi eux, certaines figures se détachent et ont un rôle plus important dans l'intrigue.

① La reine dauphine, une autre belle princesse

• **Marie Stuart**, reine d'Écosse, épouse du prince héritier, le futur François II, est présentée par la romancière comme une sorte de double de l'héroïne : jeune femme presque aussi belle que Mme de Clèves, courtisée par de nombreux hommes – dont Nemours –, elle entretient une relation assez privilégiée avec l'héroïne et participe, sans le savoir, à de nombreux micro-événements qui précipitent le destin de la princesse.

• De plus, elle se trouve dans une situation inconfortable vis-à-vis de la reine et de la duchesse de Valentinois, dont elle se dit « haïe » (p. 41) et, surtout, son destin historique tragique (évoqué par la romancière) **entre en résonance avec celui de l'héroïne**.

② Le chevalier de Guise, un autre bel amant

• Fougueux personnage, le chevalier de Guise est très amoureux de la princesse et le lui fait savoir à plusieurs reprises. Amant éconduit et malheureux, il se voit dépossédé de cet amour d'abord par M. de Clèves, puis par Nemours. La romancière en fait un **observateur perspicace** qui décrypte mieux que tout le monde ce qui se trame dans le cœur de l'héroïne.

③ Le vidame de Chartres, l'auxiliaire et le confident

• Ami et confident de Nemours, le vidame de Chartres **redouble l'intrigue amoureuse principale** par sa propre histoire d'amour avec Mme de Thémines. L'épisode – très romanesque – de la lettre le concerne et conduit au seul moment de véritable complicité amoureuse entre Mme de Clèves et M. de Nemours.

1

La princesse

• Elle est jeune et éduquée pour être une épouse vertueuse.
• Elle cède à la passion malgré sa volonté et se perd.

4

M. de Nemours

• Il est beau, galant et ambitieux.
• Il est le personnage le plus romanesque.

Les protagonistes

3

M. de Clèves

• Il aime la princesse et souhaite réciprocité et sincérité.
• Jaloux, il précipite le drame en voulant découvrir la vérité.

2

Mme de Chartres

• Elle éduque seule sa fille et cherche à la marier.
• Elle considère l'amour comme un danger et tente d'en protéger sa fille.

FICHES

PROLONGEMENTS

OBJECTIF BAC

Une nouvelle historique et galante, ou un roman d'analyse ?

Une nouvelle historique

① Mme de Lafayette, une mémorialiste ?

• Par formation et par goût, Mme de Lafayette se présentait comme une **historienne**. Elle place *La Princesse de Clèves* dans le genre des Mémoires : « C'est proprement des Mémoires, et c'était, à ce que l'on m'a dit, le titre du livre, mais on l'a changé[1]. »

• L'Histoire fournit donc une galerie de personnages et des événements qui sont familiers aux lecteurs de l'époque et inscrivent le récit dans une **temporalité réelle**. Les faits mentionnés ne sont distants que d'un peu plus d'un siècle par rapport au moment de l'écriture : le récit commence en 1559 et la nouvelle est publiée en 1678. En toile de fond, on trouve les négociations de paix entre la France et l'Espagne et les grands mariages princiers.

② Un titre dans l'air du temps

• Le goût n'est plus aux prénoms exotiques qui avaient rendu célèbres les romans précieux : Astrée ou Céladon[2], Clélie ou Artamène[3]. Par le patronyme et le titre nobiliaire de ses personnages, Mme de Lafayette revendique clairement l'**authenticité historique** de son œuvre. Il ne faut donc pas se méprendre sur le mot « princesse ». Il ne désigne pas un personnage de conte de fées, mais bien un personnage féminin appartenant à la haute aristocratie.

---

1. Lettre du 13 avril 1678 à Lescheraine, secrétaire de Mme Royale de Nemours-Savoie.
2. Astrée, Céladon : personnages du roman *L'Astrée*, d'Honoré d'Urfé.

3. Clélie, Artamène : personnages des romans *Clélie* et *Le Grand Cyrus*, de Mlle de Scudéry.

3 La fonction esthétique de l'Histoire

• Cependant, contrairement au roman historique[1], **l'Histoire n'est pas au premier plan** dans *La Princesse de Clèves*. Elle est un point de départ signifiant, que la romancière dépasse pour s'intéresser avant tout à l'analyse psychologique et sentimentale. Elle **utilise** les **faits historiques** et en fait des **instruments** de sa fiction. La rencontre entre les deux héros se produit à l'occasion d'un bal donné en l'honneur des fiançailles (historiques) de l'une des filles du roi. Nemours est blessé dans les préparatifs d'un tournoi qui a réellement eu lieu et au cours duquel le roi de France est effectivement mort d'un coup de lance fatal.

• De plus, la romancière utilise la cour historique d'Henri II comme **cadre** signifiant, à la fois historique, majestueux et romanesque. La cour est en effet le lieu où se croisent les grands de ce monde. Et c'est aussi un décor romanesque peuplé de «belles personnes» (p. 103), où règnent «la magnificence et la galanterie» (p. 17).

• Enfin, la cour constitue un **microcosme**, un monde dans le monde, régi par des codes et des normes qui contraignent les individus. Le Louvre, les appartements des reines, les jardins forment un **univers clos** dans lequel l'héroïne est en quelque sorte prisonnière et où il est impossible d'avoir une intimité. Ainsi, la princesse rencontre Nemours partout où elle passe : «Elle le vit chez la reine dauphine, elle le vit jouer à la paume, elle le vit courre la bague» (p. 52). Quand elle veut échapper à la cour, elle est obligée de s'en expliquer devant son mari qui ne la comprend pas : «Mais pourquoi ne voulez-vous point revenir à Paris ? Qui peut vous retenir à la campagne ?» (p. 144), lui demande-t-il. Dans ce petit monde la rumeur va bon train et tout finit par se savoir, y compris l'aveu très intime de la princesse à son mari.

---

1. On situe la naissance du roman historique au début du XIXe siècle, avec les ouvrages du romancier britannique Walter Scott (*Ivanhoé*, 1819). En France, on peut penser à *Notre-Dame de Paris*, de Victor Hugo (1831), ou encore aux *Trois Mousquetaires*, d'Alexandre Dumas (1844).

Une nouvelle galante

1) La galanterie, moteur de la nouvelle

• Au XVIIᵉ siècle, nouvelles et romans sont **rattachés** à l'amour, comme le proclame la célèbre définition du roman par Pierre Daniel Huet : « Fictions d'aventures amoureuses écrites en prose avec art[1]. »

• L'intrigue principale et les intrigues secondaires du roman de Mme de Lafayette sont des histoires d'amour. Mais il y a plus : ces histoires sont analysées comme des **faits sociaux**, voire de sociabilité : « L'ambition et la galanterie étaient l'âme de cette cour, et occupaient également les hommes et les femmes », peut-on lire page 35-36. Car, contrairement aux romans précieux, l'art de la galanterie, en tant que conquête amoureuse, est clairement **condamné** par la romancière : les relations amoureuses qu'elle dépeint sont quasiment toutes adultères ; aussi qualifie-t-elle la cour de « très agréable, mais aussi de très dangereuse pour une jeune personne » (p. 37).

2) Les imbroglios amoureux

• La **peinture des intrigues galantes** qui animent la cour envahit le roman dès le prologue. Depuis l'histoire, réelle, entre le roi et sa maîtresse, la duchesse de Valentinois, jusqu'à celle, inventée, de Mme de Tournon et de sa duplicité amoureuse, toute la cour vit au rythme, parfois complexe, des affaires de cœur.

Une radiographie de la passion amoureuse

1) Le roman d'analyse

• La mode des nouvelles historiques se présente, par son ancrage dans une réalité à la fois historique et vraisemblable, comme un **refus du romanesque**. Mais ce réalisme ne s'attarde guère à décrire les lieux et les modes de vie présentés dans l'intrigue. Ce qui intéresse la romancière, c'est le **réalisme psychologique**, c'est-à-dire l'étude de l'âme humaine :

1. *Traité sur l'origine des romans*, 1670.

et c'est ce qui fait de *La Princesse de Clèves* un texte précurseur du roman d'analyse.

2 Les techniques d'analyse psychologique : le point de vue omniscient et le monologue intérieur[1]

• Pour procéder à cette analyse, Mme de Lafayette utilise deux outils narratifs majeurs.

• D'une part elle recourt à une **narration omnisciente** qui donne accès, non seulement à l'intégralité des faits et gestes des personnages, mais aussi à leurs états d'âme. La narratrice porte un regard surplombant sur les événements dont elle connaît les tenants et les aboutissants, et adopte une certaine neutralité qui se veut objective. Elle a le pouvoir de décrypter les sentiments intérieurs des personnages : « M. de Nemours fut tellement surpris de sa beauté » (p. 49), ou encore : « Mme de Clèves était dans une affliction extrême » (p. 70).

• D'autre part elle va plus loin en reproduisant, à l'aide du **discours indirect**, les **débats intérieurs** des personnages, comme dans une espèce de monologue intérieur, avec des phrases commençant par « Elle pensa que », « Elle crut que », « Quand elle pensait qu'elle s'était reproché comme un crime […] » (p. 140).

3 Le décryptage de la passion amoureuse

• Avec ces outils, la naissance de l'amour, son développement et ses effets sur l'individu sont observés par la romancière comme le ferait un **examen clinique** pour une maladie. « Trouble », « embarras », « surprise » ou encore le verbe « rougir » ponctuent l'analyse, qui parvient à mettre les mots exacts sur tout ce que ressent l'héroïne alors que celle-ci est incapable d'une telle lucidité. La scène de l'écriture de la lettre à quatre mains est un très bon exemple de ce décryptage de la passion amoureuse : « Elle ne sentait que le plaisir de voir M. de Nemours, elle en avait une joie pure et sans mélange qu'elle n'avait jamais sentie » (p. 138).

---

1. Henriette Levillain parle de « soliloque réflexif » (*Henriette Levillain commente La Princesse de Clèves*, Gallimard, « Foliothèque », 1985).

Le tragique de la passion amoureuse selon Mme de Lafayette

Hormis la mutation des techniques narratives, ce qui fait la nouveauté de *La Princesse de Clèves*, c'est d'être un roman sur l'amour conçu comme une passion destructrice, ce qui l'apparente à une tragédie.

Un roman d'édification[1] morale

1 Le langage de la rationalité

• Le XVIIe siècle est marqué par le règne de la raison comme la décrit Descartes. Il ne s'agit pas de condamner les passions mais de montrer que l'homme est capable de les dresser et de les soumettre par l'exercice de sa raison[2]. C'est cette **éducation cartésienne** que Mme de Chartres prétend donner à sa fille.

• Mme de Lafayette prête donc à son héroïne un **discours maîtrisé et lucide**. Ainsi à la mort de sa mère : « Elle se trouvait malheureuse d'être abandonnée à elle-même dans un temps où elle se trouvait si peu maîtresse de ses sentiments […] il lui semblait qu'à force de s'attacher à lui [*son mari*], il la défendrait contre M. de Nemours » (p. 73). Le rapport de causalité entre la réflexion et la décision semble être sans faille. Mme de Clèves connaît son cœur avec lucidité. C'est bien la raison qui dicte les mots de la décision de s'attacher à son mari.

---

1. Édification : construction et éducation. Un fait est *édifiant* quand on en tire une leçon.
2. « Ceux mêmes qui ont les plus faibles âmes pourraient acquérir un empire très absolu sur toutes leurs passions, si on employait assez d'industrie à les dresser et à les conduire », écrit Descartes dans *Les Passions de l'âme*.

② La défaite de la raison et de la volonté

• Pourtant, au fur et à mesure que l'intrigue progresse, le lecteur va se trouver confronté à la fois à la manifestation d'une lucidité illusoire et à la défaite de la volonté. Ainsi, alors que Mme de Clèves s'entretenait avec sa mère de tous ses autres prétendants, tout est différent en ce qui concerne le duc de Nemours : « Sans avoir un dessein formé de le lui cacher, elle ne lui en parla point » (p. 61). La première partie de la phrase révèle bien l'absence de contrôle de la raison sur la décision. Le dressage des passions[1] par la raison, prôné par la philosophie cartésienne, n'est qu'une illusion. Mme de Clèves **subira** son amour, qui finira par la détruire et détruire son mari.

③ L'aveu : une confession ratée

• Même l'aveu, que l'on pourrait considérer comme un acte résultant d'une volonté forte, est en fait un **examen de conscience raté**. Dans la religion chrétienne, la confession permet au croyant de libérer sa conscience morale par la reconnaissance devant Dieu, par l'intermédiaire du prêtre, de ses fautes. Or, d'une part la princesse demande à son mari une espèce de réparation de ses fautes que seul un prêtre pourrait lui accorder, et d'autre part, en lui cachant le nom de l'homme qu'elle aime, elle ne va pas jusqu'au bout du pacte de sincérité que commande une confession. En gardant ce secret, elle cède encore une fois à l'amour sans en avoir conscience.

Une vision pessimiste de l'amour

① Le mal d'aimer

• La passion majeure étudiée dans le roman est l'amour. Or, si, dans les romans précieux, l'amour était une conquête et une victoire qui devaient mener au bonheur, dans *La Princesse de Clèves*, il est au contraire une **défaite** qui conduit au **malheur** car il est irrationnel. Dans l'ensemble, l'héroïne n'éprouvera que très peu de bonheur à aimer Nemours, même si

---

1. Le mot *passion* se rattache à la famille du verbe latin *patior*, qui signifie « subir ». Cette même racine a donné l'adjectif *passif*.

elle éprouve de la douceur, voire du plaisir, à le faire. Le seul vrai moment de bonheur partagé par les deux personnages est celui de l'écriture à quatre mains de la lettre.

• Pour le reste, l'amour, dans le roman, est surtout une **souffrance**. Quand la princesse prend connaissance de la relation entre Nemours et la dauphine, voici ce qu'écrit la narratrice : « L'on ne peut exprimer la douleur qu'elle sentit de connaître [...] l'intérêt qu'elle prenait à M. de Nemours » (p. 68). Le plaisir éprouvé est un plaisir ressenti malgré soi, comme le souligne la phrase suivante : « Elle ne pouvait s'empêcher d'être troublée de sa vue, et d'avoir pourtant du plaisir à le voir » (p. 70). Un mot revient souvent pour qualifier l'émotion amoureuse, l'adjectif « violent », qu'il faut prendre dans un sens très négatif.

②) La victoire du corps

• Cette vision pessimiste de l'amour ne peut se comprendre que par le fait qu'au XVIIe siècle, le corps est condamné. Le **combat du corps et de l'esprit** est l'une des lignes directrices du roman.

• Le corps trahit la raison : à de nombreuses reprises, la princesse ne peut s'empêcher de rougir et de laisser paraître son trouble. Chaque signe de son visage ou de son corps est scruté, soit par sa mère, soit par Nemours, son mari ou Guise, et révèle ce qu'elle voudrait cacher aux autres et se cacher à elle-même. C'est pourquoi l'**amour** est **comparé**, non à un feu, métaphore traditionnelle, mais à un **poison**, lorsque la princesse comprend que Nemours a renoncé à son mariage avec la reine d'Angleterre pour elle : « Quel poison, pour Mme de Clèves, que le discours de Mme la dauphine ! » (p. 88).

③) La condamnation de la galanterie

• Enfin, la condamnation de l'amour passe par celle de la galanterie qui est présentée comme un jeu dangereux, trompeur et sapant les fondements mêmes du mariage puisqu'elle ne s'exerce qu'en dehors du mariage. Celui de l'héroïne intervient au début du roman en tant qu'institution patrimoniale. Mlle de Chartres est avant tout une monnaie d'échange en tant que l'« un des grands partis qu'il y eût en France » (p. 30). Et c'est en dehors du mariage que l'héroïne découvre l'amour, lequel est donc associé à une relation extra-conjugale.

La question de la liberté et de l'individu

① Échec ou victoire de la liberté ?

• Le choix final de l'héroïne est celui d'une **mort sociale**, consécutive à une défaite de la liberté face à la passion. La princesse actualise malgré elle les prévisions de sa mère sur les victimes de l'amour, puisqu'elle n'a pas su résister à sa passion. Même après la mort de son mari, elle ne peut s'empêcher d'aimer Nemours et de le lui avouer enfin, tout en le regrettant : «Ce lui était une chose si nouvelle [...] d'avoir dit elle-même qu'elle aimait, qu'elle ne se connaissait plus» (p. 221). De plus elle **oppose son devoir et son bonheur** : «Elle examina encore les raisons de son devoir, qui s'opposaient à son bonheur, elle sentit de la douleur de les trouver si fortes.» Autrement dit, elle choisit finalement de renoncer au bonheur.

• Cependant, d'un autre côté, par sa capacité de résistance aux appels du corps et par son renoncement, l'héroïne **ouvre la voie de l'émancipation de l'individu par rapport à ce qui le détermine** à la fois psychologiquement et socialement. Quand elle explique à Nemours qu'elle renonce à lui car elle sait très bien que leur mariage tuera leur amour et qu'elle affirme hautement : «j'avoue que les passions peuvent me conduire mais elles ne sauraient m'aveugler» (p. 216), elle semble avoir atteint un état de sagesse morale étonnant pour une jeune femme d'à peine dix-huit ans.

② Le sens du repos final

• La ligne de *La Princesse de Montpensier* était clairement **déceptive**[1] : Mme de Montpensier meurt de chagrin, vaincue par l'illusion de l'amour du duc de Guise à qui elle a cédé et par les tourments de la jalousie.

• En revanche, en faisant le choix du **renoncement**, la princesse de Clèves se libère de ses passions et trouve l'apaisement. Elle accède à un héroïsme tragique en choisissant de vivre dans la solitude, loin de la cour, suivant en cela les préceptes de l'**éthique janséniste** de la condamnation du divertissement, de l'agitation et de la vanité des hommes au profit du repos.

---

1. Déceptive : qui déçoit.

Les représentations de la vie en société

Les artistes sont des observateurs privilégiés des hommes et de leurs façons de vivre. La vie en société, c'est-à-dire les codes et les normes du vivre-ensemble, les intéresse. La scène de genre en peinture, le cinéma, la photographie ou encore le théâtre, captent avec acuité ce qui, dans la vie en société, dans les lieux d'échange et de rencontre, est soumis à un ensemble de règles et de contraintes. Comment les individus gèrent-ils leurs rapports aux autres dans les lieux qu'ils doivent partager ? Peut-on être soi au milieu des autres ? Quelles relations humaines les représentations artistiques de la vie en société nous donnent-elles à voir ?

Les lieux de la vie en société

La vie en société se déroule dans des lieux soumis à des règles de conduite. Y pénétrer peut relever d'une sorte d'enfermement (● IMAGE 1). ou du moins d'acceptation de contraintes du vivre-ensemble plus ou moins aliénantes (● IMAGE 2). En sortir, c'est parfois libérer un certain nombre de pulsions (● IMAGE 3).

Divertissement et comédie humaine

La vie en société est un moment d'échanges, de partage, de rencontres et de divertissement. Mais, derrière le plaisir du loisir et de l'amusement, c'est la question de la représentation sociale qui est en jeu. On n'est pas tout à fait soi au milieu des autres. Le bal est le lieu où l'on se montre dans tous les artifices luxueux de la représentation sociale (● IMAGE 4). Le salon, sous l'Ancien Régime, est le lieu de sociabilité par excellence où, derrière les plaisirs de la conversation, se dissimulent des enjeux de pouvoir parfois cruels (● IMAGE 5). La vie en société est, *in fine*, un théâtre, lieu de la comédie humaine où chacun joue un rôle (● IMAGE 6).

1 *Générique du film La Belle Personne* (2008)

- **Réalisateur** : Christophe Honoré (né en 1970)
- **Date du film** : 2008
- **Acteurs principaux** : Léa Seydoux (Junie de Chartres, la princesse de Clèves), Louis Garrel (Jacques Nemours, le duc de Nemours), Grégoire Leprince-Ringuet (Otto, le prince de Clèves), Esteban Carvajal Alegria (Matthias de Chartres, le vidame de Chartres)

 L'image est reproduite en 2ᵉ de couverture.

Derrière les portes du lycée

Pour son adaptation cinématographique de *La Princesse de Clèves*, Christophe Honoré a choisi de transposer le cadre physique du roman, la cour d'Henri II, dans un lycée des années 2000. Le microcosme de la cour, et son univers de galanterie, d'intrigues, de codes, de paraître, prend corps dans celui du lycée, pareillement traversé des histoires de cœur, des rivalités, des codes qui régissent la vie des adolescents.

Le générique du film commence par un plan fixe sur l'ouverture des grandes portes du lycée d'où entrent et sortent les élèves.

Lire l'image

1/ Comment l'image est-elle composée ?
2/ Par quels moyens l'opposition entre l'intérieur et l'extérieur est-elle représentée ?
3/ Quelles significations symboliques peut-on accorder à cette image ?

2 *Le Mas du Taureau,* Vaulx-en-Velin (2012)

- **Auteur** : Karim Kal (né en 1977)
- **Technique** : photographie d'artiste en noir et blanc

 L'image est reproduite dans l'encart couleur, p. I.

Habiter dans un grand ensemble

Vivre ensemble, c'est ce qu'impose l'habitat collectif où l'on est à la fois chez soi, dans son appartement, et avec les autres dans les espaces communs :

couloirs, ascenseurs, halls d'entrée. Karim Kal, artiste photographe résidant à Lyon, s'intéresse aux lieux contemporains du vivre-ensemble, notamment aux banlieues et à leurs grands ensembles, auxquels ses prises de vue et son travail sur la lumière donnent une apparence singulière : ses images révèlent ce qui est invisible à l'œil, les marqueurs sociaux, culturels et politiques inscrits dans l'architecture urbaine.

Sur cette photo, un grand immeuble d'habitation, réduit à ses formes géométriques, coupé de son environnement par le cadrage et tendant ainsi vers l'abstraction, est dépouillé de sa fonctionnalité, donnant l'impression d'être une grande boîte avec des cases et non plus un lieu de vie. Seul l'arbre, au centre, replace le bâtiment dans le réel.

3

Rixe dans la galerie (1910)

- **Auteur** : Umberto Boccioni (1882-1916)
- **Technique** : peinture, huile sur toile
- **Dimensions** : 76 x 64 cm
- **Genre** : scène de genre
- **Mouvement artistique** : futurisme

 L'image est reproduite dans l'encart couleur, p. II.

Le désordre de la rue

Boccioni est l'un des représentants majeurs du futurisme, mouvement pictural italien du début du XXᵉ siècle qui cherche à rendre la modernité de son temps en s'intéressant à la fois à la représentation du mouvement et aux changements qui s'opèrent alors dans les villes. Il peint ici une scène de foule en plein cœur de la galerie Victor-Emmanuel de Milan, lieu architectural emblématique de la ville, qui devient à l'époque la capitale industrielle de l'Italie.

Lire l'image

1/ Quel est le sujet principal du tableau ?
2/ Quelles oppositions (lignes, plans, lumière, dimensions) peut-on voir entre le décor et les personnes représentées ?
3/ Quelle impression la foule des personnages donne-t-elle ?

Les Plaisirs du bal (1715-1717)

- **Auteur** : Jean-Antoine Watteau (1684-1721)
- **Technique** : peinture, huile sur toile
- **Dimensions** : 52,5 x 65,2 cm
- **Genre** : scène de genre
- **Mouvement artistique** : rococo

 L'image est reproduite dans l'encart couleur, p. III.

Le bal et les fêtes galantes : le raffinement de la vie sociale

Au XVIIIe siècle, la fête galante est à la mode : dans un lieu plaisant – un beau jardin ou une terrasse à l'architecture raffinée –, des hommes et des femmes sont assemblés pour converser, se conter des mots d'amour, faire de la musique, danser. Dans *Les Plaisirs du bal*, Watteau met en scène une cinquantaine de personnages, vêtus avec un luxe raffiné. Certains sont en costume de théâtre, soit qu'ils assistent à un spectacle, soit qu'ils y participent. Car, ici, chacun est en représentation vis-à-vis de l'autre.

 # **Mise en scène du *Misanthrope*** (2014-2017)

- **Metteur en scène** : Clément Hervieu-Léger (né en 1977)
- **Lieu de la représentation** : Comédie-Française, 2014-2017
- **Technique** : mise en scène théâtrale

 L'image est reproduite dans l'encart couleur, p. IV.

L'art de la conversation mondaine

La représentation de Célimène dans son salon, entourée de ses hôtes habituels et notamment des « petits marquis » (acte II, scène 4), est l'un des moments les plus célèbres de la pièce de Molière. Le jeu des portraits est lancé, un nom est prononcé et Célimène, qui excelle à brosser des portraits aussi spirituels que féroces, relève le défi. Elle « amuse la galerie », en croquant avec méchanceté les travers des uns et des autres. Et chaque invité, comme le montre l'attitude réjouie du personnage assis à la gauche de la jeune femme, prend plaisir à cette médisance mondaine, très proche de l'hypocrisie sociale dénoncée par Alceste.

FICHES

PROLONGEMENTS

OBJECTIF BAC

6

Photogramme de **La Règle du jeu** (1939)

- **Réalisateur**: Jean Renoir (1867-1979)
- **Date du film** : 1939
- **Technique** : film en noir et blanc
- **Principaux acteurs** : Marcel Dalio (le marquis de La Chesnaye), Nora Gregor (Christine de La Chesnaye), Mila Parély (Geneviève de Marrast), Roland Toutain (André Jurieu), Paulette Dubost (Lisette), Gaston Modot (Édouard Schumacher), Jean Renoir (Octave), Julien Carette (Marceau)

 L'image est reproduite dans l'encart couleur, p. IV.

« Où finit la comédie ? Où commence la vie[1] ? »

Ce film de Jean Renoir met en scène une microsociété de riches mondains qui se complaît dans l'insouciance et la futilité, enfermée dans des rituels d'un temps révolu et incapable de percevoir l'évolution du monde qui l'entoure. Nous sommes en 1939, à la veille de la Seconde Guerre mondiale. Le marquis de La Chesnaye a réuni quelques amis pour une partie de chasse dans son château de *La Colinière*, en Sologne. Pour se divertir, les invités organisent un bal costumé et un spectacle théâtral dont l'un des clous est une danse macabre où sont réunis maîtres et domestiques. Cependant, l'intrigue, rythmée par les chassés-croisés amoureux et des poursuites effrenées, et sans jamais perdre le ton de la comédie, va imperceptiblement évoluer vers le drame.

 Lire l'image

1/ Quelles sont les composantes de ce photogramme ?
2/ Qui regarde qui et que lit-on dans ces regards ?
3/ Qu'est-ce qui rend ce spectacle ridicule ?

---

1. Réplique de Camilla, personnage principal d'un autre film de Renoir, Le Carrosse d'or (1953).

Sujet de **dissertation**

Dans quelle mesure les romans, et notamment les romans d'analyse psychologique, peuvent-ils interroger la condition humaine ?
Vous répondrez à cette question grâce à votre lecture de *La Princesse de Clèves* et du parcours de lecture « Individu, morale et société ».

pour vous aider

Les indications qui suivent peuvent vous aider à bâtir votre plan.

1 • Identifiez les faits qui relèvent de la société de l'époque d'écriture des romans et/ou de leur intrigue.
• Relevez les faits qui nous semblent toujours d'actualité ou plus intemporels, et qui font que n'importe quel lecteur peut se retrouver dans les personnages.

2 • Repérez les faits qui, au contraire, sont plus invraisemblables et donc plus romanesques.
• Indiquez ce qui est idéalisé dans les romans.

3 • Demandez-vous comment les romans interrogent la question de la liberté des individus dans la société.
• Demandez-vous comment les romans interrogent la question du bonheur en général.

Sujet de **commentaire**

Rousseau, *La Nouvelle Héloïse* (1761), VI, 8> page 250

Commentez le texte.

Vous devrez composer un devoir qui présente de manière organisée ce que vous avez retenu de votre lecture et justifier votre interprétation par des analyses précises.

pour vous aider

Les indications qui suivent peuvent vous aider à bâtir votre commentaire.

La Nouvelle Héloïse est un roman épistolaire où l'on suit la correspondance amoureuse entre Julie et Saint Preux, deux amants que la vie et la société ont séparés. Devenue madame de Volmart, Julie est désormais une épouse et une mère de famille comblée. Mais, en retrouvant son amour de jeunesse, après quatre années de séparation, elle se rend compte de son insatisfaction profonde et des contradictions de sa vie.

1 **Pourquoi peut-on parler de lyrisme inquiet dans ce passage?**
• Étudiez les pronoms personnels.
• Étudiez les types de phrases.
• Étudiez les procédés par lesquels sont rendues l'émotion et la sensibilité du personnage.

2 **En quoi ce texte est-il une forme d'aveu?**
• Relevez le vocabulaire de l'intimité.
• Montrez en quoi le personnage est pris dans des contradictions profondes, notamment en tant que femme.

3 **Quelle conception du bonheur se dégage dans ce texte?**
• Relevez l'opposition entre le vide et le plein, le manque et la satisfaction.
• Cernez l'image de la passion et du désir qui sont donnés dans ce texte.
• Montrez que le texte parle de la condition humaine.

L'épreuve *orale*

Sujet d'**oral**

La Princesse de Clèves, **"Le portrait dérobé"** > p. 103-104, l. 782 à 813

1 **LECTURE ORALISÉE**

pour vous aider

• Marquez le rythme des grandes phrases du texte par des pauses.
• Essayez de donner un ton oral aux passages au style indirect.

2 **EXPLICATION D'UN PASSAGE**

pour vous aider

• Repérez les deux grands moments du passage, celui de l'action et celui de la réflexion.
• Pourquoi peut-on dire que ce qui se passe dans cet extrait est une véritable défaite de la volonté et de la lucidité de Mme de Clèves ?

3 QUESTION DE GRAMMAIRE. **« qui étaient encore attachés sur lui » (l. 791) : quel est l'antécédent du pronom relatif « qui » dans cette proposition et quelle est la fonction de ce pronom ?**

pour vous aider

Observez l'accord du verbe de la proposition relative.

Questions *pour l'entretien*

Ces questions, qui font référence aux Liaisons dangereuses, *ont été conçues à titre d'exemples.*

1 Dans votre dossier est mentionnée la lecture cursive d'un autre roman : *Les Liaisons dangereuses*. Pouvez-vous présenter brièvement cette œuvre et exposer les raisons de votre choix ?

2 Quel est l'intérêt de la forme épistolaire de ce roman ?

3 Quels sont les points communs entre Cécile de Volanges dans *Les Liaisons dangereuses* et Mlle de Chartres dans *La Princesse de Clèves* ? Quelles sont les différences ?

DES IDÉES DE *lectures cursives...*

• MADAME DE LAFAYETTE
La Princesse de Clèves
(1678)

1600

1700

• MADAME DE LAFAYETTE,
La Princesse de Montpensier
(1662)

• CHODERLOS DE LACLOS,
Les Liaisons
dangereuses (1782)

Premier roman de Mme de Lafayette, ce court récit présente une intrigue très similaire à celle de *La Princesse de Clèves*, dans le contexte tragique des guerres de religion. On y retrouve la même interrogation sur la passion destructrice, notamment pour les femmes.

Roman épistolaire qui met en scène des libertins manipulant les êtres pour assouvir leurs désirs. Laclos y fait le tableau d'une société en perte de valeurs au point de se détruire elle-même, au travers, notamment, de destins de femmes très différents.

GUSTAVE FLAUBERT
Madame Bovary (1857)

Une femme nourrie par sa lecture de romans d'amour et d'aventures, voudrait faire de sa vie un roman. Mais la réalité médiocre de son existence d'épouse et de mère ne sera qu'une suite de déceptions.

1800

1900

MARGUERITE DURAS,
L'Amant (1984)

Une femme revient sur son adolescence en Indochine, alors colonie française, et en particulier sa découverte de l'amour avec un riche Chinois. Ce roman, en partie autobiographique, explore la construction d'une identité dans ses rapports avec le cercle familial, la société et la morale des années 1920, et avec un lieu et marqué par le choc des cultures.

FICHES

PROLONGEMENTS

OBJECTIF BAC

En 2ᵉ de couverture

- Image extraite du film *La Belle Personne* de Christophe Honoré (2008). © Scarlett Production (DR)

Dans les pages de début

- Page 6 Portrait de Madame de Lafayette, dessin de Gustave Staal (XIXᵉ siècle), Paris, Bibliothèque nationale. Coll. Archives Hatier

- Page 9 *Bal à la cour des Valois*, anonyme français (1580), Rennes, musée des Beaux-Arts. Coll. Archives Hatier

- Page 11 *Astrée voit Céladon noyé dans le Lignon*, planche gravée de l'édition illustrée de 1733 de *L'Astrée* d'Honoré d'Urfé, Paris, Bibliothèque nationale. Coll. Archives Hatier

- Page 15 *Femme à la couronne de perles* (1645), gravure de Wenceslaus Hollar, Metropolitan Museum of Art, New York

Dans le cahier couleurs, au centre du livre

- Page I Karim Kal, *Le Mas du Taureau*, Vaulx-en-Velin (2012). ph © Karim Kal

- Page II Umberto Boccioni, *Rixe dans la galerie* (1910). Huile sur toile, 76 x 64 cm, Milan, Pinacothèque de Brera. Collection Jesi e Vitali

- Page III Jean-Antoine Watteau, *Les Plaisirs du Bal* (1715-1717). Huile sur toile, 52,5 x 65,2 cm, Londres, Dulwich Picture Gallery. ph © Josse/Leemage

- Page IV *Le Misanthrope* de Molière, mise en scène de Clément Hervieu-Léger avec Adeline d'Hermy dans le rôle de Célimène, Paris, Comédie-Française (septembre 2015). ph © Brigitte Enguerand/Divergence

- Page IV photogramme extrait du film *La Règle du jeu* de Jean Renoir (1939). © NEF (DR) – Coll. Prod DB

PAPIER À BASE DE FIBRES CERTIFIÉES

Hatier s'engage pour l'environnement en réduisant l'empreinte carbone de ses livres. Celle de cet exemplaire est de : 600 g éq. CO_2 Rendez-vous sur www.hatier-durable.fr

Achevé d'imprimer par Black Print CPI Iberica S.L.U - Espagne
Dépôt légal 05937-5/04 - Avril 2020